COLLECTION
Claude **Lizeaux** • Denis **Baude**

SVT 2de

SCIENCES DE LA VIE ET DE LA TERRE

Programme 2010

Sous la direction de Claude Lizeaux et de Denis Baude,
ce manuel a été écrit par :

Denis Baude

Christophe Brunet

Antoine Chaleix

Bruno Forestier

Gilles Gutjahr

Yves Jusserand

Claude Lizeaux

Armelle Mathevet

Paul Pillot

Stéphane Rabouin

André Vareille

D1507229

Bordas

Les SVT en classe de 2de

Au lycée, l'enseignement des Sciences de la Vie et de la Terre est organisé autour de trois thèmes :

La Terre dans l'Univers, la vie et l'évolution du vivant

À travers cette partie, vous comprendrez que le développement de la vie sur Terre est lié à des particularités de la planète Terre, particularités qui pourraient éventuellement exister ailleurs dans l'Univers. Vous constaterez que si la matière vivante est issue de la matière inerte (ou minérale), elle s'organise et fonctionne d'une façon qui lui est propre, à différentes échelles : molécules, cellules, organisme. Vous découvrirez l'extraordinaire et fragile biodiversité et vous comprendrez que celle-ci est une étape provisoire de l'évolution de la vie sur Terre.

Enjeux planétaires contemporains

Au XXIe siècle, l'Homme est devant un défi majeur : trouver, exploiter des ressources énergétiques et nourrir bientôt huit ou neuf milliards d'êtres humains, tout en préservant la planète pour les générations futures.

Dans cette partie, vous verrez que le fonctionnement de la biosphère dans son ensemble dépend de l'énergie du Soleil. Vous comprendrez alors pourquoi les roches carbonées, ressources énergétiques majeures, peuvent être considérées comme de l'énergie solaire fossilisée. De même, vous comprendrez que les énergies éolienne et hydroélectrique, qui dépendent elles aussi du soleil, sont des ressources renouvelables. Enfin, vous réaliserez l'importance vitale pour l'humanité des ressources que sont l'eau et les sols cultivables.

Corps humain et santé

Chacun sait que la pratique régulière d'une activité physique est recommandée. Une bonne connaissance du fonctionnement du corps humain est un atout pour faire du sport en préservant sa santé. Vous verrez dans cette partie que l'organisme répond de façon coordonnée aux exigences d'un effort physique. Vous constaterez qu'il existe des limites à la performance et apprendrez à adapter l'activité physique à vos capacités.

Un manuel pour une démarche

Le manuel de SVT vous permet de mener une démarche d'investigation : faire des sciences, c'est enquêter, utiliser des méthodes et des techniques pour résoudre des problèmes. Ce manuel propose de multiples activités pratiques à mener en classe sous la conduite du professeur. Des documents de qualité, soigneusement sélectionnés, sont là pour vous accompagner dans cette démarche.

Un manuel pour mieux réussir

Il n'y a pas de réussite sans un travail et un investissement personnel. Ce manuel de SVT constitue une aide efficace à l'acquisition de différentes compétences, à la mémorisation de connaissances essentielles. Les exercices proposés, de difficultés variables, sont là pour vous aider et tenter de remédier aux éventuelles difficultés rencontrées.

Un manuel pour préparer l'avenir

Votre manuel de SVT vous permettra de découvrir des métiers ou des secteurs d'activité et de mieux connaître les formations qui y conduisent. Il contribuera aussi à élargir la culture scientifique et générale. Enfin, il aidera à comprendre le rôle et la responsabilité des sciences face aux grands enjeux du monde contemporain.

Les auteurs

Direction éditoriale : Jacqueline Erb
Édition : Béatrice Le Brun
Iconographie : Fabrice Lucas, Christine Varin
Couverture : Oxygène
Conception graphique : Valérie Venant

Direction artistique : Pierre Taillemite
Schémas : Domino, Vincent Landrin
Compogravure : CGI
Fabrication : Jean-Marie Jous

© BORDAS/SEJER, Paris, 2010
ISBN 978-2-04-732758-6

Sommaire

Pour commencer...

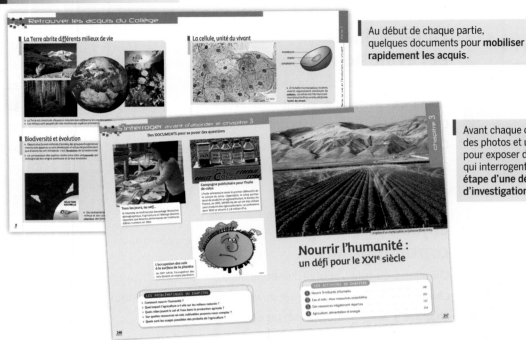

Au début de chaque partie, quelques documents pour **mobiliser rapidement les acquis**.

Avant chaque chapitre, des photos et un dessin pour exposer des faits qui interrogent, **première étape d'une démarche d'investigation**.

Les activités

Pour construire les notions du programme :
- de nombreuses activités expérimentales,
- des documents à mettre en relation,
- des activités de modélisation.

- Les **mots surlignés** sont définis dans le **lexique à la fin du manuel**.
- Des questions qui suggèrent une façon d'exploiter les documents.
- Des ressources complémentaires sur Internet.

pour mieux l'utiliser

Le bilan

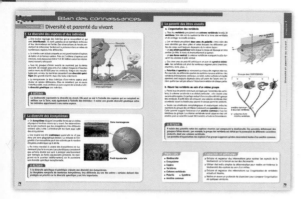

- Une synthèse des **connaissances** du chapitre.
- Un résumé et des **schémas** pour faciliter la mémorisation.
- Les **mots-clés** à connaître.
- Les **capacités** et **attitudes** mises en œuvre dans le chapitre.

Des clés pour...

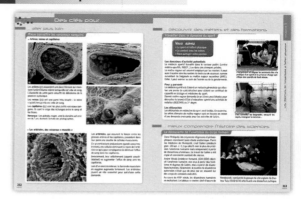

- À la fin de chaque chapitre, des documents complémentaires **pour aller plus loin**, s'informer sur les **études** et les **métiers**, mieux connaître l'**histoire des arts** ou l'**histoire des sciences**.

Les exercices

- Des tests de connaissances avec des QCM (corrections à la fin du manuel).
- Des exercices guidés, d'autres de **difficultés graduées**, basés sur des documents variés.
- Des exercices pour évaluer les **capacités expérimentales**.

Le guide pratique

- Un **guide pratique** qui apporte une aide dans des situations de travail concrètes.
- Un **lexique** qui définit les mots surlignés dans les pages d'activités pratiques.
- Un **index**.

Des ressources numériques complémentaires :
- dans le manuel numérique enrichi
- sur Internet

www.bordas-svtlycee.fr

Partie 1

La Terre, la vie
et l'évolution du vivant

La Terre abrite différents milieux de vie

- La Terre est constituée d'espaces naturels bien différents les uns des autres.
- Ces milieux sont peuplés de très nombreuses espèces animales et végétales : c'est ce que l'on appelle la **biodiversité**.

Biodiversité et évolution

- Depuis plus de trois milliards d'années, des groupes d'organismes vivants sont apparus, se sont développés et ont pu disparaître alors que d'autres les ont remplacés : c'est l'**évolution** de la biodiversité.

- La comparaison des espèces révèle entre elles une **parenté** qui témoigne de leur origine commune et de leur évolution.

SÉLECTION NATURELLE

- Des événements géologiques, des modifications des milieux et des conditions de vie sont à l'origine d'une **sélection** des formes adaptées.

La cellule, unité du vivant

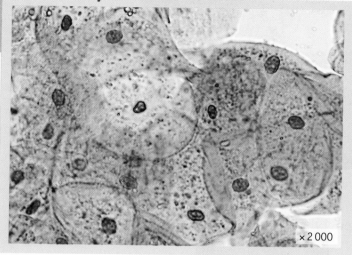

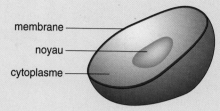

membrane

noyau

cytoplasme

×2 000

● À l'échelle microscopique, les êtres vivants apparaissent constitués de **cellules**. La cellule est l'attribut commun à tous les êtres vivants, elle fonde l'**unité du vivant**.

Chromosomes, gènes et ADN

● Les **chromosomes**, présents dans le noyau des cellules, sont le support de l'information génétique. Chaque chromosome est constitué d'**ADN**.

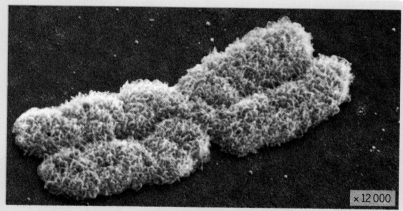

×12 000

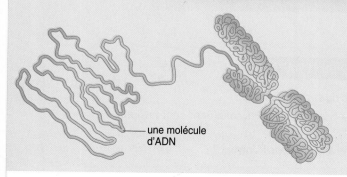

une molécule d'ADN

● Chaque chromosome contient de nombreux **gènes**. Chaque gène est porteur d'une information qui détermine un caractère héréditaire.

● Un gène peut exister sous des versions différentes appelées **allèles**.

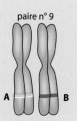

paire n° 9

A   B

Des DOCUMENTS pour se poser des questions

Saturne, observée par la sonde Cassini

Image en couleurs naturelles, composée à partir de 30 clichés obtenus le 23 juillet 2008 à une distance de 1,1 million de km de la planète.

Pluton, vue par le télescope spatial Hubble

Longtemps considérée comme la neuvième planète du système solaire, Pluton n'appartient plus à cette catégorie de corps céleste, depuis une décision de l'Union Astronomique Internationale, le 26 août 2006.

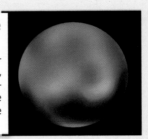

La recherche de traces de vie sur Mars

Sur Mars, mais aussi sur certains satellites des planètes géantes ou encore sur des planètes situées en dehors du système solaire, les hommes sont à la recherche de traces de vie présentes ou passées...

LES PROBLÉMATIQUES DU CHAPITRE

- Quels sont les différents objets du système solaire ?
- La Terre est-elle une planète particulière ? Quelles conditions sont favorables à la vie ?
- Peut-il exister des formes de vie ailleurs dans l'Univers ?

La Terre vue de l'espace.

La Terre, planète de la vie

LES ACTIVITÉS DU CHAPITRE

Les objets du système solaire

Le système solaire n'est qu'une infime partie de l'Univers. Il est cependant constitué d'une multitude de corps célestes qui dépendent d'une étoile, le Soleil. *Cette vue d'ensemble permet de situer la Terre parmi les divers objets du système solaire.*

A Notre étoile, le Soleil

Le Soleil est une **étoile** comme il en existe des centaines de milliards d'autres dans diverses **galaxies**.

Sa masse correspond à 99 % de celle du système solaire dans son entier et, avec un diamètre de 1 390 000 km, c'est de très loin le plus grand objet du système solaire (109 fois la Terre).

C'est une énorme boule de gaz (hydrogène et hélium). Comme dans toutes les étoiles, les réactions de fusion nucléaire qui s'y produisent libèrent une quantité d'énergie considérable, émise sous la forme de divers rayonnements.

Le Soleil n'est pas éternel car l'hydrogène qu'il consomme (4,26 millions de tonnes par seconde !) n'est pas inépuisable. Âgé de 4,5 milliards d'années environ, on estime qu'il est à la moitié de sa vie.

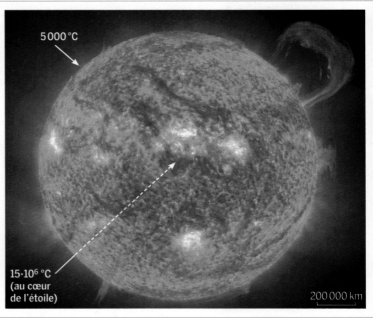

5 000 °C

15·10⁶ °C
(au cœur
de l'étoile)

200 000 km

Doc. 1 **Le Soleil, « star » du système solaire !**

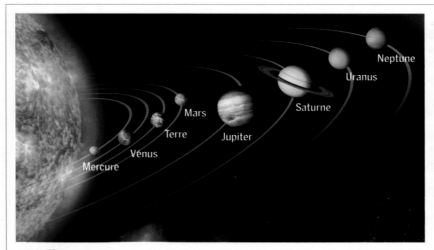

Sous l'effet de la **gravitation**, huit **planètes** tournent autour du Soleil.
Après le Soleil, ce sont les plus gros objets du système solaire.

Beaucoup plus petite, Pluton n'est plus considérée comme une planète et appartient désormais à la catégorie des planètes naines.

Remarque : sur cette représentation, les échelles ne sont pas respectées.

Neptune

Uranus

Saturne

Mars

Terre

Jupiter

Vénus

Mercure

Doc. 2 **Huit planètes soumises à la force d'attraction du Soleil.**

B Le système solaire : une multitude d'objets célestes

La Terre (**a**) est la troisième des huit planètes du système solaire. Sans émettre de lumière, elle tourne sur son orbite à 150 000 000 km du Soleil. C'est un objet céleste parmi d'autres, dont l'histoire s'inscrit dans celle du système solaire.

La Lune (**b**) est l'unique satellite naturel de la Terre. Située à (seulement) 384 400 km de la Terre, la Lune tourne autour de la Terre en un peu plus de 27 jours.

1 000 km

Si certaines planètes ne possèdent aucun satellite, d'autres en possèdent plusieurs, jusqu'à 63 pour Jupiter !

2 000 km

Doc. 3 **Une planète parmi d'autres : la Terre.**

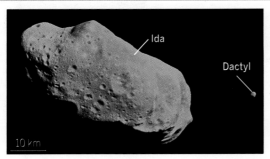
Ida
Dactyl
10 km

De tailles très variées, allant du bloc de quelques dizaines de mètres jusqu'à plusieurs dizaines de kilomètres, de multiples astéroïdes gravitent autour du Soleil dans une région située entre l'orbite de Mars et celle de Jupiter, appelée « ceinture » principale.

Doc. 4 **L'astéroïde Ida et son satellite Dactyl photographiés par la sonde Galileo.**

De petite taille, les comètes sont des blocs de poussières et de glace qui se vaporisent à l'approche du Soleil. Leurs orbites sont généralement elliptiques et très allongées, ce qui les amène à passer près du Soleil avec des périodicités très variées.

Doc. 5 **La comète Hale-Bopp observée depuis la Terre.**

Pistes d'exploitation

1. **Doc. 1 à 3 :** Quelles sont les différences entre une étoile et une planète ?

2. **Doc. 3 :** À quelle distance du Soleil se trouve la Terre ? Comparez-la avec la distance Terre-Lune. Qu'est-ce qu'un satellite ?

3. **Doc. 3 à 5 :** Quelle est la différence entre une planète et un astéroïde ? Entre un astéroïde et une comète ?

4. **Doc. 1 à 5 :** Justifiez le terme de système solaire donné à cet ensemble.

Lexique, p. 258

La Terre, planète rocheuse du système solaire

La Terre partage certaines de ses caractéristiques avec d'autres objets du système solaire. Elle présente cependant aussi des singularités. *Cette étude comparée permet de dégager quelques caractéristiques précises de la planète Terre.*

A La Terre comparée à deux autres planètes du système solaire

Doc. 1 Terre et Mars : deux paysages bien différents !

Le 13 juillet 1995, le vaisseau spatial Galileo largue une **sonde** vers Jupiter. Pendant 58 minutes, la sonde pénètre la surface de la planète, rencontrant une pression et une température croissantes. Après 200 km de traversée, la sonde cesse d'émettre avant de fondre sous l'effet de la chaleur intense. Son dernier relevé fait état d'une température de 153 °C et d'une pression de 22 **bars**.

La Grande Tache Rouge de Jupiter vue par la sonde Voyager 2, le 3 Juillet 1979, à une distance de 6 millions de kilomètres de la planète. Cette tache rouge qui mesure près de 25 000 km de diamètre est une tempête gigantesque permanente.

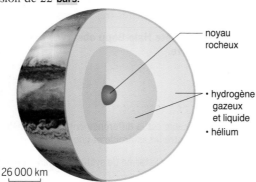

Doc. 2 Jupiter, la plus grosse planète du système solaire.

B D'autres éléments pour comparer des objets du système solaire

	Mercure (P)	Vénus (P)	Terre (P)	Mars (P)	Jupiter (P)	Europe (S)	Saturne (P)	Uranus (P)	Neptune (P)
Distance au Soleil (en UA)	0,4	0,7	1 (environ 150 millions de km)	1,5	5,2	5,2	9,5	19,6	30
Diamètre (en km)	4 880	12 103	12 756	6 805	142 984	3 130	120 536	51 118	49 922
Masse (par rapport à la Terre)	0,055	0,815	1 (soit $5,98 \cdot 10^{24}$ kg)	0,107	318	0,008	95	14	17
Densité	5,42	5,20	5,51	3,93	1,33	3,01	0,69	1,27	1,64
Durée de révolution	88 jours	225 jours	365 jours	687 jours	12 ans	12 ans	29 ans	84 ans	164 ans
Température moyenne de surface	179 °C	461 °C	15 °C	− 63 °C	− 121 °C	− 148 °C	− 181 °C	− 205°C	− 220 °C
Composants majoritaires	fer et silicates	fer et silicates	fer et silicates	fer et silicates	hélium et hydrogène	silicates et fer	hélium et hydrogène	hélium et hydrogène	hélium et hydrogène
Nombre de satellites	0	0	1	2	63	0	60	27	13
Présence d'une atmosphère	non	oui	oui	oui	oui	oui	oui	oui	oui
Présence de vie	non	non	oui	non*	non	non*	non	non	non

UA : Unité Astronomique.
P : planète. S : satellite.
* Présence de vie recherchée, mais non encore découverte.

Doc. 3 **Des données sur quelques corps célestes du système solaire.**

Pour trouver d'autres informations :

www.bordas-svtlycee.fr

Pistes d'exploitation

1. **Doc. 1 et 3 :** Comparez les planètes Terre et Mars.

2. **Doc. 1 à 3 :** En quoi Jupiter diffère-t-elle fondamentalement des deux autres planètes présentées par le document 1 ? Comparez les dimensions de la Tache Rouge de Jupiter à celles de la Terre.

3. **Doc. 3 :** Classez les huit planètes en deux catégories : planètes rocheuses et planètes gazeuses. De quel type de planète peut-on rapprocher le satellite Europe ?

4. **Doc. 1 à 3 :** Présentez en quelques phrases les caractéristiques de la planète Terre.

Lexique, p. 258

Des caractéristiques favorables à la vie

La Terre est une planète parmi d'autres, mais les conditions qui y règnent la distinguent par certains aspects des autres planètes du système solaire. *Recherchons en quoi ces particularités sont favorables à l'épanouissement de ce que l'on appelle la vie.*

A Les particularités de l'atmosphère terrestre

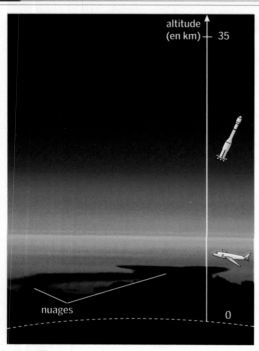

L'atmosphère terrestre a une épaisseur d'environ 800 km, mais se concentre, pour l'essentiel, dans les premiers kilomètres d'épaisseur. Ainsi, la troposphère dont le sommet se situe aux alentours de 8 à 15 km d'altitude seulement, contient 80 à 90 % de la masse totale de l'air et la quasi-totalité de la vapeur d'eau. C'est la couche où se produisent les phénomènes météorologiques.

La seconde couche atmosphérique, ou stratosphère, est beaucoup moins dense, mais contient un gaz important : l'**ozone**.

Composition chimique de l'atmosphère

- diazote 79 %
- dioxygène 21 %
- autres : argon, dioxyde de carbone, méthane, ozone...

Température moyenne (en °C)
Terre + 15
Mars − 55

Pression atmosphérique (en bar)
Terre 1
Mars 0,01

Sur Terre, la faible quantité de dioxyde de carbone (CO_2) et la vapeur d'eau sont responsables d'un **effet de serre** naturel relativement modéré qui élève d'environ 30 °C la température moyenne.

Doc. 1 L'atmosphère de la Terre vue depuis la navette spatiale Endeavour, le 29 juillet 2009.

● L'intérêt du dioxygène (O_2)
L'oxydation des nutriments grâce au dioxygène, ou respiration, produit de l'énergie avec une efficacité remarquable. La quasi-totalité des êtres vivants mettent à profit la respiration pour se procurer l'énergie nécessaire à leur activité.

● Le rôle de l'ozone (O_3)
Dans la haute atmosphère, entre 20 et 30 km d'altitude, le dioxygène se transforme en ozone sous l'effet du rayonnement solaire. Cet ozone fait barrage à certains **rayons ultraviolets** (UV) principalement les UV-B et UV-C. Or, ces rayons ultraviolets sont incompatibles avec la vie : ils provoquent brûlures et cancers.

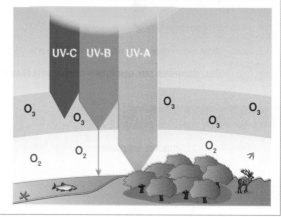

Doc. 2 L'oxygène, une particularité exploitée par les formes de vie actuelle.

B L'eau liquide, milieu de vie

L'eau (océans, lacs, fleuves...) constitue le milieu de vie d'un très grand nombre d'espèces. On sait aujourd'hui que c'est dans l'eau que la vie a pu apparaître.

Tous les êtres vivants sont constitués d'une quantité impressionnante d'eau (voir p. 35). En effet, pour que les réactions chimiques nécessaires à la vie puissent se produire, il faut une grande mobilité des molécules. L'état gazeux permet cette mobilité, mais les **molécules du vivant** ne sont pas **volatiles**. L'état solide, lui, n'est pas propice à la vie.

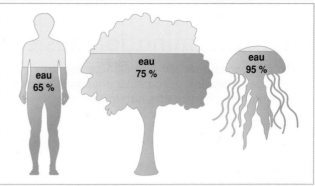

eau 65 %

eau 75 %

eau 95 %

Doc. 3 **L'eau liquide permet la vie.**

Au niveau des sources hydrothermales, dans l'obscurité des fonds océaniques, à 2 500 mètres de profondeur et sous une pression de 250 **bars**, on découvre un écosystème insoupçonné...

Pyroccoccus abyssi est une bactérie qui supporte sans problème des températures supérieures à 100 °C. Elle tire de l'énergie du soufre (et non de la lumière) et vit sans recourir à la respiration.

Les vers de Pompéï (*Alvinella pompejana*) supportent une température de 80 °C ! Ceci est exceptionnel pour un être vivant pluricellulaire.

© Ifremer-Victor/Campagne Momareto 2006

Doc. 4 **La vie, même dans des conditions extrêmes.**

Pistes d'exploitation

1. Doc. 1 et 2 : En utilisant les informations des activités précédentes (p. 12 à 15), expliquez en quoi l'atmosphère terrestre présente des particularités favorables à la vie.

2. Doc. 1 et 3 : Expliquez pourquoi la vie serait probablement impossible sur Terre sans l'effet de serre naturel.

3. Doc. 3 : Dans quelle mesure l'eau est-elle un milieu propice à la vie ?

4. Doc. 4 : Montrez que ces informations ont une importance pour orienter la recherche d'une vie sur d'autres planètes.

Lexique, p. 258

La détermination des conditions d'habitabilité

La présence de vie sur une planète suppose qu'un certain nombre de conditions soient réunies. *L'étude de certains paramètres physiques ou chimiques permet de déterminer à quelles conditions une planète pourrait être habitable.*

A Des paramètres déterminants

L'état physique de l'eau (liquide, solide, gazeux) dépend de la température mais aussi de la **pression**. Le *diagramme ci-dessous* permet de déterminer l'état de l'eau pour différents couples de valeurs de température et de pression.

Remarque : la vapeur d'eau se forme continuellement par évaporation dès que l'eau liquide est surmontée d'une couche de gaz, sans que la température n'ait besoin d'atteindre la température d'ébullition.

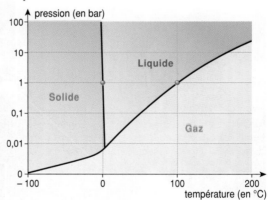

Doc. 1 **Les facteurs dont dépend l'état physique de l'eau.**

Chaque planète exerce une **force d'attraction** ($\vec{F}$) sur les objets situés à son voisinage. Pour une même molécule gazeuse (dont la masse est négligeable) cette force dépend avant tout de la masse de la planète.

On peut alors comprendre pourquoi certaines planètes ont une atmosphère et d'autres peu ou pas du tout.

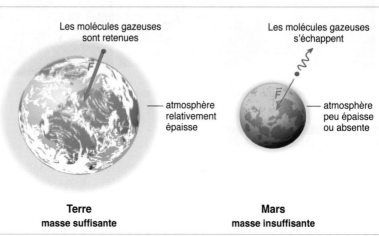

Doc. 2 **L'importance de la masse de la planète.**

B | La définition d'une zone d'habitabilité autour d'une étoile

■ PROTOCOLE EXPÉRIMENTAL

– Placer un luxmètre (analogique ou un capteur ExAO) face à une lampe de forte puissance.

– Mesurer la distance entre la lampe et le luxmètre et relever la valeur de l'intensité reçue.

– Éloigner ensuite progressivement le luxmètre et noter les valeurs de l'intensité reçue pour les différentes distances.

■ RÉSULTATS EXPÉRIMENTAUX

Distance (en cm)	Éclairement (en lux)
2	82 000
5	42 800
10	24 800
20	10 800
30	5 300
40	3 100
50	1 800
100	1 300
150	400
200	190
250	120
300	80
350	47
400	40
450	34

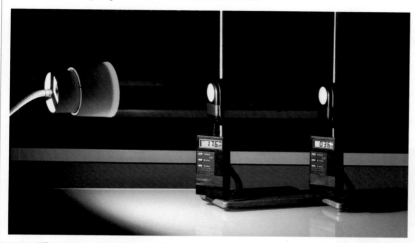

Doc. 3 Une modélisation de la relation entre distance et énergie reçue d'une source lumineuse.

Le Soleil est une étoile de type « naine jaune ». Autour d'une telle étoile, on peut définir une « zone d'habitabilité », correspondant aux limites de températures compatibles avec la vie.

Cependant, toutes les étoiles n'ont pas la même luminosité et l'énergie qu'elles émettent augmente avec leur masse. La position de la zone d'habitabilité dépend donc de l'étoile considérée.

Par ailleurs, la température de surface n'est pas la seule à prendre en compte. Une température favorable peut exister dans le sous-sol d'une planète.

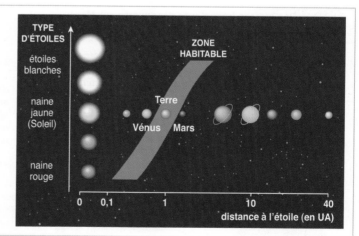

Doc. 4 La zone d'habitabilité dépend de l'étoile.

Pistes d'exploitation

1. Doc. 1 et 2 : En utilisant les valeurs données par le document 1, p. 16, expliquez pourquoi la présence d'océans n'est pas possible sur Mars alors qu'elle l'est sur Terre.

2. Doc. 3 : À l'aide d'un tableur, tracez le graphique correspondant aux données. Comparez ce tracé à ceux des fonctions mathématiques $1/d$, $1/d^2$, $1/d^3$.

3. Doc. 4 : La recherche de traces de vie sur Mars vous paraît-elle justifiée ? Expliquez.

Lexique, p. 258

La vie ailleurs dans l'Univers ?

La fenêtre d'habitabilité du système solaire est étroite, mais le nombre important d'étoiles dans l'Univers et la grande variété des formes de vie justifient la recherche de traces de vie ailleurs que sur la Terre. *Examinons quelques-unes des pistes suivies par les scientifiques.*

A La recherche d'une possibilité de vie ailleurs dans le système solaire

En 2008, la sonde Phoenix a creusé une tranchée dans le sol martien, mettant en évidence la présence de glace à quelques centimètres sous la surface (**a**).

Quelques jours plus tard (**b**), celle-ci a disparu par sublimation.

Echus Chasma, vallée manifestement façonnée par l'érosion, observée par la sonde Mars Express.

Doc. 1 Des indices importants découverts sur Mars.

« Europe, le satellite de Jupiter, pourrait bien présenter des environnements marins ressemblant aux sources sous-marines terrestres (voir p. 17). Europe est suffisamment près de Jupiter pour être réchauffé par l'effet de marée causé par la planète géante, ce qui plaide en faveur de l'existence d'un océan sous-glaciaire. Il est maintenant important de savoir s'il existe sur Europe un magma capable d'apporter la chaleur vers le fond océanique pour créer des sources hydrothermales, et donc des molécules organiques. »

D'après André Brack, exobiologiste.

Une définition de la vie

« *Seront considérés comme vivant a minima, des systèmes ouverts (recevant donc de la matière et de l'énergie) capables de s'auto-reproduire et d'évoluer. Sont recherchées, de ce fait, des structures moléculaires capables de générer des structures à leur image.* »
D'après André Brack.

noyau métallique   surface glacée

La surface du satellite Europe.

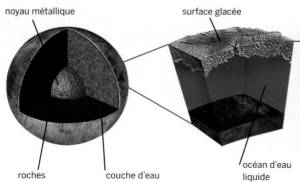

roches   couche d'eau   océan d'eau liquide

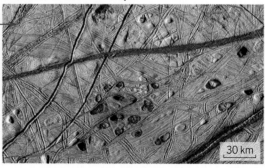

Doc. 2 Europe, un satellite de glace prometteur.

B La recherche de planètes habitables en dehors du système solaire

Depuis quelques années, de nombreuses **exoplanètes** ont pu être détectées. L'une des méthodes utilisée est la recherche de « transits », c'est-à-dire des passages d'une planète devant son étoile. Le principe peut être modélisé à l'aide du *dispositif ci-dessous* :

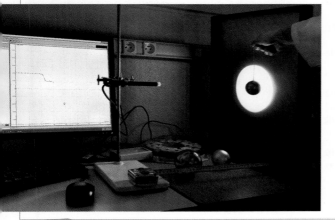

■ PROTOCOLE EXPÉRIMENTAL ET RÉSULTAT

– Placer un projecteur derrière un écran de façon à simuler la lumière d'une étoile.
– Placer un capteur de lumière relié à un dispositif d'ExAO à 40 cm environ.
– Démarrer une mesure et déplacer lentement une sphère devant le halo de lumière.
– Recommencer l'expérience pour des sphères de différents diamètres.

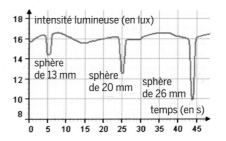

Doc. 3 Une modélisation de la détection d'une exoplanète.

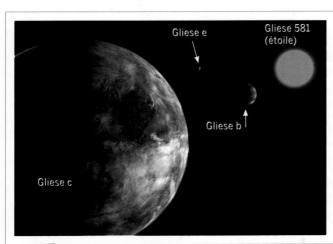

Détectée à 20,5 **années de lumière** de la Terre, l'étoile naine rouge Gliese 581 est entourée d'au moins quatre exoplanètes nommées Gliese 581 b, c, d, et e.
Les caractéristiques de ces planètes sont indiquées dans le *tableau ci-dessous* :

Planètes	Masse (par rapport à la Terre)	Distance à l'étoile (en UA)	Durée de révolution (en jours)
Gliese 581 b	15,6	0,04	5,4
Gliese 581 c	5,4	0,07	13
Gliese 581 d	7,1	0,22	66,8
Gliese 581 e	1,9	0,03	3,15

Doc. 4 Une « seconde Terre » dans le système Gliese 581 ?

Pistes d'exploitation

1. Doc. 1 : Quels indices intéressants fournissent ces observations ?

2. Doc. 1 et 2 : Montrez que certains objets du système solaire pourraient avoir abrité la vie, et l'abritent peut-être encore, bien qu'ils soient situés en dehors de la zone d'habitabilité.

3. Doc. 3 : Comparez les résultats obtenus pour les différents modèles de planète. Tracez le graphique montrant la perte de luminosité en fonction de la surface du disque planétaire. Que constatez-vous ?

4. Doc. 4 : En vous aidant des documents 2 et 4, p. 18-19, déterminez si certaines planètes du système Gliese pourraient être habitables.

Lexique, p. 258

chapitre 1 ## La Terre, planète de la vie

1 La Terre, planète du système solaire

● Le **système solaire** est une infime partie de l'Univers. Il est constitué d'une étoile, le Soleil, autour duquel gravitent un certain nombre d'objets :
– huit **planètes** : Mercure, Vénus, Terre, Mars, Jupiter, Saturne, Uranus, Neptune ;
– des **satellites** (comme la Lune) qui tournent autour de certaines planètes ;
– des **planètes naines** (comme Pluton) ;
– des **astéroïdes**, corps rocheux de tailles variées (de quelques dizaines de mètres jusqu'à plusieurs kilomètres) ;
– des **comètes**, blocs de glace et de poussières, traversant le système solaire sur des orbites très allongées.

● La Terre, comme Mercure, Vénus et Mars est une **planète rocheuse**. Jupiter, Saturne, Uranus et Neptune sont d'énormes boules de gaz d'où leur nom de **planètes gazeuses**.

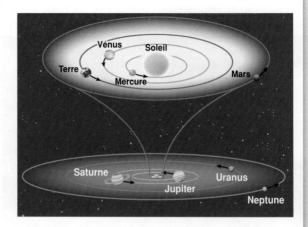

À RETENIR

Le Soleil est une étoile entourée d'une multitude d'objets qui gravitent autour de lui : planètes (souvent pourvues de satellites), astéroïdes, comètes. Cet ensemble constitue le système solaire.
Les planètes du système solaire peuvent se classer en deux groupes : les planètes rocheuses (dont la Terre) et les planètes gazeuses.

2 Les particularités de la planète Terre

● Une **atmosphère** est une enveloppe gazeuse qui entoure certaines planètes. Pour qu'une atmosphère existe, il faut que la **force d'attraction** exercée par la planète soit suffisante pour empêcher les molécules gazeuses de se disperser dans l'espace. Or, cette force d'attraction dépend de la **masse** de la planète. Mercure et la Lune, par exemple, sont petites et donc dépourvues d'atmosphère. La Terre et Vénus sont suffisamment massives pour conserver une atmosphère épaisse. Mars a une atmosphère très fine.

● L'atmosphère de la Terre a une composition très particulière : elle comporte beaucoup de **dioxygène** (21 %) et très peu de **dioxyde de carbone** (0,04 %).

● L'**eau** est très présente dans le système solaire mais l'**état liquide** de l'eau n'est possible que dans des conditions précises de **pression** et de **température**. Cette dernière dépend notamment de la **distance** qui sépare la planète du Soleil.

● Sur Terre, les conditions sont telles que l'eau peut exister à l'état liquide. Sur les autres planètes du système solaire, l'eau est présente à l'état gazeux ou à l'état de glace.

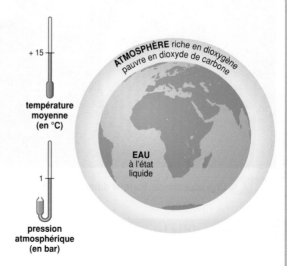

À RETENIR

La Terre possède une atmosphère épaisse, dont la composition se distingue de celle des autres planètes notamment par sa richesse en dioxygène. La Terre est la seule planète du système solaire sur laquelle l'eau soit présente à l'état liquide. Ces propriétés sont liées à la masse de la Terre et à sa distance au Soleil.

3 Les conditions de la vie : une particularité de la Terre ?

a. Des conditions favorables à la vie

• Les conditions qui règnent sur Terre sont favorables à la vie telle que nous la connaissons :

– l'eau liquide est un **milieu de vie** pour de nombreuses espèces et constitue l'essentiel de la matière de tous les êtres vivants. La plupart des réactions biochimiques se réalisent en milieu aqueux ;

– le dioxygène de l'atmosphère permet la **respiration**, mode de production d'énergie très efficace utilisé par la plupart des êtres vivants d'aujourd'hui ;

– la couche d'ozone (O_3) protège les êtres vivants terrestres du **rayonnement ultraviolet**, incompatible avec la vie.

• On sait cependant que la vie peut parfois se développer dans des conditions extrêmes (température relativement élevée par exemple).

b. La recherche d'une vie ailleurs que sur Terre

• Les conditions propices à la vie restent inconnues dans le système solaire ailleurs que sur Terre. Sur **Mars**, des traces manifestes d'érosion prouvent cependant que cette planète a, par le passé, possédé de l'eau liquide. On y recherche toujours des traces de vie.

• Les scientifiques découvrent actuellement, en dehors du système solaire, de nombreuses **exoplanètes** gravitant autour de leur étoile. La connaissance des étoiles permet de délimiter autour d'elles une **zone d'habitabilité**. Une planète située dans une telle zone et possédant une **masse** appropriée pourrait donc réunir les conditions nécessaires et héberger des formes de vie.

• Cependant, aucune trace de vie n'a été découverte à ce jour en dehors de la Terre.

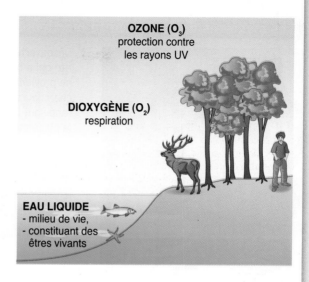

OZONE (O_3)
protection contre les rayons UV

DIOXYGÈNE (O_2)
respiration

EAU LIQUIDE
- milieu de vie,
- constituant des êtres vivants

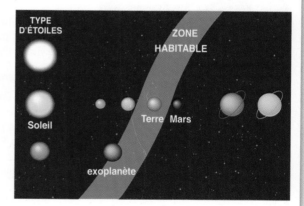

TYPE D'ÉTOILES   ZONE HABITABLE

Soleil   Terre Mars

exoplanète

À RETENIR

La Terre est la seule planète connue sur laquelle règnent les conditions favorables à la vie. De telles conditions pourraient exister sur d'autres planètes qui possèderaient des caractéristiques voisines de celles de la Terre. À ce jour, aucune trace de vie n'a été découverte en dehors de la Terre.

Mots-clés

• **Système solaire**
• **Étoile**
• **Planète rocheuse, planète gazeuse**
• **Astéroïde, comète**
• **Atmosphère**
• **Exoplanète, zone d'habitabilité**

Capacités et attitudes

▶ Extraire et organiser des informations pour comparer les objets du système solaire.

▶ Extraire et organiser des informations pour dégager les singularités de la planète Terre.

▶ Modéliser et expérimenter pour établir une relation entre distance et énergie reçue d'une source lumineuse.

▶ Raisonner pour définir des critères d'habitabilité.

Les mystères de la météorite martienne

ALH84001,0

Découverte en 1984 en Antarctique, ALH 84001 est une météorite qui a beaucoup fait parler d'elle : la matière qui la constitue ne provient pas d'un astéroïde mais de Mars ! Mais surtout, des chercheurs ont annoncé en 1996 y avoir trouvé des structures rappelant la forme de bactéries. Une première preuve de vie sur la planète rouge ?

Questions à
André Brack
Exobiologiste

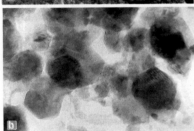

Quelles traces de vie ont été trouvées sur ALH84001 ?

André Brack : Elle contient une ministructure minérale faisant penser à une nanobactérie fossilisée (doc. **a**). Il y a également des petits cristaux de magnétites (doc. **b**) dont la structure cristalline n'était connue que dans le vivant, chez les magnétobactéries.

Comment détermine-t-on qu'une météorite vient de Mars ?

André Brack : Dans les 50 météorites « martiennes » connues, les trois isotopes stables de l'oxygène sont en proportions comparables, ce qui prouve qu'elles proviennent toutes du même corps céleste. Or une de ces météorites, EETA 79001, contient une poche de gaz très différents de ceux de l'atmosphère terrestre, mais identiques à ceux de l'atmosphère martienne analysée par les sondes martiennes Viking en 1976 (doc. **c**).

Quels arguments conduisent finalement au rejet de l'idée qu'il s'agit de traces de vie ?

André Brack : Les mêmes ministructures, initialement absentes d'une météorite tombée dans le sud tunisien en 1931, sont aujourd'hui visibles sur des échantillons de la même météorite retrouvés en 1994 : 63 ans dans le désert ont suffi à les faire apparaître. Or ALH84001 est restée 13 000 ans en Antarctique et a pu être « contaminée » pendant ce séjour. Par ailleurs, un chimiste a récemment réussi à fabriquer les mêmes magnétites dans son laboratoire ! Elles ne sont donc pas une exclusivité du vivant.

Pourquoi la recherche de vie extraterrestre mobilise-t-elle tant de chercheurs ?

André Brack : À ce jour, la vie n'est connue que sur Terre et il n'est pas possible de généraliser à partir d'un seul exemple. Tant que l'on ne connaît qu'un seul exemplaire de vie dans l'Univers, on ne peut pas exclure l'idée que la vie terrestre résulte de la rencontre extraordinaire et unique d'un très grand nombre de molécules. La recherche d'une « seconde vie » est donc devenue une priorité scientifique pour les années à venir.

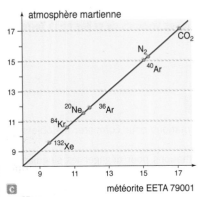

atmosphère martienne

météorite EETA 79001

c

Teneurs en divers éléments dans l'atmosphère martienne et dans la météorite EETA 79001.

... mieux comprendre l'histoire des sciences

Une aventure scientifique : la conquête de la Lune

Le 25 mai 1961, John F. Kennedy lance un pari fou : avant la fin de la décennie, un américain marchera sur la Lune et en reviendra ! Le programme Apollo est un défi sans précédent car tout est à faire : inventer une fusée gigantesque servant de lanceur avec des moteurs entièrement nouveaux et un vaisseau spatial d'une complexité jamais encore rencontrée. Il faut aussi découvrir le vol spatial, les effets sur les astronautes d'un séjour de longue durée dans l'espace, et cartographier la Lune pour déterminer où s'y poser.

Le 21 juillet 1969, après huit années de travail mobilisant jusqu'à 400 000 personnes, la mission Apollo 11 est un succès : Neil Armstrong sort du module lunaire Eagle, pose le pied sur la Lune et énonce la célèbre phrase : « one small step for a man, one giant leap for mankind » (un petit pas pour l'Homme, mais un bond de géant pour l'Humanité).

Lancement d'Apollo 11 par la fusée Saturn V.

Le déroulement de la mission Apollo 11.

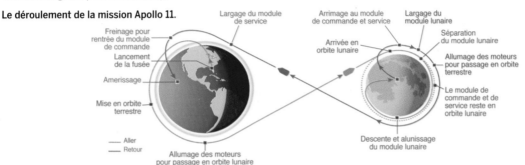

Largage du module de service

Freinage pour rentrée du module de commande

Lancement de la fusée

Amerissage

Mise en orbite terrestre

—— Aller
—— Retour

Allumage des moteurs pour passage en orbite lunaire

Arrimage au module de commande et service

Arrivée en orbite lunaire

Largage du module lunaire

Séparation du module lunaire

Allumage des moteurs pour passage en orbite terrestre

Le module de commande et de service reste en orbite lunaire

Descente et alunissage du module lunaire

Le vaisseau spatial Apollo et le module lunaire.

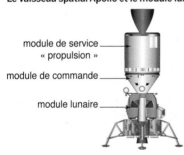

module de service « propulsion »

module de commande

module lunaire

Buzz Aldrin, photographié par Neil Armstrong, installe un sismomètre sur le sol lunaire.

Échantillon de basalte lunaire.

Les données sismiques ont permis de déterminer la structure interne de la Lune : une croûte de 60 km d'épaisseur surmontant une couche intermédiaire de 1 000 km d'épaisseur, et un cœur rocheux à moitié fondu. L'étude des 382 kg de roches lunaires ramenés en six missions a montré l'existence de deux roches prédominantes : des basaltes sombres dans les « mers » et des anorthosites claires (roches magmatiques presque exclusivement composées de feldspaths plagioclases) dans les zones situées en altitude.

La mission Apollo a par ailleurs généré une foule d'innovations en sciences des matériaux et a contribué à l'essor de l'informatique. Les photographies de la Terre, monde multicolore isolé dans un espace hostile, ont favorisé une prise de conscience mondiale sur la fragilité de notre planète.

Tester ses connaissances

1 Définissez les mots ou expressions

Étoile, planète rocheuse, planète gazeuse, zone d'habitabilité, exoplanète.

2 Questions à choix multiple **QCM**

Choisissez la ou les bonnes réponses

1. Les planètes du système solaire :
a. sont huit planètes rocheuses ;
b. tournent autour d'une étoile de type « naine jaune » ;
c. ont toutes au moins un satellite ;
d. ont toutes une atmosphère.

2. La Terre :
a. est la seule planète rocheuse du système solaire ;
b. a une atmosphère dont la composition est unique ;
c. est le seul lieu dans l'Univers où l'on a détecté la vie ;
d. est le seul lieu dans le système solaire où l'eau existe à l'état liquide.

3. Une planète est habitable si :
a. l'eau y est présente à l'état liquide ;
b. elle n'est ni trop près ni trop loin de l'étoile autour de laquelle elle tourne ;
c. une atmosphère est présente ;
d. c'est une planète gazeuse.

4. L'atmosphère terrestre est favorable à la vie car :
a. elle protège la surface du sol des rayons ultraviolets ;
b. le dioxyde de carbone y est présent en abondance ;
c. elle exerce une pression atmosphérique suffisante ;
d. le dioxygène y est présent.

3 Questions à réponse courte

1. Pourquoi l'Homme n'ira-t-il jamais poser le pied sur Jupiter ?
2. Pourquoi la présence d'eau liquide est-elle une condition nécessaire à la présence de vie ?
3. À quelles conditions l'eau peut-elle être présente à l'état liquide sur une planète ?
4. Pourquoi la « bonne » distance pour trouver une planète habitable n'est-elle pas forcément 1 UA ?

Utiliser ses compétences

4 Des formes de vie extrêmes **QCM**   Extraire et exploiter des informations

Quand on imagine des formes de vie extraterrestre, il vient à l'esprit des êtres vivants que nous rencontrons dans la vie courante. Mais la vie prend parfois des formes surprenantes, en particulier dans le monde des bactéries où la résistance aux conditions extrêmes est impressionnante. Ces êtres vivants sont dits « extrêmophiles » et intéressent beaucoup les exobiologistes.

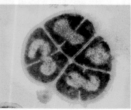

Deinococcus radiodurans
Supporte jusqu'à 3 000 fois la dose de radiations susceptible de tuer un Homme.

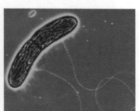

Geobacter metallireductans
Découverte dans des fûts de déchets nucléaires, dont elle se nourrit.

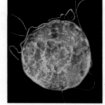

Sulfolobus acidicaldarius
pH optimal de vie : 2 (soit à peu près celui de l'acide chlorhydrique à une concentration de 0,02 M).

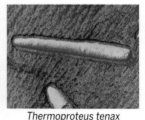

Thermoproteus tenax
Découverte dans des sources d'eaux chaudes. Vit et se multiplie entre 85 et 96 °C.

Indiquez pour chacune des affirmations si elle est exacte ou non.
Justifiez en vous appuyant sur vos connaissances et les informations ci-dessus.

1. Les exobiologistes recherchent des formes intelligentes de vie extraterrestre.
2. Dans les recherches de vie extraterrestre, on peut inclure des planètes où la température est supérieure à 50 °C.
3. Les radiations nucléaires éliminent toute possibilité de vie.
4. Les bactéries se développent exclusivement dans des eaux ayant un pH neutre (environ 7).
5. L'étude des « extrêmophiles » permet d'agrandir la zone d'habitabilité d'un système planétaire.

5 EXERCICE GUIDÉ

Un monde prometteur pour la présence de vie extraterrestre ?   Extraire et exploiter des informations

HD 189733b est une exoplanète orbitant très près de son étoile, située à 63 années de lumière de la Terre, dans la constellation du Petit Renard. Découverte en 2005 par la méthode du transit (voir p. 21), elle a été surveillée avec plusieurs télescopes dans le but de déterminer les propriétés de son atmosphère. Certaines des caractéristiques de cette exoplanète sont indiquées dans le tableau ci-dessous :

Masse (en kg) **Masse (par rapport à Jupiter)**	$2,185 \times 10^{27}$ kg 1,15
Rayon (par rapport à Jupiter)	1,26
Temps de révolution	2,2 jours
Distance de l'étoile	0,03 UA
Température	900 °C
Gaz atmosphériques	H_2O, CH_4*, CO_2

*CH_4 (méthane) : molécule gazeuse organique.

HD189733b et son étoile (vue d'artiste).

1. Justifiez l'expression de « Jupiter chaud » utilisée par les astronomes pour qualifier HDI89733b.

2. Indiquez quelles caractéristiques de cette planète semblent favorables à la présence de vie.

3. Expliquez pourquoi la présence de vie n'y est malgré tout pas envisagée.

Aide à la résolution

1. Comparez HD 189733b et Jupiter. Indiquez les similitudes et les différences.

2. Quelle molécule indispensable à toute forme de vie terrestre est présente sur HD189733b ? Dites pourquoi la présence de méthane est un indice important dans la recherche de vie extraterrestre.

3. À l'aide du doc. 1, p. 18, identifiez dans le tableau un facteur qui rend malgré tout la vie certainement impossible sur cette planète.

6 Des traces d'impacts météoritiques   Raisonner

On ne compte que 176 cratères d'impacts météoritiques sur Terre, et seuls les plus récents (particulièrement en milieu désertique) ont une forme caractéristique. La plupart des cratères ont moins de 300 millions d'années. Les plus anciens identifiés ont environ deux milliards d'années mais sont quasiment invisibles dans le paysage.

Comparez Mercure à la Terre du point de vue des cratères d'impacts météoritiques et proposez une explication à la différence constatée.

100 km

La surface de Mercure (en 2008).
Les cratères d'impact les plus anciens datent de 4,2 milliards d'années, mais de nombreux autres cratères sont très récents.

Une « étoile filante ».
Avant un impact, on observe sur Terre une traînée lumineuse provoquée par la météorite qui se consume en partie par frottement sur l'atmosphère.

7 Vénus — Extraire des informations, les mettre en relation et raisonner

La planète Vénus est en distance la planète du système solaire la plus proche de nous, à seulement 0,28 UA. Mais cette planète est très inhospitalière. Les documents ci-dessous présentent certaines caractéristiques de Vénus.

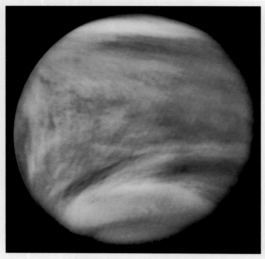

Vénus, vue par la sonde Pioneer
(photographie en fausses couleurs)

- **Diamètre :** 12 100 km.
- **Densité :** 5,26.
- **Distance du Soleil :** 0,72 UA.

Sa surface n'est pas visible, elle est cachée en permanence par une épaisse couche de nuages.

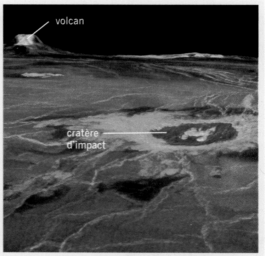

volcan

cratère d'impact

Surface et données sur la structure interne de Vénus
(image 3D reconstituée à partir de données radar, sonde Magellan)

- **Croûte :** 20 km, composition proche du basalte terrestre.
- **Manteau :** 3 200 km, roches silicatées et oxydes de métaux.
- **Noyau :** 2 800 km, fer et nickel.

Des données sur l'atmosphère de Vénus

- **Température de surface :** 470 °C.
- **Pression :** 93 bars (soit la pression rencontrée à 900 m de profondeur dans un océan).
- **Température s'il n'y avait pas d'atmosphère :** 62 °C.

diazote **3,5 %**

dioxyde de carbone **96,5 %**

Composition de la troposphère.

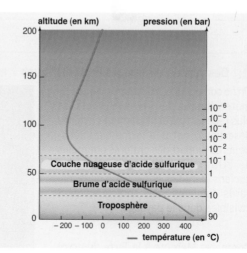

altitude (en km)   pression (en bar)

Couche nuageuse d'acide sulfurique

Brume d'acide sulfurique

Troposphère

— température (en °C)

1. Dans quelle catégorie de planètes pouvez-vous classer Vénus ? Justifiez votre réponse.

2. On dit souvent que Vénus est la planète sœur de la Terre : pourquoi ? Cela vous semble-t-il justifié ? Expliquez.

3. Pourquoi la température de surface est-elle si élevée sur Vénus ? Montrez que la distance Vénus – Soleil ne suffit pas à expliquer la différence avec la Terre.

8 Une comparaison de paysages de la Terre et de Mars

Utiliser un Système d'Information Géoscientifique
Produire un document numérique

Utilisez les fonctionnalités des logiciels **Google Earth / Google Mars** pour localiser les lieux indiqués et réaliser les mesures proposées.

■ Protocole

1. Localisez la vallée martienne Echus Chasma, mesurez sa largeur et sa profondeur, réalisez une capture d'image de cette région en vue 3D.

2. Localisez la vallée terrestre de la Green River, dans le Parc national des Canyons (Canyonlands National Park), mesurez sa largeur et sa profondeur, réalisez une capture d'image de cette région en vue 3D.

3. Insérez les deux captures d'images dans un document de traitement de textes et donnez-leur un titre.

4. Établissez un tableau comparatif des deux régions.

5. Rédigez un texte qui explique en quoi cette comparaison suggère que Mars a pu abriter la vie par le passé.

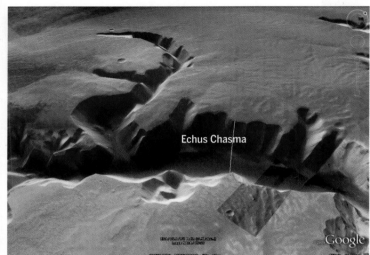

La vallée martienne Echus Chasma.

Pour télécharger le fichier « kmz » :

www.bordas-svtlycee.fr

La vallée terrestre de la Green River.

Guide pratique, p. 245

29

Des DOCUMENTS pour se poser des questions

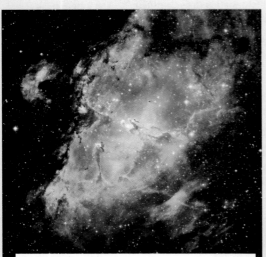

Dans l'Univers, les restes d'une supernova

C'est au cours de la vie des étoiles (ou quand celles-ci explosent en fin de vie) que se forment les éléments chimiques qui constituent toute la matière de l'Univers.

Une météorite : de la matière venue de l'espace

Les météorites sont essentiellement constituées de matière minérale. Pourtant, on a identifié dans certaines d'entre elles des molécules organiques, notamment des acides aminés.

DE LA MATIÈRE VIVANTE CETTE MÉTÉORITE?

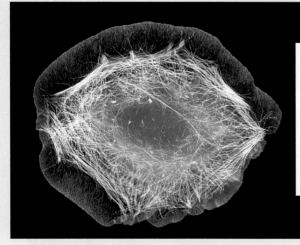

Une cellule : une architecture déjà très complexe

En dehors de l'eau (70 % en moyenne), une cellule est constituée pour l'essentiel de molécules qualifiées d'organiques. Les composés chimiques d'une cellule sont chimiquement proches et peuvent être classés en un petit nombre de familles distinctes.

De nombreuses réactions biochimiques se déroulent dans une cellule. Différence fondamentale avec la météorite : la cellule est vivante !

LES PROBLÉMATIQUES DU CHAPITRE

- En quoi la matière vivante est-elle différente de la matière inerte ?
- Quels sont les constituants de la matière vivante ? Comment sont-ils agencés ?
- Que se passe-t-il dans une cellule ? De quoi dépend l'activité cellulaire ?

Des lichens sur un rocher.

La nature du vivant

La matière vivante : des poussières d'étoiles

Les êtres vivants sont constitués de matière, donc d'éléments chimiques disponibles sur le globe terrestre. *Cette étude comparative permet de déterminer si la matière qui forme les êtres vivants est véritablement différente de la matière minérale de la Terre.*

A Les caractéristiques de la matière minérale

ACTIVITÉ EXPÉRIMENTALE

À l'aide d'un logiciel, il est possible de modéliser la structure de la matière constituant un objet comme une roche ou un être vivant : on peut alors identifier les atomes qui constituent cette matière et voir sa structure en trois dimensions (3D).

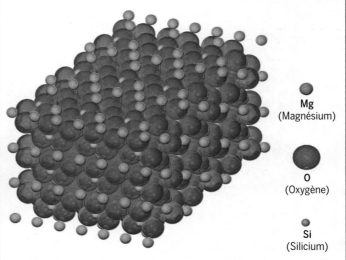

Mg (Magnésium)

O (Oxygène)

Si (Silicium)

Doc. 1 Un exemple : structure atomique d'un minéral, l'olivine, appartenant à une roche (basalte).

On a recensé très exactement 92 éléments chimiques naturels dans l'Univers, provenant pour l'essentiel de l'activité des étoiles. Ces éléments sont classés par les physiciens dans un tableau appelé « classification périodique des éléments ».

L'*image ci-contre* indique l'abondance de chaque élément de la « classification périodique » dans la matière minérale constituant la croûte terrestre.

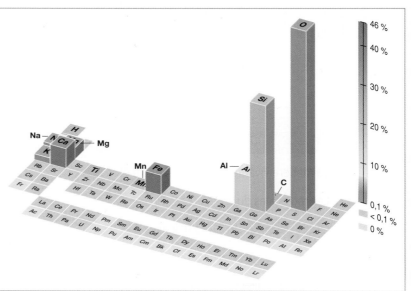

Doc. 2 L'abondance relative des éléments chimiques constituant la croûte terrestre.

B Les éléments chimiques de la matière vivante

Sur le *modèle ci-contre* figurent de très nombreuses molécules d'eau, de part et d'autre de la membrane elle-même. Pour faciliter l'observation, les atomes des molécules d'eau sont représentés plus petits que ceux qui constituent la membrane.

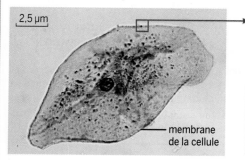

2,5 µm

membrane de la cellule

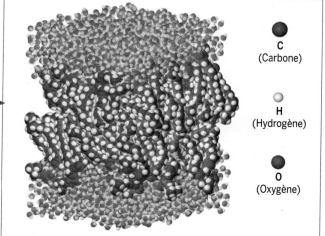

C (Carbone)

H (Hydrogène)

O (Oxygène)

Doc. 3 **Modèle moléculaire d'un fragment de membrane cellulaire.**

Comme pour le document 2, l'*image ci-contre* représente l'abondance relative des différents éléments chimiques de la «classification périodique».
Il s'agit cette fois-ci de la matière vivante qui constitue un être humain.

Remarque: le calcium et le phosphore constituent la matière minérale des os.

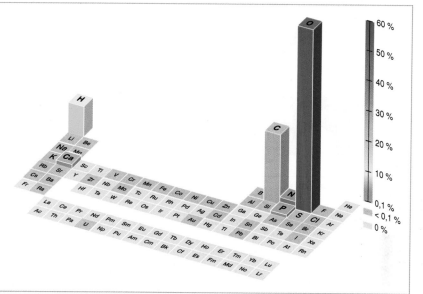

Doc. 4 **L'abondance relative des éléments chimiques constituant la matière vivante.**

Pour télécharger les modèles moléculaires :

www.bordas-svtlycee.fr

Pistes d'exploitation

1. Doc. 1: Identifiez les atomes qui constituent ce minéral. Comment peut-on qualifier leur arrangement dans l'espace ?

2. Doc. 2: Faites une courte liste des éléments chimiques de la matière minérale en les classant par ordre décroissant.

3. Doc. 3: Identifiez les atomes qui constituent ce fragment de matière vivante. Comparez l'arrangement des atomes avec celui du minéral (doc. 1).

4. Doc. 2 et 4: Comparez la composition de la matière vivante avec celle de la matière minérale.

Lexique, p. 258

Les molécules du vivant

Malgré leur très grande diversité, les molécules qui composent la matière des êtres vivants appartiennent à un nombre réduit de familles chimiques. *Cette activité permet de comparer certaines de ces molécules et de mettre en évidence quelques-unes de leurs caractéristiques essentielles.*

A Une visualisation de modèles moléculaires

Les **glucides** comprennent les sucres, petites molécules très proches chimiquement du saccharose (sucre très abondant dans la betterave ou la canne).

Il existe aussi des glucides complexes comme l'amidon, le glycogène ou la cellulose, qui sont des enchaînements de sucres simples. La cellulose représente 45 % de la matière de la biosphère !

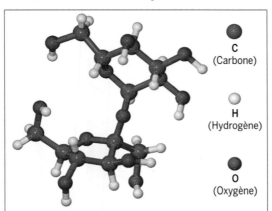

Un glucide : le saccharose.

Les **protides** constituent une autre famille chimique caractéristique de la matière vivante.

Au sein des protides, les **protéines** sont des molécules complexes, très variées :
– certaines constituent l'architecture de nombreux organes (muscles, peau, trame osseuse, etc.) ;
– d'autres (hormones, neurotransmetteurs, enzymes) jouent des rôles essentiels dans tous les processus qui caractérisent la vie.

Pour télécharger les modèles moléculaires :

www.bordas-svtlycee.fr

Les **lipides** sont les molécules qui constituent les réserves de « matières grasses » des animaux et des plantes (la graine d'arachide pour l'exemple ci-dessous).

Les lipides sont insolubles dans l'eau : ce sont les constituants essentiels des membranes cellulaires.

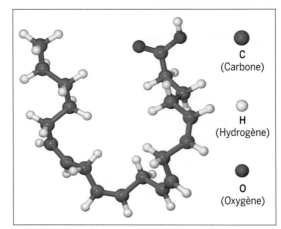

Un lipide : l'acide arachidonique.

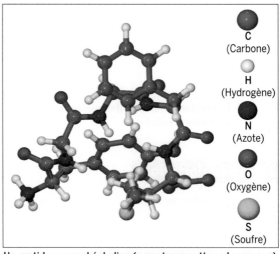

Un protide : une enképhaline (neurotransmetteur du cerveau).

Doc. 1 Trois molécules caractéristiques du vivant.

B Quelques propriétés chimiques des molécules du vivant

■ **PROTOCOLE EXPÉRIMENTAL**

– Placer un fragment de matière végétale ou animale (une feuille, un morceau de muscle…) au fond d'un tube à essai.
– Chauffer très doucement et observer les parois du tube dans leur partie la plus froide (haut du tube).
– Continuer à chauffer plus fortement et longuement.
– Noter les observations.

Au début de l'expérience, en haut du tube.

À la fin de l'expérience, au fond du tube.

Doc. 2 Une première méthode simple d'analyse chimique.

■ **PROTOCOLE EXPÉRIMENTAL**

– Peser une salade par exemple ou tout autre fragment de matière vivante et prendre une photographie.
– Mettre dans une étuve* à 80 °C pendant 3 jours.
– Peser la salade et prendre une photographie après ce traitement.

* Une étuve est une enceinte chauffante dont on peut régler la température.

Au début de l'expérience : masse de la salade = 120 g

À la fin de l'expérience : masse de la salade = 9,5 g

Teneur en eau de quelques organismes	
Homme adulte	65 %
Méduse	95 %
Poisson	80 %
Arbre (feuille)	80 %
Arbre (tronc)	55 %
Tournesol (feuille)	80 %
Tournesol (graine)	5 %

Doc. 3 Déterminer la teneur en eau de la matière vivante.

Pistes d'exploitation

1. Doc. 1 : Comparez la composition de ces trois molécules.

2. Doc. 1 et 2 : Comment expliquez-vous le dégagement de fumées pendant l'expérience et l'aspect pris par le résidu à la fin de l'expérience ?

3. Doc. 3 : Calculez les pourcentages de matière sèche et d'eau constituant la salade. Quelle caractéristique de la matière vivante révèlent les données du tableau ?

4. Doc. 2 et 3 : Utilisez les informations du document 3 pour interpréter en partie l'expérience présentée par le document 2.

5. Doc. 1 à 3 : Comment caractériser chimiquement la matière vivante ? Montrez que l'étude de leur composition chimique est un bon indice de l'existence d'une parenté entre les êtres vivants.

Lexique, p. 258

La cellule, unité structurale du vivant

Les molécules du vivant s'assemblent et réagissent entre elles pour former des structures organisées capables de se développer, de se reproduire et d'évoluer. *Cette activité a pour objectif de comprendre comment sont organisés les êtres vivants aux différentes échelles d'observation.*

A De l'organisme à la molécule : exemple de l'être humain

ACTIVITÉ EXPÉRIMENTALE

Un **organisme** comme un être humain possède divers **organes** (le foie en est un exemple) : tous sont constitués de **cellules**.

■ **PROTOCOLE D'OBSERVATION**
– Gratter avec une spatule un petit morceau de foie de veau.
– Déposer sur une lame.
– Dissocier au mieux les cellules avec la spatule.
– Recouvrir d'une goutte de bleu de méthylène.
– Laisser agir environ une minute et recouvrir d'une lamelle.
– Observer au microscope à fort grossissement.

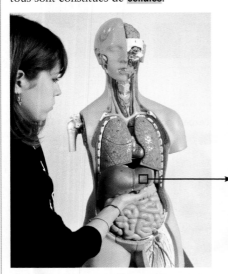
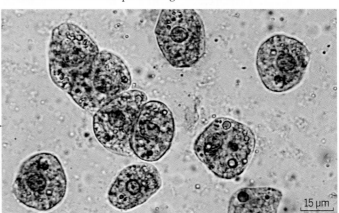

15 µm

Doc. 1 L'observation microscopique des cellules du foie.

Le cytoplasme des cellules du foie contient d'importantes réserves glucidiques de **glycogène**.

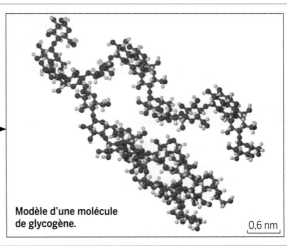

7 µm

Cellules du foie observées au microscope optique.

Modèle d'une molécule de glycogène.

0,6 nm

Doc. 2 Cellules et molécules : des échelles très différentes.

B De l'organisme à la molécule: exemple d'un végétal chlorophyllien

ACTIVITÉ EXPÉRIMENTALE

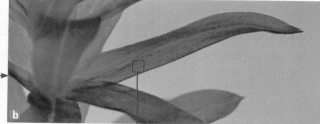

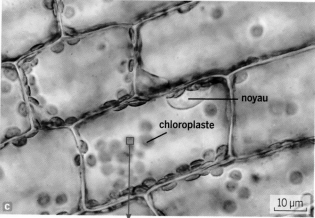

noyau

chloroplaste

10 µm

L'élodée est une plante chlorophyllienne aquatique. L'observation des cellules d'une feuille au microscope est très facile.

Dans le cytoplasme de chaque cellule, on observe de très nombreux **organites** verts: ce sont des **chloroplastes**.

Chaque chloroplaste renferme de très nombreuses molécules de **chlorophylle**.

Remarque: Chaque cellule contient un noyau mais sur les préparations de feuilles d'élodée, le noyau cellulaire est rarement visible.

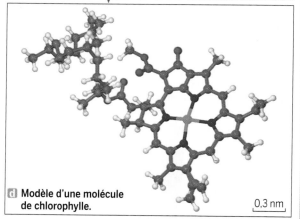

d Modèle d'une molécule de chlorophylle.

0,3 nm

Doc. 3 **Les niveaux d'organisation d'une plante chlorophyllienne.**

Pistes d'exploitation

1. **Doc. 1:** Faites un dessin ou légendez une image numérique d'une observation microscopique d'un organe tel que le foie.

2. **Doc. 2:** Si la cellule de foie avait la dimension d'une salle de classe (8 m de long environ), quelle serait celle d'une molécule de glycogène?

3. **Doc. 3:** Mesurez la dimension d'une molécule de chlorophylle et comparez-la avec celle d'un chloroplaste.

4. **Doc. 1 à 3:** Comparez l'organisation de ces deux êtres vivants. Déterminez quelle est la plus petite échelle à laquelle on retrouve les propriétés du vivant (capacité à s'organiser, se développer, se reproduire).

Lexique, p. 258

La cellule, siège des réactions chimiques de la vie

De nombreuses réactions chimiques se déroulent dans une cellule ; c'est ce que l'on appelle le métabolisme.
Il est possible de mettre en évidence expérimentalement quelques aspects du métabolisme cellulaire et de comprendre quels facteurs peuvent conditionner ce métabolisme.

A Métabolisme et patrimoine génétique

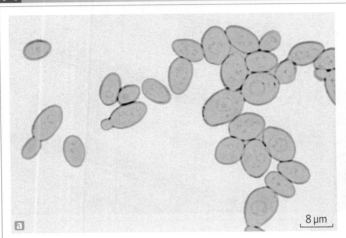

Les levures sont des champignons **unicellulaires** (a) qui vivent et se reproduisent facilement par bourgeonnement (**b**) à condition de pouvoir exploiter les éléments nécessaires dans le milieu où elles se trouvent.

a   8 µm

b   2 µm

▪ PROTOCOLE EXPÉRIMENTAL

Le **métabolisme** des levures peut être facilement étudié expérimentalement. À l'aide d'un dispositif d'**ExAO**, on mesure la concentration en dioxygène dans différents milieux de culture.

– **Milieu A** : eau + sels minéraux, pas de levures.
– **Milieu B** : eau + sels minéraux, levures sauvages.
– **Milieu C** : eau + sels minéraux, levures **mutantes** «rho-» (dont le patrimoine génétique est différent).
Au temps t = 1 min, on ajoute 0,2 mL de saccharose dans le milieu.

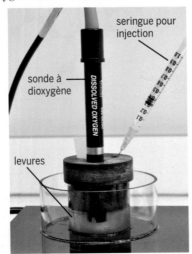

seringue pour injection

sonde à dioxygène

levures

Concentration en dioxygène dans le milieu en fonction du temps

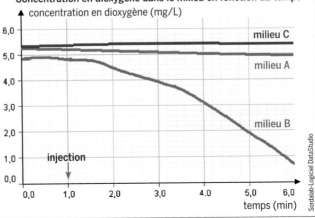

concentration en dioxygène (mg/L)

milieu C

milieu A

milieu B

injection

temps (min)

Sordalab-Logiciel DataStudio

Doc. 1   **Une étude expérimentale du métabolisme de différentes souches de levures.**

B Métabolisme et influence de l'environnement

■ PROTOCOLE EXPÉRIMENTAL

Des euglènes d'une même souche ont été placées dans des conditions différentes :

Milieu A : eau + sels minéraux + vitamines	culture placée à la lumière
Milieu B : eau + sels minéraux + vitamines	culture placée à l'obscurité
Milieu C : eau + sels minéraux + vitamines + glucose	culture placée à l'obscurité

La croissance des populations d'euglènes est suivie en évaluant leur concentration par observation microscopique sur lame quadrillée.

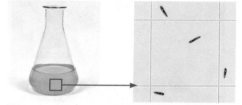

Milieu de culture en début d'expérience.

Concentration : $2 \cdot 10^6$ cellules/mL

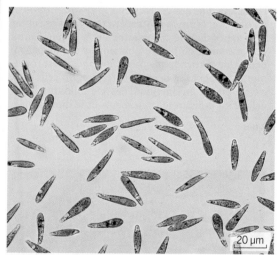

Les euglènes sont des algues unicellulaires mobiles qu'il est possible de cultiver dans un milieu liquide approprié.

20 µm

■ RÉSULTATS, APRÈS 6 JOURS DE CULTURE

Milieu A

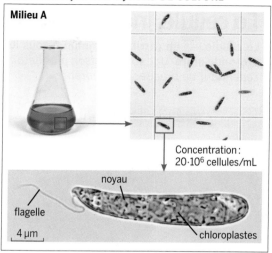

Concentration : $20 \cdot 10^6$ cellules/mL

noyau

flagelle

chloroplastes

4 µm

Milieu B

Dans le **milieu B**, il n'y a pas eu de croissance et les euglènes sont mortes.

Milieu C

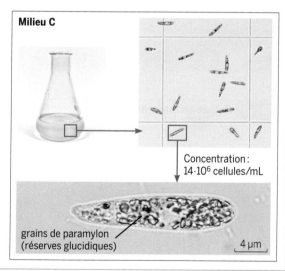

Concentration : $14 \cdot 10^6$ cellules/mL

grains de paramylon (réserves glucidiques)

4 µm

Doc. 2 Le métabolisme de cellules **chlorophylliennes**.

Protocoles détaillés :

www.bordas-svtlycee.fr

Pistes d'exploitation

1. Doc. 1 : Quel est l'intérêt de la première mesure (courbe A) ? Comparez les conditions expérimentales et les résultats obtenus avec les cultures B et C. Que peut-on en déduire ?

2. Doc. 2 : Montrez que les mêmes euglènes peuvent développer deux types de métabolismes différents.

3. Doc. 1 et 2 : Montrez qu'une cellule peut réaliser des échanges avec son environnement.

4. Doc. 1 et 2 : Dites de quoi peut dépendre le métabolisme des cellules.

Lexique, p. 258

La cellule, indice d'une parenté entre les êtres vivants

La cellule est un attribut commun à tous les êtres vivants : c'est un indice incontestable de leur profonde unité. *Une comparaison plus détaillée de l'organisation cellulaire des êtres vivants permet cependant de préciser cette parenté.*

A Des cellules compartimentées

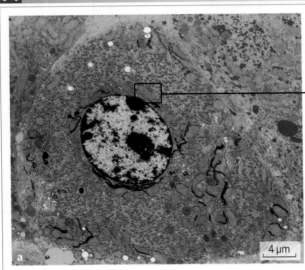

Le microscope électronique permet l'observation de l'ultrastructure des cellules. Sur la *photographie a*, on observe, outre le noyau, de nombreux organites disséminés dans le cytoplasme de la cellule. Parmi ces organites, on trouve notamment des mitochondries. Une mitochondrie *(photographie b)* est l'organite dans lequel se déroule la respiration cellulaire, c'est-à-dire la production d'énergie utilisable par la cellule en utilisant les nutriments et le dioxygène.

Doc. 1 Cellule animale observée au microscope électronique.

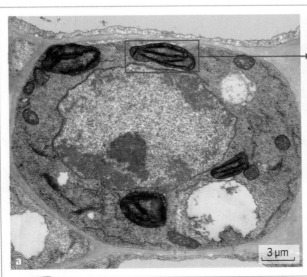

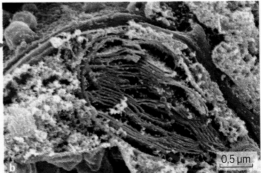

Les cellules des parties chlorophylliennes des plantes possèdent aussi des mitochondries. Elles sont cependant caractérisées par la présence de chloroplastes. Le chloroplaste *(photographie b)* est l'organite dans lequel se déroule la photosynthèse.

Doc. 2 Cellule végétale observée au microscope électronique.

B Plusieurs types d'organisation cellulaire

■ **PROTOCOLE D'OBSERVATION**

– Déposer très peu de yaourt sur une lame.
– Ajouter une goutte de bleu de méthylène.
– Recouvrir d'une lamelle et observer au fort grossissement.

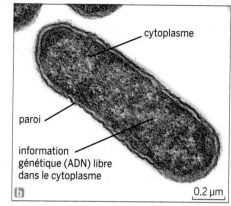

Une bactérie observée au microscope électronique.

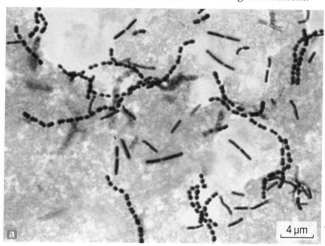

◀ Bactéries du yaourt observées au microscope optique.

Doc. 3 L'observation de bactéries au microscope.

La présence d'organites dans une cellule est un critère qui permet de préciser les relations de parenté.

Une cellule qui possède des organites, notamment un noyau délimité par une membrane, est qualifiée d'**eucaryote** (du grec *eu*, vrai et *karyon*, noyau).

Une cellule qui ne possède pas d'organites est qualifiée de **procaryote**.

	Homme	Élodée	Levure	Euglène	Bactérie
Cellule	+	+	+	+	+
Noyau	+	+	+	+	–
Chloroplastes	–	+	–	+	
Mitochondries	+	+	+	+	–

Ce tableau indique, pour quelques organismes, la présence ou l'absence de certains attributs cellulaires :
+ = présence ; – = absence

Doc. 4 Établir des relations de parenté à partir de la structure des cellules.

Pistes d'exploitation

1. Doc. 1 et 2 : Rappelez le rôle que vous attribuez au noyau cellulaire. Pourquoi dit-on que ces cellules sont compartimentées ?

2. Doc. 3 : Quelle est la longueur d'une cellule bactérienne ? Comparez avec les autres cellules.

3. Doc. 1 à 3 : Comparez l'organisation d'une cellule bactérienne à celle des autres cellules.

4. Doc. 4 : En utilisant les informations apportées par ce tableau, précisez les relations de parenté qu'il est possible d'établir. Présentez vos résultats sous forme de groupes emboîtés ou d'un arbre de parenté.

Lexique, p. 258

chapitre 2 La nature du vivant

1 La matière du vivant

● Comme la matière du monde minéral, la matière des êtres vivants est constituée d'éléments chimiques disponibles sur la Terre. Cependant, la **matière vivante** se distingue de la matière minérale par sa richesse relative en quelques éléments principaux : **carbone**, **hydrogène**, **oxygène**.

● Ces éléments sont associés pour former des molécules d'**eau** et d'autres molécules, l'ensemble constituant un milieu aqueux propice à la vie.

● L'eau est la molécule la plus abondante chez les êtres vivants. Les autres molécules se répartissent principalement dans les trois catégories suivantes : **glucides**, **lipides** et **protides**. Ces trois groupes sont appelées **molécules organiques** ou **carbonées** car elles ont un squelette d'atomes de **carbone** liés à d'autres atomes. Les glucides et les lipides sont formés de carbone, d'hydrogène et d'oxygène ; les protides contiennent en plus de l'azote et du soufre.

La matière des êtres vivants, ce sont des éléments chimiques :

qui sont organisés en molécules carbonées :

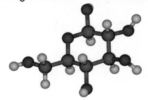

À RETENIR

Les êtres vivants sont constitués à partir de certains des éléments chimiques disponibles sur Terre.
Ces éléments sont assemblés en molécules d'eau et en molécules carbonées : glucides, lipides et protides.
La matière des êtres vivants est donc une matière carbonée riche en eau.
Les êtres vivants présentent une profonde unité chimique qui est un premier indice de leur parenté.

2 Les niveaux d'organisation du vivant

● Les **molécules** sont les constituants de base qui, organisées, forment un être vivant.

● L'organisation d'un être vivant peut être définie à différentes échelles, de l'**organisme** à celle de la molécule :
– un être vivant est constitué d'un certain nombre d'**organes** spécialisés (le foie par exemple), observables à l'œil nu ;
– les organes sont tous constitués de **cellules**, observables au microscope optique et dont la taille est d'une dizaine de micromètres (μm) environ pour une cellule animale ;
– les cellules contiennent divers **organites** bien délimités, comme le noyau et les mitochondries présents dans toutes les cellules ou encore les chloroplastes présents uniquement dans les cellules végétales (du fait de leur petite taille, de l'ordre du micromètre, l'observation détaillée des organites nécessite l'utilisation du microscope électronique) ;
– les innombrables molécules qui constituent ces organites cellulaires sont beaucoup plus petites, de l'ordre de quelques nanomètres (soit mille fois plus petites qu'une cellule).

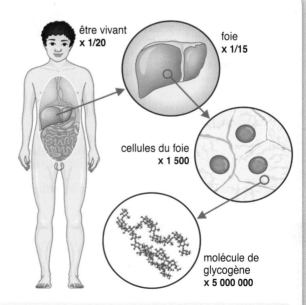

être vivant
x 1/20

foie
x 1/15

cellules du foie
x 1 500

molécule de glycogène
x 5 000 000

À RETENIR

Un être vivant est une structure hautement organisée : il est constitué d'organes, eux-mêmes formés de cellules contenant les molécules nécessaires à son organisation et à son fonctionnement.

3 La cellule, unité du vivant

a. La cellule, un espace limité par une membrane

● **La cellule** est la plus petite unité au niveau de laquelle la vie est observable : c'est en effet une structure capable de se développer, de se reproduire et d'évoluer.

● La vie de la cellule est liée à de nombreuses réactions chimiques qui se déroulent en son sein et définissent son **métabolisme**. Néanmoins, la cellule n'est pas indépendante de son environnement : c'est un espace limité par une **membrane** à travers laquelle se produisent les **échanges** d'énergie et de matières indispensables à son métabolisme.

● Chez certains mutants, c'est-à-dire des organismes dont l'information génétique est modifiée, le métabolisme est différent. L'effet de ces mutations montre bien que la capacité d'une cellule à réaliser un échange avec son milieu dépend de son **information génétique**. D'autres expériences montrent que le métabolisme d'une cellule dépend aussi des **conditions du milieu** environnant.

b. La cellule, un indice de parenté entre les êtres vivants

● Tous les êtres vivants, sans exception, sont constitués de cellules. Cet attribut commun témoigne de leur parenté. Une étude plus approfondie des cellules permet de préciser ces relations de parenté :

– les animaux, les plantes, les champignons, possèdent des cellules compartimentées, contenant des organites spécialisés comme le noyau, les mitochondries etc. (ce sont des **eucaryotes**) ;

– seules les plantes possèdent des chloroplastes ;

– les bactéries sont des cellules très petites et dont l'organisation est très simple, sans compartiments et sans organites (de telles cellules sont qualifiées de **procaryotes**).

● À partir de ces caractères, une **classification évolutive** du monde vivant a été construite. Les eucaryotes regroupent tous les êtres vivants dont les cellules possèdent un noyau et des organites. Au sein des eucaryotes, les membres de la lignée verte sont les seuls à posséder des chloroplastes dans leurs cellules.

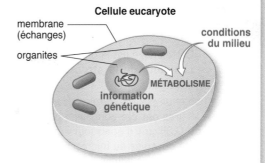

Cellule eucaryote

membrane (échanges) — organites — conditions du milieu — information génétique — MÉTABOLISME

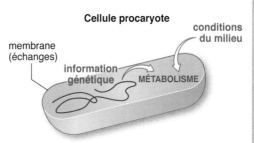

Cellule procaryote

membrane (échanges) — conditions du milieu — information génétique — MÉTABOLISME

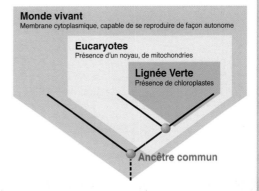

Monde vivant
Membrane cytoplasmique, capable de se reproduire de façon autonome

Eucaryotes
Présence d'un noyau, de mitochondries

Lignée Verte
Présence de chloroplastes

Ancêtre commun

À RETENIR

La cellule est la plus petite unité à laquelle se manifeste la vie. Une cellule réalise en permanence des échanges avec son environnement de façon à assurer son métabolisme. Ce dernier dépend à la fois de l'information génétique et de l'environnement. L'unité cellulaire atteste de la parenté entre tous les êtres vivants.

Mots-clés

● Molécule
● Lipide, glucide, protide
● Organite
● Cellule
● Métabolisme
● Mutant
● Procaryote, eucaryote

Capacités et attitudes

▶ Utiliser un logiciel de visualisation pour caractériser les molécules du vivant.

▶ Mettre en évidence expérimentalement quelques caractéristiques chimiques de la matière vivante.

▶ Montrer par des expériences l'influence du patrimoine génétique et des conditions du milieu sur le métabolisme cellulaire.

▶ Observer au microscope et comparer l'organisation de divers types cellulaires.

▶ Faire des mesures et utiliser des échelles pour déterminer les ordres de grandeur des structures observées.

L'observation et la représentation de cellules en 3D

Cette image est la première **reconstitution complète de la structure d'une cellule eucaryote**. ▶

Elle a été obtenue par « cryo-microscopie électronique 3D ». Des levures ont été congelées puis coupées en tranches de 0,25 µm d'épaisseur : chacune de ces tranches a été observée au microscope électronique à transmission, sous des angles différents (120°) afin de reconstituer la position des structures visibles (comme pour un scanner médical).

Au final, 500 images ont été assemblées par ordinateur pour distinguer les constituants de la cellule et montrer leurs relations (noyau en marron, vacuoles en jaune, mitochondries en bleu).

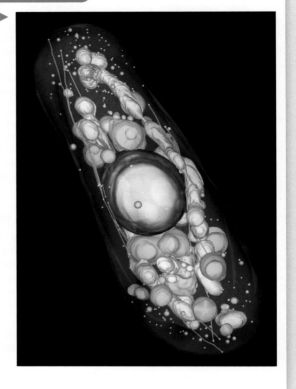

Cellule congelée,
découpée en plusieurs tranches

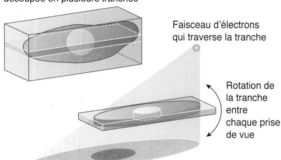

Faisceau d'électrons
qui traverse la tranche

Rotation de
la tranche
entre
chaque prise
de vue

une des images obtenues

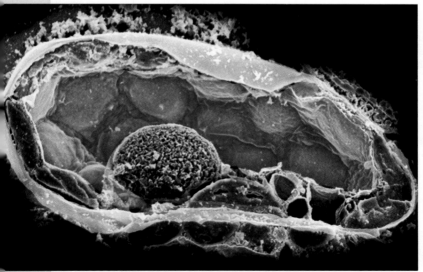

◀ Cette image représente une cellule végétale (noyau et vacuole au centre, chloroplastes en périphérie) observée au **microscope électronique à balayage** (MEB), après « cryofracture ».

La cellule est congelée, puis cassée. Le relief de la fracture est révélé en pulvérisant sur celle-ci un mélange de platine (réfléchissant les électrons) et de carbone. Le moulage ainsi obtenu, véritable empreinte de la fracture, est exposé à un faisceau d'électrons qui en balaye la surface (MEB).

L'image du relief interne de la cellule ainsi obtenue est finalement colorisée dans un but purement esthétique.

... découvrir des métiers et des formations

Les métiers de la biochimie

Vous aimez
- Travailler en équipe
- Observer au microscope
- Explorer des molécules
- Concevoir ou faire des expériences

Technicien(-ne) de laboratoire
c'est faire des analyses de produits, des contrôles, mettre au point des protocoles...

Les domaines d'activités potentiels

Dans le **domaine public**, les chercheurs en biologie et les techniciens de laboratoire travaillent à l'Université et/ou dans les instituts de recherche, le CNRS par exemple.

Dans le **domaine privé**, les possibilités sont plus variées : instituts privés de recherche, laboratoires pharmaceutiques, laboratoires d'analyses médicales, bio-industries (agro-alimentaire, cosmétique, etc.).

Pour y parvenir

Des études scientifiques s'imposent, au Lycée, puis à l'Université, en Classe Préparatoire scientifique ou en Sections de Techniciens Supérieurs. Selon le niveau de formation, les postes proposés sont très différents : à partir de bac+2 et jusqu'à bac+4, il s'agira surtout d'activités techniques, sous la direction d'un responsable. Au-delà, il pourra s'agir d'activités d'animation et d'encadrement d'une équipe.

Un bon conseil : ne négligez pas l'anglais et cultivez d'autres compétences, l'informatique par exemple.

Chercheur(-se) en biologie
c'est lire et s'informer, organiser des recherches, valider des résultats, communiquer, assurer des cours...

Les débouchés

Les postes de chercheur en biologie sont beaucoup plus rares que les postulants... L'avenir est plus ouvert pour les postes de technicien.

... mieux comprendre l'histoire des sciences

Les premières observations de cellules

Le mot **cellule** apparaît pour la première fois en 1665 dans l'ouvrage *Micrographia* de Robert Hooke. Ce scientifique anglais cherche en fait à expliquer les propriétés du liège. Il utilise un « microscope » à trois lentilles pour observer la lumière réfléchie par une très fine coupe obtenue au canif et traduit son observation par le dessin ci-contre :

« Je pouvais parfaitement percevoir qu'il [le liège] était entièrement perforé et poreux, un peu à la manière des rayons de miel, mais que ces pores n'étaient pas réguliers ; [...] Ces pores, ou cellules, n'étaient pas très profonds, mais consistaient en une multitude de petites boîtes... »

La légèreté du liège est certes ainsi expliquée mais il faudra attendre encore près de deux siècles pour que la notion de cellule en tant qu'unité structurale des êtres vivants soit établie.

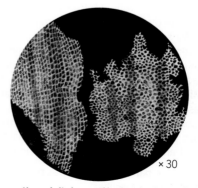

× 30

Observation réalisée par Hooke : le tissu végétal apparaît constitué de multiples petites logettes que Robert Hooke appela « cellules ».

Tester ses connaissances

1 Définissez les mots ou expressions
Organisme, organite, cellule, eucaryote, procaryote, molécule carbonée.

2 Questions à choix multiples
Choisissez la ou les bonnes réponses.

1. Le métabolisme d'une cellule:
a. dépend de son information génétique;
b. révèle des échanges entre la cellule et son milieu;
c. est indépendant des conditions du milieu environnant.

2. La membrane cellulaire:
a. est une frontière perméable qui délimite une cellule;
b. est une frontière imperméable qui délimite une cellule;
c. est une caractéristique des eucaryotes.

3. La matière des êtres vivants:
a. est combustible;
b. est essentiellement constituée de carbone, d'oxygène et d'hydrogène;
c. a la même composition chimique que la matière inerte.

3 Vrai ou faux?
Repérez les affirmations exactes et corrigez celles qui sont inexactes.
a. Les proportions des principaux éléments chimiques qui constituent la matière sont très différentes dans la matière vivante et dans la matière minérale.
b. Toute cellule possède un noyau délimité par une membrane.

c. L'eau est le constituant le plus abondant de la matière vivante.
d. Les molécules constituant la matière vivante sont caractérisées par l'abondance de l'élément carbone.
e. Les cellules procaryotes contiennent de multiples organites ayant chacun une fonction précise.
f. Chez les bactéries, il n'y a pas de noyau donc pas d'information génétique.

4 Questions à réponse courte
a. Pourquoi dit-on que la constitution chimique des êtres vivants est un indice de leur parenté?
b. Quelles relations de parenté entre les êtres vivants peut-on établir en se fondant sur l'étude de leurs cellules?

5 Légendez une photographie.
Indiquez les légendes correspondant aux chiffres et proposez un titre.

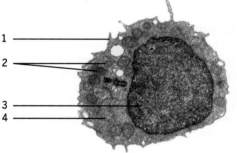

1
2
3
4

Utiliser ses compétences

6 Une démonstration expérimentale Raisonner avec rigueur

Deux élèves doivent déterminer si le métabolisme des levures nécessite du glucose et de la lumière. À l'aide d'un dispositif d'ExAO semblable à celui présenté page 38, ils mesurent la concentration en dioxygène de deux cultures de levures:
- **Milieu A:** levures + eau, sels minéraux et glucose, culture placée à la lumière.
- **Milieu B:** levures + eau et sels minéraux, culture placée à l'obscurité.

Ils constatent alors que contrairement aux levures du milieu A, celles du milieu B ne consomment pas de dioxygène. Ils discutent ensuite de l'interprétation à donner à leur expérience.

Choisissez, parmi les différentes propositions, celles qui vous paraissent rigoureuses:
a. Les levures ont besoin de glucose et de lumière pour leur métabolisme.

b. On ne peut rien conclure car entre les deux milieux A et B, il y a deux paramètres différents.
c. Les levures du milieu B sont des mutantes.
d. On ne peut rien conclure car il n'y a pas d'expérience témoin.

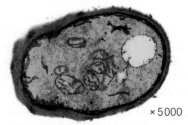

×5000

Une levure observée au microscope électronique

7 EXERCICE GUIDÉ

Métabolisme et conditions du milieu   Exploiter un graphique, raisonner, formuler une hypothèse

Une culture de levures, réalisée dans un milieu contenant du glucose en excès, est placée dans une enceinte fermée.

À l'aide de trois sondes, on mesure au cours du temps les concentrations en O_2, CO_2 et éthanol. La concentration en glucose n'est pas mesurée, mais elle diminue continuellement au cours de l'expérience.

Le *graphique ci-contre* traduit les résultats obtenus.

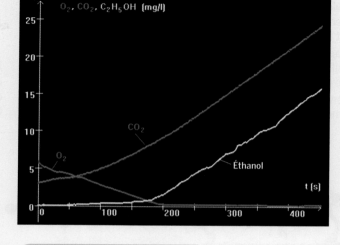

1. **Montrez que les levures sont capables de développer deux types de métabolismes différents.**

2. **Caractérisez ces deux métabolismes.**

3. **Proposez une hypothèse permettant d'expliquer quel facteur pourrait être responsable d'une modification du métabolisme des levures.**

Aide à la résolution

1. Essayez de diviser le graphique en deux périodes, c'est-à-dire rechercher à quel moment on constate une modification simultanée des variations pour les trois paramètres mesurés.

2. Pour chacune des deux périodes :
– indiquez comment varie chacun des paramètres ; en déduire ce que les levures consomment ou produisent ;
– utilisez également une information contenue dans le texte.

3. Recherchez pourquoi le premier type de métabolisme utilisé par les levures s'est interrompu.

8 Minéral ou organique ?   Extraire et exploiter des informations, faire preuve d'esprit critique

Le qualificatif « organique » rappelle les mots « organe, organisme » et évoque donc la matière vivante ou d'origine vivante. En revanche, le terme de minéral renvoie à la matière « inerte » (sans vie).

Plus rigoureusement, on qualifie d'organique toute molécule comportant des atomes de carbone (C) liés à des atomes d'hydrogène (H). Les molécules organiques peuvent cependant comporter d'autres éléments.

1. **En justifiant votre réponse, déterminez pour chacun des composés ci-contre s'il s'agit de matière organique ou minérale.**

2. **Les premières définitions données par les deux premières phrases du texte vous semblent-elles fondées ?**

Sel de mer	NaCl
Glucose	$C_6H_{12}O_6$
Essence (heptane)	C_7H_{16}
Méthane	CH_4
Dioxyde de carbone	CO_2
Cire d'abeille	$C_{46}H_{92}O_2$
Quartz	SiO_2
Huile d'olive (acide oléique)	$C_{18}H_{34}O_2$
Diamant	C

9 Des macromolécules · Extraire et exploiter des informations

La cellulose est la molécule organique la plus abondante à la surface de la Terre (estimée à 45 % de la masse de la biosphère). Elle forme en effet la paroi de toutes les cellules végétales.

Le collagène est le constituant principal du tissu conjonctif, «armature» située entre toutes nos cellules. Il représente plus de 10 % de la matière organique d'un être humain.

Collagène et cellulose sont des molécules de grande taille appelées macromolécules.

À partir des images ci-dessous, déterminez la composition du collagène et de la cellulose et expliquez comment les macromolécules sont constituées.

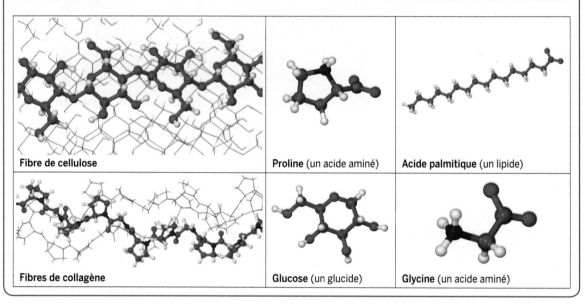

Fibre de cellulose

Proline (un acide aminé)

Acide palmitique (un lipide)

Fibres de collagène

Glucose (un glucide)

Glycine (un acide aminé)

10 Une théorie intéressante · S'informer, montrer de l'intérêt pour le savoir scientifique

Il existe des cellules procaryotes (bactéries photosynthétiques) ▶ possédant de la chlorophylle.

Certains chercheurs ont émis l'hypothèse suivante : les premières cellules eucaryotes chlorophylliennes se seraient formées à partir de cellules non chlorophylliennes qui auraient «phagocyté» (englobé dans leur cytoplasme) de telles cellules procaryotes. Ainsi, les chloroplastes seraient d'anciennes bactéries.

À l'appui de cette théorie :
– comme les procaryotes, les chloroplastes renferment de petites molécules d'ADN ;
– les chloroplastes possèdent deux membranes : une membrane externe qui ressemble à la membrane cellulaire et une membrane interne semblable à la membrane bactérienne.

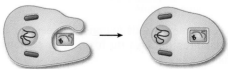

1 µm

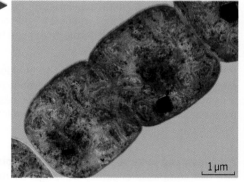

1. **Pourquoi qualifie-t-on la cellule ci-contre de procaryote ?**
2. **Comparez cette cellule avec un chloroplaste (voir p. 40).**
3. **Reproduisez et légendez le schéma ci-contre.**

Utiliser ses capacités expérimentales

11 Une propriété de la membrane cellulaire

Concevoir et réaliser une expérience,
Utiliser un logiciel, Communiquer

■ Problème à résoudre

Une cellule est un compartiment séparé du milieu extérieur par une membrane. Sans membrane, la cellule ne peut pas contrôler la composition de son milieu intérieur, ni son métabolisme. Le milieu extérieur et le milieu intérieur (cytoplasme) sont, très généralement, constitués majoritairement d'eau.

Comment la composition de la membrane permet-elle à une cellule d'isoler les deux milieux aqueux qu'elle sépare ?

■ Matériel disponible

– Bécher, agitateur.
– Eau, différentes matières organiques : huile (lipide), sucre (glucide), blanc d'œuf (protide).
– Logiciel de visualisation moléculaire, modèles de membrane, de lipide, de glucide et de protide.

■ Protocole expérimental

– En utilisant le matériel disponible, déterminez la solubilité dans l'eau des différentes matières organiques proposées.
– À l'aide du logiciel de visualisation moléculaire, retrouvez sur le modèle la membrane et les molécules d'eau des deux compartiments séparés.
– Imprimez et légendez la structure visualisée.
– Comparez les atomes trouvés dans la membrane avec ceux des autres molécules proposées.

■ Exploitation des résultats

– Communiquez les résultats des deux manipulations sous la forme d'un tableau.
– Déterminez quelles molécules constituent l'architecture de la membrane cellulaire et quelle propriété leur permet de jouer le rôle essentiel assigné à la membrane.

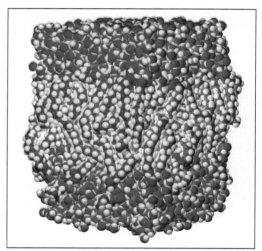

Modélisation moléculaire d'un fragment de membrane cellulaire.

Pour télécharger les modèles moléculaires :

www.bordas-svtlycee.fr

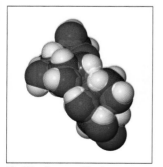

Modèle d'une molécule de saccharose (glucide).

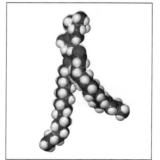

Modèle d'une molécule de lipide.

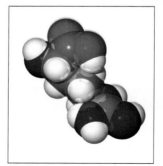

Modèle d'une molécule d'acide aminé (protide).

Guide pratique, p. 245

Des DOCUMENTS pour se poser des questions

Extrait d'ADN

Les molécules d'ADN, facilement extraites après broyage de nombreuses cellules, se présentent sous la forme d'une « pelote » filamenteuse.

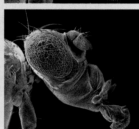

Une grande diversité de caractères

Les généticiens ont mis en évidence près d'une centaine de variations héréditaires de la forme ou de la couleur de l'œil chez la drosophile (une petite mouche). Dans toutes les espèces, il existe une diversité dont l'origine est liée à l'ADN.

G.MICHNIK

Les biotechnologies et la manipulation des gènes du vivant

Les connaissances actuelles sur l'ADN trouvent des applications dans de nombreux domaines : création d'Organismes Génétiquement Modifiés à but agronomique ou médical, thérapie génique…

LES PROBLÉMATIQUES DU CHAPITRE

- Quelle est la nature du message porté par l'ADN ?
- Le langage de l'ADN est-il le même pour toutes les espèces ?
- Comment la diversité des caractères des organismes se traduit-elle au niveau de leur ADN ?

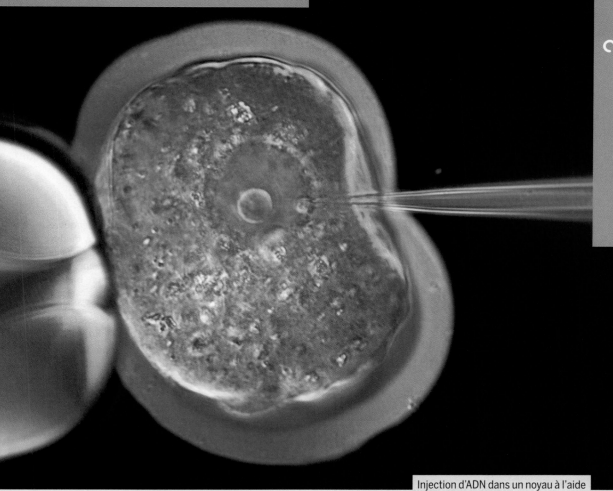

Injection d'ADN dans un noyau à l'aide d'une micropipette.

L'ADN,
support de l'information génétique

Les enseignements de la transgénèse

La transgénèse est une technique née en 1982 avec le premier transfert réussi d'un gène humain à une souris. Depuis, d'autres organismes génétiquement modifiés ont été créés dans de nombreux domaines. *Les principes sur lesquels repose cette méthode révèlent les propriétés essentielles du message génétique.*

A Un exemple : le « brillant » parcours d'un gène de méduse

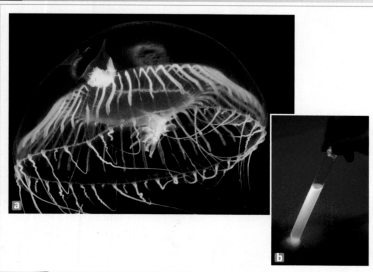

1960 : O. Shimomura découvre que la **bioluminescence** de la méduse du Pacifique *Aequorea victoria* (**a**) est due à une protéine qui, après avoir été excitée par de la lumière bleue, émet une lumière verte (**b**) : c'est ce qu'on appelle la biofluorescence. Cette protéine est alors baptisée GFP pour « Green Fluorescent Protein ».

1988 : le gène responsable de cette caractéristique est identifié et isolé.

1994 : l'ADN de ce gène est pour la première fois transféré à une autre espèce (des bactéries).

2008 : après le succès considérable rencontré par les applications de ce transfert de gène, ces découvertes sont récompensées par le prix Nobel de chimie.

Doc. 1 Les étapes d'une découverte.

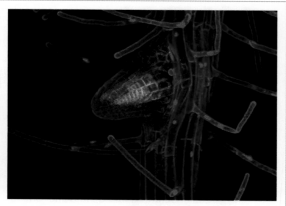

Cette souris transgénique possède dans toutes ses cellules le gène de la GFP. Éclairée par une lumière bleue, elle émet une fluorescence verte. Cette souris fait partie d'une lignée conçue pour visualiser le développement de cellules cancéreuses greffées dans l'organisme et qui, elles, n'émettent pas de lumière verte.

Le gène de la GFP a été transféré avec succès à de très nombreux organismes : sur la *photographie ci-dessus*, la GFP est visualisée dans les cellules en multiplication de la racine d'un pied de maïs. Toutes les cellules qui produisent la GFP deviennent fluorescentes et transmettent cette caractéristique après chaque division à leurs cellules-filles.

Doc. 2 Les applications du transfert du gène de la fluorescence de méduse à d'autres espèces.

B La transgénèse : une technique applicable à de nombreux domaines

La bactérie *Bacillus thuringiensis* est connue pour son activité « insecticide » contre un insecte ravageur, la pyrale (**a**). Le gène (ADN) responsable de cette propriété peut être transféré dans des cellules du maïs. Ces cellules, après culture, produiront des plants entiers résistants à la pyrale (**b**). Ces derniers seront triés de façon à privilégier les plants qui expriment le mieux les gènes transférés, puis éventuellement croisés en vue de produire des variétés à haute valeur commerciale. La dissémination de tels OGM dans la nature est aujourd'hui l'objet d'un débat controversé.

Les étapes de la fabrication d'un OGM

Identifier
un gène d'intérêt chez un organisme donneur
bactérie (*Bacillus thuringiensis*)

Isoler et multiplier
le gène d'intérêt

Transférer
le gène d'intérêt chez un organisme receveur

— ADN

gène permettant de produire une substance toxique pour les insectes

fragment d'ADN dans lequel le gène a été inséré

cellule de maïs

Produire
l'organisme génétiquement modifié

Régénérer
l'organisme modifié

Sélectionner
les cellules transformées

plants de maïs résistants à la pyrale

Doc. 3 **L'exemple de la fabrication d'un maïs résistant à un insecte ravageur.**

Aujourd'hui, les techniques de transgénèse sont suffisamment maîtrisées pour permettre de créer des animaux produisant des molécules aux vertus thérapeutiques. Il peut s'agir, par exemple, de chèvres transgéniques (*photographie ci-contre*) produisant un lait pauvre en acides gras saturés ou bien contenant des protéines humaines pour soigner l'hémophilie ou encore des fibres de soie d'araignée pouvant être utilisées dans la confection de fil chirurgical biodégradable.

Doc. 4 **De la ferme à la pharmacie.**

Pistes d'exploitation

1. Doc. 1 et 2 : Recensez les informations montrant que la fluorescence observée dans le document 2 est bien due à un transfert de gène.

2. Doc. 3 : Comment expliquer que le maïs produise un « insecticide » d'origine bactérienne ?

3. Doc. 1 à 4 : Retrouvez, dans les exemples proposés, le gène transféré, l'organisme donneur, l'organisme génétiquement modifié.

4. Doc. 1 à 4 : Montrez que la transgénèse repose sur le fait que l'ADN code des informations dans un langage universel.

Lexique, p. 258

L'organisation de la molécule d'ADN

Trop petite pour pouvoir être observée directement, la molécule d'ADN est cependant bien connue, grâce à la combinaison de divers indices. *Cette activité a pour objectif de mettre en évidence la structure de l'ADN et de comprendre les arguments qui ont permis de l'établir.*

A La « double hélice » de l'ADN

ACTIVITÉ
EXPÉRIMENTALE

■ **POUR MENER UNE INVESTIGATION**

Avec un logiciel de modélisation moléculaire, vous pouvez facilement :
– observer un modèle de molécule d'ADN en 3D ;
– déterminer quels atomes entrent dans la composition de la molécule d'ADN ;
– déterminer combien de chaînes constituent la molécule ;
– colorer les **sous-unités** qui constituent la molécule ;
– faire des mesures.

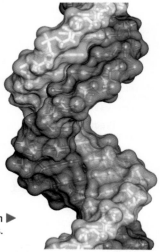

Coloration par chaînes, mise en ▶
évidence des sous-unités.

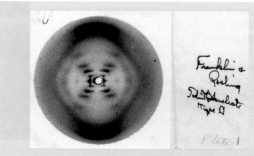

Cette image, obtenue par Rosalind Franklin en 1953, est l'indice décisif dont se sont servis James Watson et Francis Crick pour déterminer la structure de l'ADN.

Cette image est le résultat de la **diffraction de rayons X** par un cristal d'ADN. La disposition des taches a permis de révéler certaines propriétés de l'ADN :
– le motif en croix indique une organisation en une ou plusieurs hélices ;
– un tour d'hélice contient 10 sous-unités ;
– la distance entre les taches montre un espace de 0,34 nm entre chaque sous-unité.

Représentation en sphères, chaque couleur symbolise un élément différent.

Doc. 1 L'exploration d'un modèle d'ADN.

B Le puzzle de la structure de l'ADN

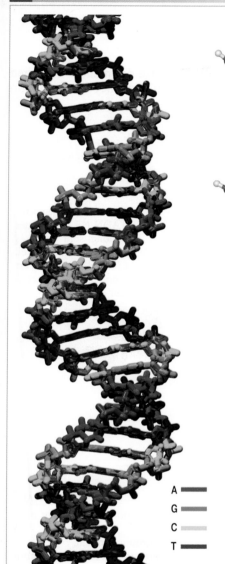

A

G

C

T

A ▬
G ▬
C ▬
T ▬

Représentation en bâtonnets, chaque couleur symbolise un nucléotide différent.

Doc. 2 Des associations caractéristiques.

Les analyses d'Erwin Chargaff (1949)

Bien avant de connaître sa structure, on savait que l'ADN était formé de petites sous-unités appelées nucléotides. Il existe quatre **nucléotides** différents, symbolisés par l'initiale de leur constituant principal : A (Adénine), T (Thymine), G (Guanine) et C (Cytosine).

En 1949, Chargaff mesure les proportions des différents nucléotides sur des extraits d'ADN obtenus chez différentes espèces. Les résultats sont exprimés en % dans le *tableau ci-dessous*.

	A	T	C	G
Homme	30,9	29,4	19,9	19,8
Poule	28,8	29,4	21,4	21,0
Oursin	32,8	32,1	17,7	17,3
Levure	31,3	32,9	18,7	17,1
E. coli **(bactérie)**	24,7	23,6	26,0	25,7
Phage T 7 (virus)	26,0	26,0	24,0	24,0

Pour télécharger les modèles moléculaires :

www.bordas-svtlycee.fr

Pistes d'exploitation

1. Doc. 1 : En explorant méthodiquement un modèle de molécule d'ADN, confirmez les constats effectués par Rosalind Franklin.

2. Doc. 1 : Expliquez pourquoi on qualifie souvent l'ADN de « double hélice ». Illustrez votre réponse par un schéma légendé.

3. Doc. 2 : Montrez que le modèle de la molécule d'ADN est en accord avec les résultats des analyses de Chargaff.

4. Doc. 1 et 2 : En utilisant des couleurs (une par nucléotide), faites un schéma traduisant la structure de la molécule d'ADN (schéma « à plat », comme si l'ADN était déroulé).

Lexique, p. 258

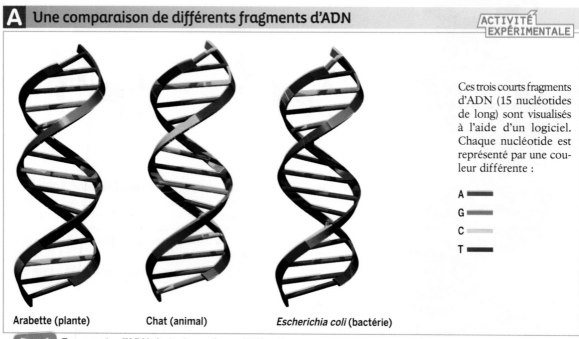

Le langage codé de l'ADN

Chaque chromosome est formé par une longue molécule d'ADN qui porte des milliers d'informations héréditaires : ce sont les gènes. *La comparaison de fragments d'ADN permet de comprendre comment l'ADN peut coder autant de données.*

A Une comparaison de différents fragments d'ADN

ACTIVITÉ EXPÉRIMENTALE

Ces trois courts fragments d'ADN (15 nucléotides de long) sont visualisés à l'aide d'un logiciel. Chaque nucléotide est représenté par une couleur différente :

A ▬▬
G ▬▬
C ▬▬
T ▬▬

Arabette (plante)   Chat (animal)   *Escherichia coli* (bactérie)

Doc. 1 Fragments d'ADN de trois espèces différentes.

ACTIVITÉ EXPÉRIMENTALE

Certains logiciels permettent d'afficher des **séquences** génétiques sous la forme d'une succession de lettres (A,T,C,G) représentant les nucléotides constitutifs d'un fragment d'ADN. Une seule chaîne de la molécule d'ADN est alors représentée.

L'exemple ci-dessous présente un extrait de la séquence de cinq gènes appartenant à une même espèce.

– Le gène 1 permet la production d'un pigment photosensible de la rétine.
– Le gène 2 détermine le groupe sanguin.
– Le gène 3 contient l'information nécessaire à la fabrication de l'hémoglobine.
– Le gène 4 permet la fabrication d'une **enzyme** qui intervient dans la coloration de la peau.
– Le gène 5 détient l'information nécessaire à la production de l'**hormone** de croissance.

	CNDP-INRP Anagène							
	1	**10**	**20**	**30**	**40**	**50**	**60**	**70**	**80**
gène 1	ATGAATGGCACAGAAGGCCCTAACTTCTACGTGCCCTTCTCCAATGCGACGGGTGTGGTACGCAGCCCCTTCGAGTACCCA
gène 2	ATGGCCGAGGTGTTGCGGACGCTGGCCGGAAAACCAAAATGCCACGCACTTCGACCTATGATCCTTTTCCTAATAATGCTT
gène 3	ATGGTGCACCTGACTCCTGAGGAGAAGTCTGCCGTTACTGCCCTGTGGGGCAAGGTGAACGTGGATGAAGTTGGTGGTGAG
gène 4	ATGCTCCTGGCTGTTTTGTACTGCCTGCTGTGGAGTTTCCAGACCTCCGCTGGCCATTTCCCTAGAGCCTGTGTCTCCTCT
gène 5	ATGGCTACAGGCTCCCGGACGTCCCTGCTCCTGGCTTTTGGCCTGCTCTGCCTGCCCTGGCTTCAAGAGGGCAGTGCCTTC

Doc. 2 Comparaison d'un fragment de cinq gènes différents appartenant à l'espèce humaine.

B Un exemple : l'information génétique de la levure

- **Nom scientifique :** *Saccharomyces cerevisiae*
- **Nom commun :** levure de bière, levure de boulanger...
- **Nombre de cellules :** 1
- **Nombre de chromosomes :** 16
- **Nombre de gènes :** 6 275
- **Nombre de nucléotides :** 12 070 899

Depuis une vingtaine d'années, les généticiens ont les moyens d'effectuer le **séquençage** de l'ADN d'un être vivant. La levure est le premier organisme eucaryote dont l'information génétique a été entièrement séquencée (1996). *Le document ci-dessous* montre comment se présente le « langage de l'ADN » si l'on symbolise chaque nucléotide par une lettre. Chaque région surlignée correspond à un gène.

L'écriture de l'ADN des 16 chromosomes d'une cellule de levure nécessiterait ainsi 3 300 pages écrites en petits caractères !

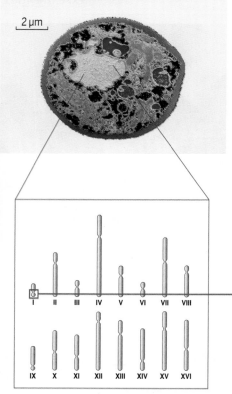

2 µm

Les 16 chromosomes d'une levure.

```
GTGTTTTCCTATCCTTGCCTATTCTTTCCTCCTTACGGGGTCCTAGCCTGTTTCTCTTGATATGA
ATAAAAGTGGGGCAGATACTTCGTGTGACAATGGCCAATTCAAGCCCTTTGGGCAGATGTTGCCC
CAAGTCAGAAAAAAAAAAAAAAAGGAACTAAAAAAAGTTTTAATTAATTATGAGAGCTTTGGCATA
TATCCCTAGGCCAGAAATTCCAAACCGACGATGAGGTTATTATCGACGTCTCTTGGTGTGGGAATTT
AATCT────────GATGGAGAGTGCCATAAATTATCCAACGCTGCTTTACCTCTGGCAATGG
```
Gène BDH1

```
TCCTAAATGACAAAGGTGAAGGTTGGCGACCACGTGGTCGTTGATGCTGCCAGCAGTTGTGCGGA
TTCCAAACCATGTGATGCTTGTCAGAGGGGCAGTGAAAATCTATGTACCCACGCCGGTTTTGTAG
AGTCGTAGTCTCTCAACATCACATTATCCCGGTTCCAAAGTGAAATTCCTCTAGATGTGGCTGCTT
TAAGGATTTCTGGTTTCAAAAAAGGCAGTTCAGCCTTGGTTCTTGGTGCAGGTCCCATTGGGTTGT
TAAAATTGTAGTGTCTGAAATTGCAGAGAGAAGAATAGAAATGGCCAAGAAACTGGGCGTTGAGG
AGAGATACTACGGTGGTTTGACCAAGAGCCATGATGGGTTTGATTACAGTTATGATTGTTCTGGTA
AACATTCAAGGGGACAGCCACCAACATTGCAGTTTGGGGTCCAAAACCTGTCCCATTCCAACCAA
TTCGATCGGCTATGTTGTCGAAGCCTTCGAAGAAGTTGTTCGTGCCATCCACAACGGAGACATCG
GCAAAGGATTGAGGACGGTTGGGAAAAGGATTCCAAGAGTTGATGGATCACAAGGAATCCAACG
AATGAAGTAATGACAAAATAATATTTGGGGCCCCTCGCGGCTCATTGTAGTATCTAAGATTATG
GACAGAAGTAAGTTTCTGCGACTATATTATTTTTTTTTTTTCTTCTTTTTTTTTCCTTTATTCAAC
CCCTTTAGAAGTATTGAATGTGGGAACAAAGACGACAAAAGGTAGTTTTTTCCTTGACTATACTG
CTAAT────────GACAGCAGCCAAGAATGAGGCATTGCTGGAAGCAAAGATATCTAAGAAA
AAAAG────────CAAACTGGACAACTCTATTTCATCCATGGACAGGGATCGTTTAGTGAAG
```
Gène ECM1

```
TTGCCAAGTCCATTTCTCGTGCCAAGTACATTCAAAATACAAGAAAGGCTGGCTGGGATAGCACC
ACGGAGGGTTGTCTGTGCAGGCAAAAAGTGCTAGTGAAGGTAATGCTGAAAAGGAAGATGAGGAG
ACACAGTGCAGAAGACTCCTACAAATAGATTCGGTGTCCTGCCAGACGATGTTGAAGAATAGAAA
CTTGTACGCATTCTTCTTTTTTCTATCTTCTTTCATTCTTTGTACATTAGATAACATGGTTTTAG
TATACTATTATTGAAAAACTTCATTAAATGGTTGTCAACTTTTTCAATATCAAGTTGATTAAGAAAA
ATGCATGTCGTTTAAGGATTGTGTAAAAAAGTGAACGGCAACGCATTTCTAATATAGATAACGGC
TTATGGTGGCTGTTTTTGAATCTAGCGTTGGTGAAAGGCACTTCATTGCTATCCAACGTTACATT
TACACTAAATACAAAGCATTTAAACCAAGAGTGGATCACAAGTGAAGCCGTCAACAATGAAGGCTC
GGTCGATTGCAAGGATCCGCATGGGATAAAGGAATCGCAGTTCGAACAGGCAATGCCGCAGCTAT
TCAGA────────TTGGTTGTCCAGTACGAAATTAAGTTGGACAATTCTTTGACGTGCGGCGG
GTTGAAGCTATCAAGCTATGCACCCGATACAGAGGGTGTCGAGTTAGTTTTTGGTCCGGATTA
```
Gène CNE1

```
ATCAATAAGGTTGACAAGATCACACATGAATCTAAACTAAGATATTTGCAAGAGATGCCCCTGTC
ACGCTCATAATAGATGAATCAGCGCAGTCTTTTCAAATTCTTATAGACGGTAAGACGGTTATGGT
TTTGAGCCACCCCATTACACCGCCTTTAATGATTCCTGATGTTTCAGTAGCGAAACCGCATGATTG
GTGAAGCTCAGTGATCGGGATGAACGAGACCCATTGATGATTCCACATCCAGATGGCACTGAACC
CTTGACCCAAATGCTCAAAAGCCCTCGTGGTGGAAGGAACTTGAGCACGGGGAATGGATACCGCC
GGTTGTGGCCAGCAGATACCAGGGCTGATAAATAATGCCAAGTACAAAGGTCCAGGCGAACTCAA
CATCCACCGGAAATTGAAAACCCGCTATACTACGAAGAGCAGCACCCATTGCGCATCGAAAACGT
```

Séquence d'ADN du chromosome 1 de levure, portion de 35 000 à 38 000 nucléotides. Une seule chaîne de la molécule d'ADN est représentée.

Doc. 3 Quelques messages génétiques sur un fragment de chromosome de la levure.

Pour télécharger les données utilisées au cours de cette activité :
www.bordas-svtlycee.fr

Pistes d'exploitation

1. Doc. 1 : Comparez l'ADN de ces trois espèces.

2. Doc. 2 : En quoi diffèrent ces cinq gènes ? Pourquoi dit-on que l'ADN est un langage codé à « 4 lettres » ?

3. Doc. 1 à 3 : Donnez une définition aussi précise que possible d'un gène.

4. Doc. 1 à 3 : Quelles propriétés de l'ADN expliquent le succès des expériences de transgénèse comme celles présentées pages 52 et 53 ?

Lexique, p. 258

Diversité génétique et variabilité de l'ADN

Dans chaque espèce, il est facile de constater l'existence d'une grande variété de caractères génétiquement déterminés. *Cette diversité génétique s'explique si l'on considère une autre propriété de l'ADN qui est sa variabilité.*

A Les mutants, sources d'une diversité génétique

ACTIVITÉ EXPÉRIMENTALE

La **drosophile** est très utilisée par les généticiens du fait de ses facilités d'élevage.

La plupart des drosophiles ont les yeux rouges et transmettent ce caractère à leur descendance. Il peut cependant arriver que naisse dans un élevage une drosophile différente, par exemple avec les yeux blancs : c'est un mutant. Une telle **mutation** est un phénomène peu fréquent qui résulte d'une modification spontanée de l'ADN.

Le nouveau caractère peut alors être à l'origine d'une nouvelle population de drosophiles héritant de ce caractère.

Doc. 1 L'apparition de mutants.

Ce « tigre blanc » (en réalité son pelage est blanc rayé de noir et ses yeux sont bleus) appartient à la même espèce que le tigre ci-contre dont le pelage classique est orangé. Ces deux animaux peuvent parfaitement se reproduire ensemble. Quelques spécimens sauvages de tigres blancs ont été observés en Inde mais tous ceux que l'on peut actuellement observer en captivité descendent d'un même ancêtre, capturé en 1951. Ce caractère correspond à la possession d'un **allèle** différent d'un gène bien déterminé. Cet allèle (baptisé « chinchilla ») est caractérisé par une séquence d'ADN modifiée ne permettant plus la production de certains des pigments du pelage et des yeux.

Doc. 2 Un autre exemple de diversité génétique.

B Un exemple : l'origine de la variété des groupes sanguins

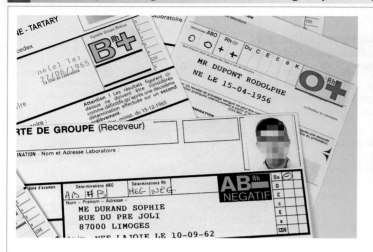

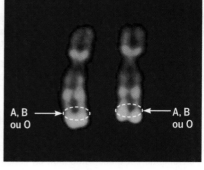

Le gène qui détermine le groupe sanguin est situé sur le chromosome 9. Il existe sous trois versions différentes : l'allèle A, l'allèle B ou l'allèle O.

À l'aide d'un logiciel de traitement de séquences moléculaires (« Anagène » ou « GenieGen », par exemple), on peut facilement visualiser et comparer des séquences d'ADN.

Le *document ci-dessous* montre le résultat d'une comparaison entre les trois allèles A, B et O du gène qui détermine le groupe sanguin. Les séquences des allèles A, B et O comportent plusieurs centaines de nucléotides mais seules certaines portions (numérotées) sont ici représentées.

Le signe _ indique que l'on a artificiellement décalé la séquence pour faire correspondre les nucléotides.

■ PROTOCOLE
– Ouvrir les trois fichiers de séquences de façon à les visualiser.
– Déterminer et comparer leur longueur.
– Sélectionner les trois séquences.
– Utiliser la fonction de comparaison en choisissant l'option « avec discontinuité » (cette option introduit éventuellement des décalages).

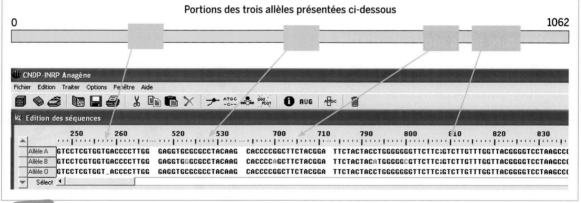

Doc. 3 La comparaison des allèles A, B et O du gène qui détermine le groupe sanguin.

Pistes d'exploitation

1. Doc. 1 et 2 : Qu'est-ce qu'un mutant ?

2. Doc. 3 : Comparez les trois allèles de ce gène. Pourquoi peut-on penser qu'ils ont une origine commune ?

3. Doc. 3 : Justifiez la propriété de variabilité attribuée à la molécule d'ADN. Précisez ce que cela signifie.

4. Doc. 1 à 3 : Relevez les informations qui montrent que le phénomène de mutation concerne l'ADN.

Lexique, p. 258

L'ADN, support de l'information génétique

1 Les informations apportées par la transgénèse

- La **transgénèse** correspond au **transfert**, d'un être vivant à un autre, d'un fragment d'ADN porteur d'un gène. Le « donneur » et le « receveur » peuvent être de la même espèce, ou d'espèces différentes. L'organisme receveur est ce que l'on appelle un Organisme Génétiquement Modifié (**OGM**).

- L'organisme receveur acquiert une **propriété** (bioluminescence, capacité à produire une substance insecticide...) qui, auparavant, était propre à l'organisme donneur. Le transfert de gène étant responsable de cette acquisition, on en déduit que l'**ADN** du gène transféré est porteur de l'information nécessaire : c'est une **information génétique**.

- Par ailleurs, le gène transféré peut être transmis au cours des divisions cellulaires à toutes les cellules de l'organisme receveur et dans ce cas, peut également être transmis à sa descendance.

- Quelle que soit l'espèce receveuse, le transfert d'un même gène aboutit toujours à l'acquisition de la même propriété par le receveur. Ceci montre que l'information génétique contenue dans l'ADN y est inscrite dans **un langage universel**.

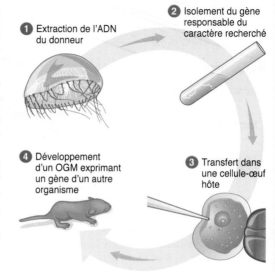

❶ Extraction de l'ADN du donneur

❷ Isolement du gène responsable du caractère recherché

❸ Transfert dans une cellule-œuf hôte

❹ Développement d'un OGM exprimant un gène d'un autre organisme

À RETENIR

Les expériences de transgénèse montrent que l'ADN est le support de l'information génétique. Cette information pouvant être transférée efficacement d'une espèce à n'importe quelle autre, on en déduit que le langage dans lequel est encodée cette information est universel.

2 La structure de la molécule d'ADN

- L'ADN (Acide DésoxyriboNucléique) est une molécule organique de très grande dimension (jusqu'à plusieurs cm), composée de très nombreuses petites unités appelées **nucléotides**. L'ADN d'une cellule humaine contient 3,2 milliards de paires de nucléotides. Il existe quatre nucléotides différents identifiés par les lettres A, T, C et G en référence aux composés Adénine, Thymine, Cytosine et Guanine.

- Ces nucléotides s'enchaînent les uns aux autres pour former deux longues **hélices** entrelacées. La disposition des nucléotides entre les deux chaînes suit une règle : à chaque nucléotide A d'une chaîne est associé un nucléotide T sur l'autre chaîne. La même **complémentarité** existe aussi pour C et G. Pour cette raison, les deux chaînes sont qualifiées de complémentaires.

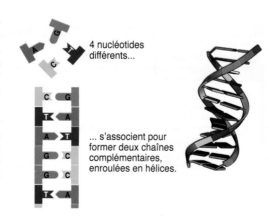

4 nucléotides différents...

... s'associent pour former deux chaînes complémentaires, enroulées en hélices.

À RETENIR

L'ADN est une molécule constituée de deux chaînes de nucléotides enroulées en double hélice. Il existe quatre nucléotides différents A, T, C et G. Les nucléotides d'une chaîne sont complémentaires de ceux de l'autre chaîne : A est toujours en vis-à-vis de T, de même G est toujours associé à C.

3 L'information génétique et ses variations

a. La molécule d'ADN est le support universel de l'information génétique

● La structure de la molécule d'ADN est la même pour tous les êtres vivants. Tous les êtres vivants utilisent des messages universellement codés par une succession de nucléotides de quatre types.

● Cette **universalité** du langage de l'ADN explique le succès des expériences de transgénèse. Par ailleurs, c'est un nouvel indice de la **parenté** des êtres vivants.

● Cependant, on constate que, sur l'ADN de différentes espèces, les nucléotides ne se succèdent pas dans le même **ordre**. C'est cette séquence, c'est-à-dire la succession des nucléotides, qui constitue l'information génétique.

● Au sein d'une même espèce, un chromosome contient une molécule d'ADN dont l'information génétique est répartie entre plusieurs séquences particulières codant chacune un caractère héréditaire (groupe sanguin, couleur des yeux...) : ce sont les **gènes**.

b. La variabilité de la molécule d'ADN

● La séquence des nucléotides de l'ADN n'est pas immuable : elle peut subir des modifications brutales et imprévisibles que l'on appelle des **mutations**.

● Chaque mutation correspond à un changement de nucléotide(s) dans la séquence de l'ADN, avec comme conséquence une modification de l'information génétique.

● Lorsqu'un gène subit une mutation, une nouvelle forme de ce gène est créée. Cette variante, si elle est significativement présente dans la population, est appelée un **allèle** du gène. La diversité des allèles que l'on retrouve dans une espèce repose sur la diversité des molécules d'ADN : elle tire son origine de cette **variabilité** de l'ADN.

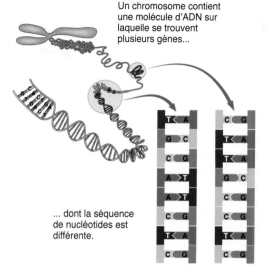

Un chromosome contient une molécule d'ADN sur laquelle se trouvent plusieurs gènes...

... dont la séquence de nucléotides est différente.

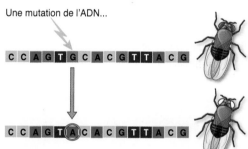

Une mutation de l'ADN...

C C A G T G C A C G T T A C G

C C A G T A C A C G T T A C G

... modifie la séquence des nucléotides et peut aboutir à de nouveaux caractères.

À RETENIR

La succession des nucléotides sur l'ADN constitue le support de l'information génétique. Une séquence qui code pour un caractère héréditaire est un gène.

Dans une espèce, un gène peut exister sous plusieurs formes appelées allèles. Ces variations génétiques sont dues aux différentes mutations qui ont touché la molécule d'ADN au cours de l'histoire évolutive de l'espèce.

Mots-clés

● ADN
● Transgénèse
● Nucléotide
● Séquence
● Gène
● Allèle
● Mutation
● Variation

Capacités et attitudes

▶ Recenser, extraire et organiser des informations pour mettre en évidence l'universalité de l'ADN.

▶ Comprendre la nature provisoire, en devenir, du savoir scientifique.

▶ Utiliser un logiciel de visualisation pour mettre en évidence la structure de la molécule d'ADN.

▶ Utiliser un logiciel de traitement de séquences pour mettre en évidence les variations de l'ADN et la nature du message codé.

Les empreintes génétiques, une application de la variabilité de l'ADN

Nous savons que 95 % de notre ADN n'est pas constitué par des gènes. Dans cet ADN se trouvent des séquences contenant des répétitions d'un même motif de quelques nucléotides.

Le nombre de répétitions trouvées dans ces séquences est très variable dans la population humaine.

Des techniques particulières permettent d'extraire des fragments d'ADN portant ces séquences très variables. Les différents allèles de ces séquences sont distingués par leur taille. Pour cela, on réalise une **électrophorèse** de l'ADN :

– les fragments d'ADN sont déposés dans un gel *(schéma ci-contre)* ;

– le gel est soumis à un champ électrique qui provoque la migration des fragments d'ADN ;

– les fragments les plus courts migrent le plus vite. Ainsi, la distance de migration des fragments permet de comparer leurs tailles.

Chaque sujet possédant deux fragments d'ADN, l'un d'origine maternelle, l'autre d'origine paternelle, ces fragments peuvent être différents.

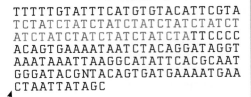

```
TTTTTGTATTTCATGTGTACATTCGTA
TCTATCTATCTATCTATCTATCTATCT
ATCTATCTATCTATCTATCTATTCCCC
ACAGTGAAAATAATCTACAGGATAGGT
AAATAAATTAAGGCATATTCACGCAAT
GGGATACGNTACAGTGATGAAAATGAA
CTAATTATAGC
```

Exemple : une des versions de la séquence D8S1179, localisée sur le chromosome 8. Des versions différentes de cette séquence ont été recensées dans l'espèce humaine : elles possèdent de sept à dix-neuf répétitions de la séquence TCTA.

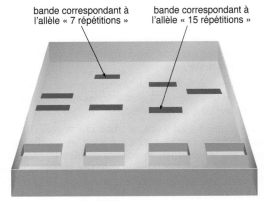

bande correspondant à l'allèle « 7 répétitions »

bande correspondant à l'allèle « 15 répétitions »

Après migration de l'ADN.

Dépôt des fragments d'ADN.

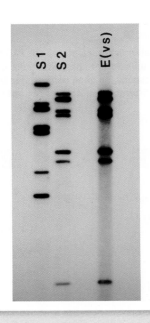

Pour **réaliser une empreinte**, on combine dans une même analyse des fragments d'ADN provenant de différents chromosomes. ▶ Chaque bande visible correspond à un allèle.

Si la localisation des bandes obtenues pour un suspect (S1 sur l'*image ci-contre*) ne correspond pas à celles de l'ADN prélevé sur le lieu du délit (E), alors le suspect pourra être disculpé. Dans le cas contraire (S2), la probabilité pour qu'une autre personne puisse avoir le même profil que le suspect est généralement très faible (inférieure à 1/1 000 000 000), mais pas nulle. L'empreinte génétique n'est dans ce cas pas une preuve absolue, mais un indice de poids dans la balance de la Justice.

... découvrir des métiers et des formations

Des métiers liés à la génétique

Vous aimez
- Travailler en équipe
- Résoudre des problèmes biologiques
- Utiliser l'informatique, programmer
- Concevoir ou réaliser des manipulations

Technicien(-ne) de police scientifique, c'est analyser des échantillons biologiques, des empreintes génétiques...

Les domaines d'activités potentiels

Les **techniciens de police scientifique** travaillent dans les laboratoires de la police scientifique ou sur le terrain. Les **bioinformaticiens** participent à des équipes de recherche dans les laboratoires des organismes publics ou d'entreprises des secteurs pharmaceutique ou bien agroalimentaire.

Chercheur (-se) en bioinformatique, c'est utiliser des bases de données, concevoir des programmes pour résoudre des problèmes à partir de l'analyse de séquences d'ADN.

Pour y parvenir

Des études scientifiques au lycée sont nécessaires. Plusieurs **universités** proposent des parcours mixtes associant biologie, mathématiques et informatique. Des **grandes écoles** incluent dans leur cycle de formation des spécialisations en bioinformatique. Une bonne pratique de l'anglais est indispensable.

Les postes de technicien de police scientifique sont accessibles par concours à Bac +2, par exemple après un **IUT** ou un **BTS**.

Les débouchés

Une trentaine de postes de technicien de police scientifique sont ouverts au concours par an, dans tous les secteurs. La bioinformatique ouvre sur des perspectives multiples dans la recherche comme en informatique « classique ».

... mieux connaître l'histoire des arts

Le « Bio-Art »

Les artistes contemporains engagés dans le « bio-art » utilisent les méthodes des biotechnologies pour manipuler le vivant et concevoir des œuvres, dans le but de susciter une réflexion sur l'Homme, son rapport à la nature et son activité créatrice.

En février 2000, au laboratoire de l'INRA à Jouy-en-Josas, est né *Alba*, un lapin ▶ « GFP », fluorescent grâce au transfert d'un gène de méduse, qui a inspiré « GFP Bunny », œuvre réalisée par un bioartiste, E. Kac. Au-delà de la création d'un animal, l'artiste interroge sur les concepts d'unicité, de normalité, de pureté...

◀ Plusieurs artistes (E. Kac, J. Davis) ont conçu des méthodes pour coder des textes sous la forme d'ADN.
Dans l'œuvre Genesis *(ci-contre)*, E. Kac a utilisé une phrase de la bible (à droite) évoquant la domination de l'Homme sur la Nature pour construire une molécule d'ADN (à gauche) ensuite transférée à des bactéries (projection au centre de l'image). Les visiteurs de l'installation peuvent, par l'intermédiaire d'un rayonnement UV, provoquer des mutations et agir sur l'œuvre.

Tester ses connaissances

1 Définissez les mots ou expressions

Transgénèse, nucléotide, gène, allèle, mutation.

2 Questions à choix multiples

Choisissez la ou les bonnes réponses :

1. L'ADN est :
a. présent chez tous les êtres vivants ;
b. présent chez les animaux mais pas chez les plantes ;
c. révélateur de l'unité et de la parenté des êtres vivants.

2. Les différents gènes d'une cellule sont :
a. tous constitués d'ADN ;
b. tous constitués des mêmes quatre types de nucléotides ;
c. codés dans un langage universel.

3. La transgénèse :
a. est une technique qui permet de décoder l'information génétique ;
b. montre l'universalité de l'ADN ;
c. est une technique utilisée pour provoquer des mutations.

3 Donnez le nom :

a. des éléments qui constituent la molécule d'ADN ;
b. de la technique qui consiste à transférer un gène d'un organisme à un autre ;
c. des différentes variantes d'un même gène.

4 Vrai ou faux ?

Repérez les affirmations exactes et corrigez celles qui sont inexactes.

a. La transgénèse montre que le langage de l'ADN est universel.
b. Les OGM sont des organismes mutants.
c. Une molécule d'ADN est constituée de deux chaînes de nucléotides identiques.
d. Une molécule d'ADN est constituée de centaines de nucléotides différents.
e. Les mutations sont des changements de la séquence des nucléotides d'une molécule d'ADN.

5 Questions à réponse courte

a. Qu'est-ce qu'un nucléotide ?
b. Comment l'ADN peut-il coder une information ?
c. Quelle est l'origine des allèles d'un même gène ?

Utiliser ses compétences

6 Des puces à ADN QCM   Comprendre une technique

La technologie des « puces à ADN » est appliquée dans de nombreux domaines, pour rechercher la présence d'une séquence déterminée dans l'ADN d'un organisme.

Une puce à ADN se présente sous la forme d'une lame de verre creusée de plusieurs puits. Dans chacun des puits sont fixées des demi-molécules d'ADN, constituées d'une seule chaîne (ADN simple-brin) et qui correspondent à chaque séquence cible (gène précis dont on veut rechercher la présence dans un ADN à tester).

L'ADN à tester est lui aussi traité de façon à séparer les deux chaînes et à le rendre fluorescent, avant de le mettre en contact avec la puce à ADN. Après lavage, la localisation d'un point fluorescent sur la puce à ADN indique que l'ADN testé s'est fixé dans ce puits.

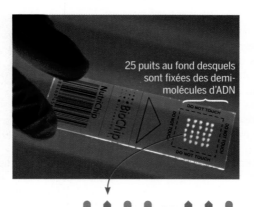

25 puits au fond desquels sont fixées des demi-molécules d'ADN

Indiquez pour chacune des affirmations si elle est exacte ou non. Justifiez à l'aide de vos connaissances.

a. Une puce à ADN repose sur la propriété de complémentarité des nucléotides 2 à 2.

b. Une puce à ADN est un Organisme Génétiquement Modifié dans lequel on a introduit un ADN étranger.

c. Une puce à ADN peut permettre de détecter la présence d'un OGM dans un aliment.

7 Des bactéries productrices d'insuline humaine

Trouver des informations, raisonner

Jusqu'en 1982, l'insuline utilisée par les diabétiques pour se soigner (injections quotidiennes) était extraite d'animaux (insuline de porc).

· La plupart des diabétiques utilisent maintenant de l'insuline humaine produite par transgénèse, ce qui procure de multiples avantages.

Les documents ci-contre et ci-dessous illustrent cette méthode de production.

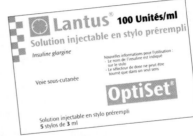

Production d'insuline par transgénèse

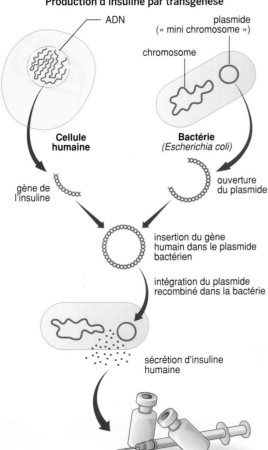

Bioréacteurs dans lesquels sont cultivées des bactéries génétiquement modifiées productrices d'insuline humaine.

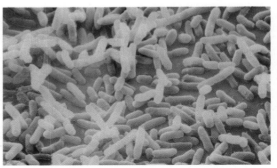

Bactéries *Escherichia coli* : dans de bonnes conditions, elles se reproduisent à raison d'une division toutes les 40 minutes.

1. Dans cet exemple de production d'insuline par de transgénèse, identifiez l'organisme donneur, l'organisme génétiquement modifié et le gène transféré. De quelle information l'ADN transféré est-il le support ?

2. Recherchez ce qui montre que le langage de l'ADN, c'est-à-dire la possibilité d'exploiter les informations d'une séquence d'ADN, est universel.

3. Comment expliquez-vous que de grandes quantités d'insuline soient produites dans les cuves ?

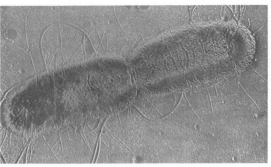

Division d'une bactérie *(Escherichia coli)* : le matériel génétique apparaît ici coloré en orange.

8 EXERCICE GUIDÉ

Les virus : à la limite du vivant   Résoudre une tâche complexe

Un virus est une particule très petite constituée de diverses protéines au cœur desquelles se situe une information génétique. L'image ci-contre représente un modèle moléculaire d'un fragment d'ADN de virus.

Un virus n'a pas la possibilité de s'autoreproduire. Pour cette raison, les virus sont considérés par de nombreux scientifiques comme n'appartenant pas au monde vivant.

Pour se reproduire, un virus doit obligatoirement infecter une cellule d'un autre organisme qui est alors détournée de sa fonction et devient une véritable « usine » à particules virales. Le *schéma ci-contre* illustre le cycle de reproduction d'un virus dans une cellule-hôte.

1. Expliquez comment la cellule infectée produit des molécules qu'elle ne pouvait pas produire avant l'infection.

2. Quelle propriété de l'ADN permet au virus de se reproduire dans des espèces hôtes différentes ?

ADN de l'information génétique du virus *Influenza* (virus de la grippe).

A
G
C
T

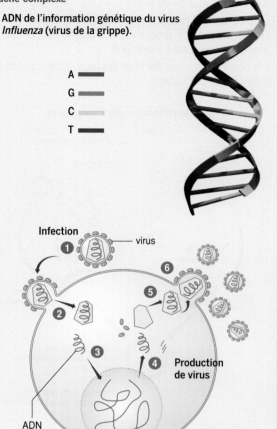

Aide à la résolution

1. Comparez le modèle moléculaire de l'ADN de virus à celui d'un autre être vivant. Utilisez le schéma ci-contre pour montrer que la cellule-hôte dispose d'une information génétique supplémentaire.

2. Utilisez vos connaissances pour retrouver les propriétés fondamentales de l'ADN et identifier celle qui est ici démontrée.

Infection
virus
Production de virus
ADN du virus
cellule hôte

9 Une découverte historique   Comprendre une découverte scientifique

En 1928, F. Griffith fait une découverte surprenante chez des bactéries, les pneumocoques : si des pneumocoques virulents (dangereux car possédant une coque protectrice) sont tués par la chaleur et que leurs molécules sont mélangées à des pneumocoques inoffensifs, ces derniers deviennent virulents. Les bactéries ont en effet acquis la propriété de fabriquer une enveloppe protectrice ; de plus, cette propriété est transmise à leurs descendants.

En 1944, des expériences permettent d'identifier la molécule responsable de cette transformation : il s'agit de l'Acide DésoxyriboNucléique (ADN).

Montrez que Griffith a, sans le savoir, réalisé une expérience de transgénèse.

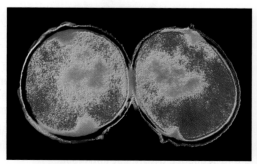

Les pneumocoques *(Streptococcus pneumoniae)*, bactéries responsables de la pneumonie, sont souvent associés par deux.

Utiliser ses capacités expérimentales

ACTIVITÉ
EXPÉRIMENTALE

10 Une variation d'origine génétique chez la levure
Utiliser un logiciel, communiquer

La levure *Saccharomyces pombe* est un champignon unicellulaire dont la taille est gouvernée par un gène qui détermine le moment de la division cellulaire.

Chez la souche sauvage, une cellule issue d'une division mesure 6 à 7 µm. Dans un milieu de culture favorable, les cellules grandissent et entrent en division quand leur taille atteint 13 à 14 µm.

On connaît cependant des souches de levures *Saccharomyces pombe* dont la taille est nettement plus importante (souche TS) et d'autres dont la taille est nettement plus petite (souche DP).

■ Problème à résoudre

On cherche à expliquer l'origine de cette variation de la taille des cellules de *Saccharomyces pombe*. Pour cela, on étudie le gène Cdc 2 qui détermine le moment où la cellule entre en division.

■ Protocole

Utilisez les fonctionnalités du logiciel Anagène (ou GénieGen) pour :
– afficher les séquences des trois allèles du gène Cdc 2 correspondant aux trois souches de levures ;
– déterminer la longueur de ces allèles ;
– comparer la séquence de nucléotides des trois allèles.

■ Exploitation des résultats

– Présentez les résultats de cette étude sous forme d'un tableau.
– Rédigez un petit texte qui explique l'origine de la diversité de la taille des cellules chez *Saccharomyces pombe*.

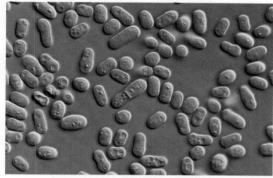

Souche sauvage de *Saccharomyces pombe*.

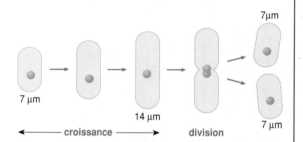

Division cellulaire chez *Saccharomyces pombe* (souche sauvage).

Pour ouvrir un fichier de séquences

Pour comparer les séquences de nucléotides

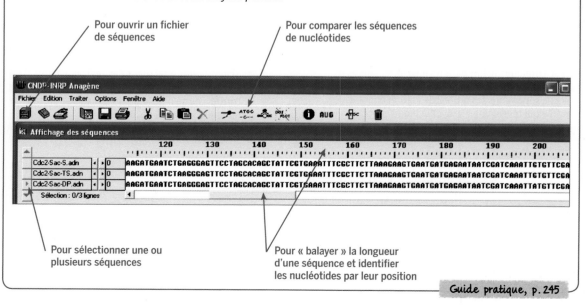

Pour sélectionner une ou plusieurs séquences

Pour « balayer » la longueur d'une séquence et identifier les nucléotides par leur position

Guide pratique, p. 245

Des DOCUMENTS pour se poser des questions

2010 Année Internationale de la Diversité Biologique

L'année de la biodiversité

L'ONU a déclaré l'année 2010 année internationale de la biodiversité sur Terre. Des organismes comme l'UNESCO, l'UICN, le WWF entre autres lancent des programmes d'étude des milieux naturels et proposent des solutions pour leur protection.

Le recensement de la biodiversité

La connaissance de la biodiversité à l'échelle du globe nécessite des recensements effectués par les scientifiques, même dans les milieux les plus difficiles d'accès, comme ici dans la canopée (partie supérieure des arbres) de la forêt équatoriale qui révèle une incroyable biodiversité.

La classification des êtres vivants

Le nombre d'espèces vivant actuellement sur Terre se compte en millions voire en dizaines de millions. En se fondant sur le partage de caractéristiques communes, les scientifiques effectuent des regroupements d'espèces dont le but n'est pas uniquement de « mettre de l'ordre » au sein de la biodiversité mais surtout de comprendre l'histoire de la vie.

LES PROBLÉMATIQUES DU CHAPITRE

- Que signifie le terme « biodiversité » ?
- Comment la repérer sur le terrain ?
- Toutes les zones du globe présentent-elles des biodiversités équivalentes ?
- Qu'est-ce qui réunit différentes espèces dans un même groupe ?

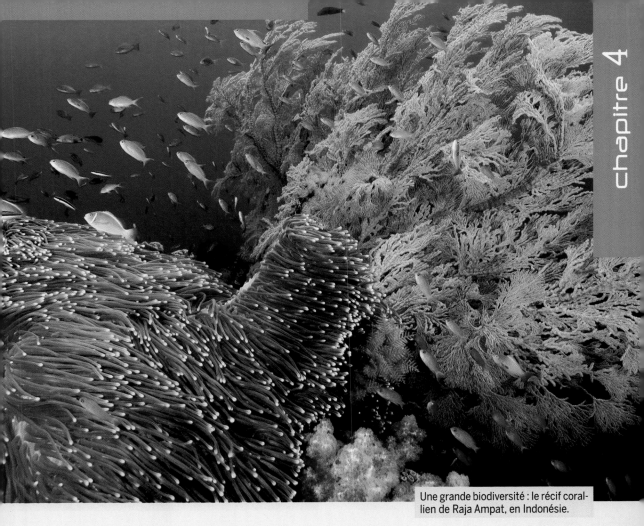

Une grande biodiversité : le récif corallien de Raja Ampat, en Indonésie.

Diversité
et parenté du vivant

Étudier la biodiversité à l'échelle locale

La diversité du vivant n'est pas seulement celle des espèces ; c'est aussi la diversité et la variabilité des écosystèmes ainsi que la variabilité génétique chez les individus d'une même espèce. *Un travail sur le terrain permet une première approche de ces trois aspects de la* **biodiversité**.

A Premières observations sur le terrain

Deux sites d'observations

Les deux sites sont repérés sur la carte. Le **site A** est une pelouse sèche sur un sol calcaire ; le **site B** est une zone humide (cariçaie) près d'un ruisseau.

Pour chaque site, on a étudié le sol (doc. 2), la végétation herbacée (doc. 3) et deux groupes d'animaux, les oiseaux et les libellules ou odonates (doc. 4).

Ci-dessous, des élèves effectuent un relevé de végétation dans un carré de 10 m².

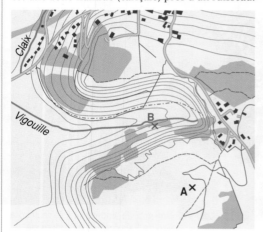

Doc. 1 Des observations sont réalisées sur deux sites différents.

La tarière manuelle permet de faire des prélèvements de sol. On l'enfonce dans le sol verticalement et en évitant de faire des à-coups pour ne pas mélanger les différentes couches du sol. Quand on arrive à la roche ou lorsque la tarière est complètement enfoncée, on la fait tourner puis on la retire doucement pour observer la carotte de sol obtenue.

Site A   Site B

Doc. 2 Des mesures de **pH** réalisées sur des carottes de sol.

B Recenser les espèces présentes

La présence d'une **espèce** est notée par son indice d'abondance qui indique la surface recouverte par cette espèce.

1 : recouvre plus de 10 % de la surface. **2** : recouvre moins de 10 % de la surface.
R : un ou deux individus maximum.

● **Site A : pelouse calcaire** ◀

Espèces	Relevé
Thym serpolet	2
Ophrys abeille	R
Ophrys mouche	R
Brome érigé	1
Liseron cantabrique	1
Lin d'Autriche	R
Luzerne naine	R
Sabline des chaumes	2
Fer à cheval	2

● **Site B : zone humide** ▶

Espèces	Relevé
Carex des rives	1
Aulne glutineux	1
Iris jaune	1
Scrofulaire aquatique	2
Orchis à fleurs lâches	R
Lychnis fleur de coucou	R
Scirpe en jonc	2
Langue de serpent	R
Salicaire commune	R

Doc. 3 **Résultats des relevés de végétation et identification des deux zones d'observation.**

	Site Espèces	A - pelouse calcaire	B - zone humide
Oiseaux	Espèces identifiées au cours de la sortie	Pipit rousseline Pouillot véloce Coucou gris	Pouillot véloce Fauvette à tête noire Mésange bleue
	Nombre total d'espèces connues dans ce milieu	11	8
Libellules	Espèces identifiées au cours de la sortie	Agrion élégant	Agrion élégant Anax empereur Calopteryx vierge
	Nombre total d'espèces connues dans ce milieu	3	13

Doc. 4 **Oiseaux et libellules observés dans les deux milieux.**

Ces trois fleurs sont des orchidées photographiées sur trois pieds différents dans la zone A.
Elles appartiennent toutes les trois à l'espèce Ophrys abeille.

Doc. 5 **Trois spécimens appartenant à la même espèce.**

Pistes d'exploitation

1. Doc. 1 et 2 : Dégagez les différences existant entre les deux zones étudiées.

2. Doc. 3 et 4 : Comparez la diversité des espèces présentes dans les deux milieux.

3. Doc. 5 : Quelle information sur la biodiversité apportent ces trois photographies ?

4. Doc. 1 à 5 : Montrez que l'on peut mettre en évidence trois types de diversité (diversité des écosystèmes, diversité des espèces et diversité génétique).

Lexique, p. 258

La biodiversité à l'échelle de la planète

Des observations locales mettent en évidence la diversité de la vie, mais ne donnent pas une idée de son ampleur au niveau mondial. *Pour en avoir une idée, il faut s'intéresser aux recensements effectués par les scientifiques dans les différents écosystèmes constituant la biosphère.*

A Appréhender la diversité du monde vivant

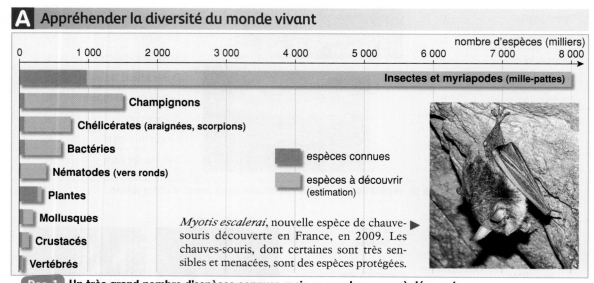

Myotis escalerai, nouvelle espèce de chauve-souris découverte en France, en 2009. Les chauves-souris, dont certaines sont très sensibles et menacées, sont des espèces protégées.

Doc. 1 Un très grand nombre d'espèces connues mais encore beaucoup à découvrir.

● **La diversité des insectes**

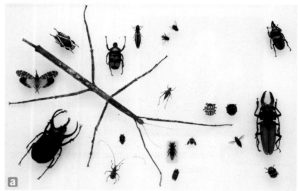

En 1982, T. Erwin recueille les insectes sur une espèce d'arbre de la forêt tropicale de Panama. Il recense 1 200 espèces de coléoptères dont 162 spécifiques à l'arbre. Il réalise alors une **extrapolation** en tenant compte du nombre d'espèces d'arbres et de la proportion des coléoptères au sein des insectes pour arriver au chiffre de 30 millions d'espèces d'insectes existant au monde.

● **La diversité des microbes**

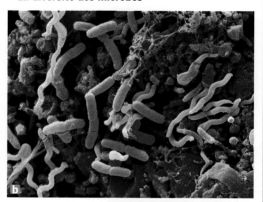

Selon de nombreux spécialistes, le nombre d'espèces de bactéries est très largement sous-évalué. On estime ainsi que 500 000 espèces différentes pourraient être retrouvées dans 30 g de sol. Ces espèces présentent cependant des tailles et des formes très proches.

Doc. 2 Estimer la diversité des espèces.

B ▸ Des écosystèmes particuliers à protéger

● Le 5 septembre 2009, à bord du navire Tara, une équipe scientifique internationale et multidisciplinaire inédite partait de Lorient, pour une expédition de trois ans sur tous les océans du monde. L'objectif était d'étudier les **écosystèmes** marins ; le **plancton** y tient une place majeure et notamment le **phytoplancton** qui :
– est le point de départ de toutes les chaînes alimentaires dans les océans (à l'exception de quelques écosystèmes des grands fonds) ;
– est responsable de la majeure partie de la production de dioxygène à la surface du globe ;
– constitue un « puits de carbone » capable d'absorber une partie de l'excédent de CO_2 atmosphérique.

● Cependant, les écosystèmes planctoniques restent encore à découvrir tant sur le plan des espèces qui le composent que sur leur rôle au sein de l'écosystème. Les scientifiques pensent que 1 % seulement des espèces du plancton sont connues.

Quelques êtres vivants du plancton :
🅐 algues unicellulaires chlorophylliennes (diatomées)
🅑 petit crustacé (copépode).

Doc. 3 **Malgré son importance, le plancton marin est encore largement méconnu.**

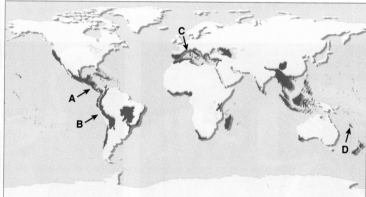

A. Le **Costa Rica** détient 5 % des espèces mondiales recensées sur 0,03 % de la surface continentale.

B. Un seul hectare de **forêt équatoriale péruvienne** a livré 606 arbres appartenant à 300 espèces différentes.

C. Le **bassin méditerranéen** possède 22 500 espèces végétales dont plus de la moitié sont des espèces endémiques.

D. La **Nouvelle-Calédonie** est un des plus petits points chauds, mais pas le moins riche. Près de 90 % des espèces de lézards et de serpents de l'île n'existent nulle part ailleurs.

Les programmes de conservation de la biodiversité se heurtent à des problèmes de moyens. Des zones ont donc été définies comme prioritaires en raison de la très forte diversité d'espèces présentes en ces lieux. Ainsi, en regardant les espèces végétales **endémiques**, N. Myers a défini 35 « points chauds » représentés sur la carte ci-dessus. Les scientifiques du WWF ont eux distingué les différents types d'écosystèmes et sont arrivés à mettre en avant 238 écorégions à protéger prioritairement de par leur intérêt (faune, flore, originalité…).

Doc. 4 **Les « points chauds » de la biodiversité.**

Pistes d'exploitation

1. **Doc. 1 :** Que montre ce document sur la diversité des espèces au niveau mondial ?

2. **Doc. 2 :** Lequel de ces deux groupes peut être considéré comme le plus diversifié ?

Expliquez les critères utilisés pour estimer le nombre d'espèces.

3. **Doc. 3 et 4 :** Pourquoi est-il fondamental de protéger certains écosystèmes ?

Lexique, p. 258

Au sein de la biodiversité, des groupes d'êtres vivants

Malgré leur grande diversité de formes et d'organisations, il est possible de regrouper des espèces actuelles ou fossiles quand elles partagent certains caractères. *L'objectif est ici de comprendre sur quoi est basée la définition d'un groupe comme celui des vertébrés.*

A Des caractères visibles sur l'animal et sur le squelette

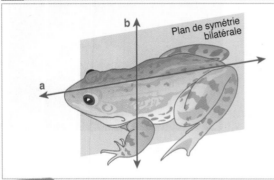

Tous les **vertébrés** possèdent deux **axes de polarité** :
– un axe antéro-postérieur (**a**),
– un axe dorso-ventral (**b**).

Sur un même axe, on trouve toujours les mêmes parties en allant d'un pôle à un autre. Par exemple, on peut rechercher, sur l'axe antéro-postérieur, la tête, le tronc, la présence ou l'absence d'une queue.

L'animal présente une symétrie par rapport à un plan. De part et d'autre de ce plan, on trouve des organes identiques et symétriques, par exemple, les pattes visibles à l'extérieur, mais aussi des organes internes comme les poumons, les reins…

Doc. 1 Polarités et symétrie visibles sur l'animal.

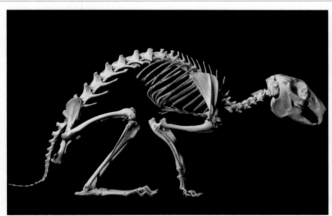

Squelette de lapin

Squelette de pigeon

Squelette de carpe

Doc. 2 Polarités, symétrie ainsi que d'autres caractères sont visibles sur le squelette.

B Un caractère exclusif des vertébrés

Tous les vertébrés possèdent une colonne vertébrale formée par une succession de vertèbres. Ce caractère ne se trouve chez aucune autre espèce actuelle ou fossile. Le caractère *présence d'une colonne vertébrale* est donc exclusif et définit le groupe des vertébrés.

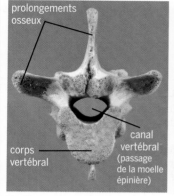

prolongements osseux

corps vertébral

canal vertébral (passage de la moelle épinière)

Vertèbre de poulet (oiseau)

Vertèbre de lapin (mammifère)

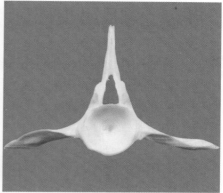

Vertèbre de colin (poisson)

Doc. 3 Comparaison des vertèbres de trois espèces de vertébrés (pour les trois, le pôle dorsal est en haut).

• Cet os appartient au dinosaure *Cetiosaurus* (– 170 millions d'années).

• Le squelette reconstitué de *Megatherium*, mammifère géant ayant vécu il y a plus de 20 000 ans, espèce aujourd'hui totalement disparue.

Doc. 4 Deux fossiles appartenant au groupe des vertébrés.

Pistes d'exploitation

1. Doc. 1 et 2 : Recherchez des polarités et symétries communes aux vertébrés proposés.

2. Doc. 2 et 3 : Repérez sur les squelettes les positions des vertèbres et comparer leur organisation.

3. Doc. 4 : Justifiez le placement des deux espèces fossiles dans le groupe des vertébrés. Que nous apprennent ces fossiles sur le groupe des vertébrés ?

Lexique, p. 258

Le regroupement d'êtres vivants traduit une parenté

La présence d'une colonne vertébrale permet de placer dans un même groupe l'ensemble des vertébrés. *D'autres caractères partagés, notamment l'organisation interne, peuvent être observés au sein du groupe des vertébrés et traduisent eux-aussi une parenté.*

A L'observation des centres nerveux d'un vertébré

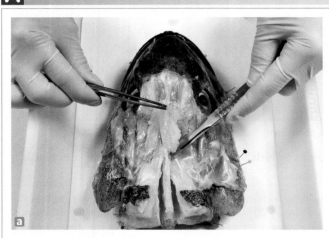

■ PROTOCOLE DE DISSECTION

– Placer l'animal sur le ventre ; il doit être fixé sur le fond de la cuvette par des épingles.

– Découper et rabattre la peau pour accéder à la boîte crânienne (pièces osseuses).

– À l'aide d'un scalpel et de pinces, enlever des fragments de la boîte crânienne pour dégager les centres nerveux qu'elle contient. Attention, ces organes sont très fragiles.

– Dégager les nerfs partant des centres nerveux, puis la moelle épinière contenue dans la colonne vertébrale.

– Recouvrir d'eau.

Le même protocole peut-être utilisé pour disséquer d'autres vertébrés : grenouille, souris, etc. (voir doc. 2).

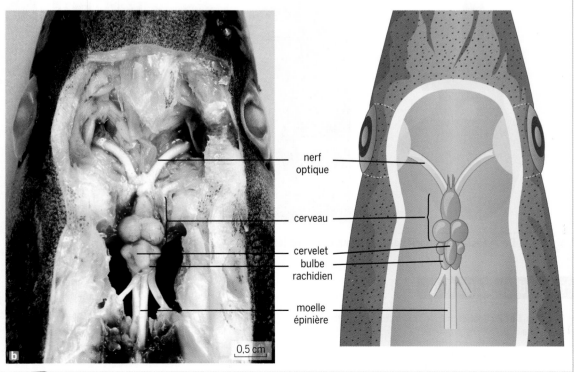

nerf optique

cerveau

cervelet

bulbe rachidien

moelle épinière

0,5 cm

Doc. 1 La dissection des centres nerveux d'un poisson, le colin.

B Organisation interne et liens de parenté

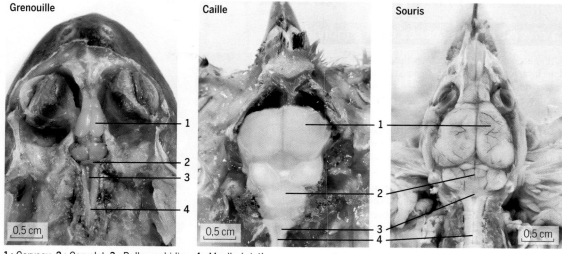

Grenouille — Caille — Souris

0,5 cm — 0,5 cm — 0,5 cm

1 : Cerveau. 2 : Cervelet. 3 : Bulbe rachidien. 4 : Moelle épinière.

Doc. 2 **Dissection des centres nerveux de trois autres vertébrés.**

● **Coupe transversale schématique d'un vertébré**

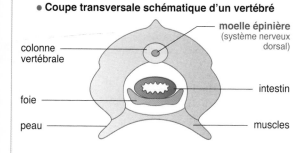

moelle épinière
(système nerveux dorsal)

colonne vertébrale

intestin

foie

peau

muscles

● **Coupe transversale schématique d'un arthropode**

muscles

foie

intestin

chaîne de ganglions
(système nerveux ventral)

carapace

Les similitudes observées au niveau du squelette des vertébrés se retrouvent au niveau de leur organisation interne. Par exemple, tout vertébré possède des **centres nerveux** situés dans sa partie dorsale avec l'**encéphale** à l'avant et la moelle épinière à l'arrière. En outre, les différentes parties de l'encéphale sont toujours disposées dans le même ordre *(documents 1 et 2)*.

Ce caractère est un caractère exclusif (propre) des vertébrés : le système nerveux de tous les autres êtres vivants présente une disposition et une organisation différentes.

Les scientifiques interprètent ces faits par l'existence d'un lointain ancêtre commun à tous les vertébrés, première espèce à posséder ce caractère qui aurait ensuite été transmis à toute sa descendance. Cet ancêtre commun est au moins aussi âgé que le plus ancien vertébré fossile découvert à ce jour, soit environ 530 millions d'années (un petit poisson de 1 à 2 cm, trouvé sur le site de Chengjiang, en Chine).

Doc. 3 **Des caractères hérités d'un ancêtre commun.**

Pistes d'exploitation

1. **Doc. 1 et 2 :** Identifiez sur une dissection (poisson ou autre vertébré) la position et l'organisation du système nerveux.

2. **Doc. 1 et 2 :** Dégagez des points communs dans l'organisation du système nerveux des vertébrés présentés.

3. **Doc. 1 à 3 :** Expliquez en quoi l'organisation interne des vertébrés est un indice de leur parenté.

Lexique, p. 258

chapitre 4 Diversité et parenté du vivant

1 La diversité des espèces et des individus

● Une espèce regroupe des individus qui se ressemblent et qui sont **interféconds** : ils sont capables de se reproduire entre eux et leur descendance est fertile. Des observations de terrain permettent de déterminer facilement la présence dans un milieu de nombreuses espèces très différentes.

● Le monde vivant actuel comporte un très grand nombre d'espèces de tailles et de formes variées. Près de 2 millions d'espèces sont connues, mais beaucoup (entre 5 et 30 millions selon les estimations) restent à découvrir.

● Tous les groupes d'êtres vivants ne montrent pas la même diversité. On connaît ainsi près d'un million d'espèces d'insectes contre moins de 60 000 pour les vertébrés. Malgré des morphologies peu variées, les bactéries possèdent une **diversité spécifique** plus grande encore, mais elle reste à découvrir.

● La comparaison de deux individus d'une même espèce peut révéler de petites différences. Elles ne remettent pas en cause l'interfécondité, mais révèlent un autre aspect de la biodiversité : la **diversité génétique** des individus.

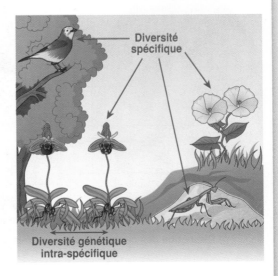

Diversité spécifique

Diversité génétique intra-spécifique

> **À RETENIR**
>
> La biodiversité représente la diversité du vivant. Elle peut se voir à l'échelle des espèces qui se comptent en millions sur la Terre, mais également à l'échelle des individus : il existe une grande diversité génétique entre les individus appartenant à une même espèce.

2 La diversité des écosystèmes

● Un **écosystème** désigne l'ensemble formé par un milieu physique et les êtres vivants qui y vivent. Des observations de terrain montrent que des écosystèmes très différents existent côte à côte. La biodiversité est donc aussi celle des écosystèmes.

● Une espèce est dite **endémique** quand elle ne vit que dans une zone géographique limitée. La richesse et l'originalité d'un écosystème peut être estimée par le nombre d'espèces endémiques qu'il abrite.

● Au niveau mondial, la variété des écosystèmes est évidemment plus forte encore. Les scientifiques considèrent que certains d'entre eux sont à protéger prioritairement (par exemple, les forêts équatoriales primaires, les mangroves ou le pourtour méditerranéen) car ils possèdent une diversité spécifique exceptionnelle.

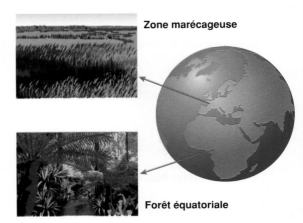

Zone marécageuse

Forêt équatoriale

> **À RETENIR**
>
> À la diversité spécifique et génétique s'ajoute une diversité des écosystèmes.
> La biosphère comporte de nombreux écosystèmes, très différents les uns des autres ; certains doivent être protégés en priorité car la diversité spécifique y est très importante.

3 La parenté des êtres vivants

a. L'organisation des vertébrés

● Tous les **vertébrés** possèdent une **colonne vertébrale** formée de **vertèbres**. Son rôle est de soutenir la tête et le tronc des vertébrés et de protéger la moelle épinière.

● Les vertébrés possèdent **deux axes de polarité**, c'est-à-dire des axes identifiés par deux pôles et selon lesquels les différentes parties du corps sont toujours disposées de la même façon :
– un **axe antéro-postérieur** selon lequel le corps est découpé en trois parties (la tête, le tronc et éventuellement la queue) ;
– un **axe dorso-ventral**, la colonne vertébrale marquant le pôle dorsal et les viscères le pôle ventral.

● Ces deux axes de polarité définissent un plan de **symétrie bilatérale** : les vertébrés ont ainsi de nombreux organes pairs (membres, poumons, reins, yeux…).

● **Polarités** et **symétrie** se retrouvent au niveau des organes internes. Par exemple, les différentes parties du système nerveux antérieur des vertébrés (hémisphères cérébraux, cervelet, bulbe rachidien et moelle épinière) sont toujours disposées dans cet ordre de l'avant vers l'arrière, quelle que soit par ailleurs l'importance relative de chaque partie.

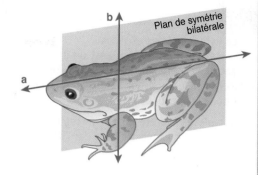

Plan de symétrie bilatérale

b. Réunir les vertébrés au sein d'un même groupe

● Parmi tous les points communs partagés par l'ensemble des vertébrés, la colonne vertébrale a un statut particulier ; elle n'existe chez aucune autre espèce. Ce partage exclusif d'un caractère définit le groupe des vertébrés. Il suffit donc de retrouver une colonne vertébrale chez un individu actuel ou fossile pour pouvoir le classer parmi les vertébrés.

● Toutes ces similitudes morphologiques et anatomiques entre les membres du groupe des vertébrés traduisent une **parenté** entre eux. Cette parenté suggère l'existence d'un **ancêtre commun** à tous les membres du groupe. La colonne vertébrale serait apparue chez cet ancêtre, puis ce caractère aurait été transmis à toute sa descendance.

Groupe des VERTÉBRÉS

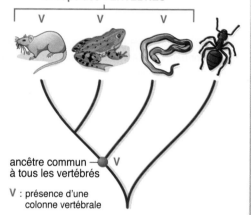

ancêtre commun — à tous les vertébrés

V : présence d'une colonne vertébrale

À RETENIR

Il existe des parentés entre les espèces vivantes qui composent la biodiversité. Ces parentés définissent des groupes d'êtres vivants ; par exemple, le groupe des vertébrés est défini par la possession de différents caractères exclusifs, dont une colonne vertébrale.
Les parentés d'organisation des espèces d'un groupe suggèrent qu'elles descendent toutes d'un ancêtre commun.

Mots-clés

● Biodiversité
● Écosystème
● Espèce
● Vertébrés
● Colonne vertébrale
● Polarité   ● Symétrie
● Ancêtre commun

Capacités et attitudes

▶ Extraire et organiser des informations pour repérer les aspects de la biodiversité sur le terrain ou sur des documents.

▶ Utiliser des outils simples de détermination pour mettre en évidence la biodiversité des espèces au sein d'un milieu.

▶ Extraire et organiser des informations sur l'organisation de vertébrés actuels et fossiles.

▶ Mettre en œuvre un protocole de dissection pour comparer l'organisation de quelques vertébrés.

L'intérêt d'un inventaire des espèces

• La liste rouge des espèces

La liste rouge des espèces est un inventaire de l'état de conservation des espèces. Elle permet d'identifier les priorités, d'informer le public et les pouvoirs politiques :

EX	EW	CR	EN	VU	NT	LC
éteinte	éteinte état sauvage	danger critique	danger	vulnérable	quasi menacée	non menacée

– le *tableau ci-contre* indique les catégories de la liste rouge des espèces établie par l'UICN (Union Internationale pour la Conservation de la Nature) ;
– la *photographie ci-contre* représente une **vipère d'Orsini**, classée CR au niveau national et EN au niveau mondial du fait de populations faibles et en diminution.

Un plan national de sauvegarde est en en place dans la région PACA, seule région française où cette vipère peut être rencontrée. Ce plan vise à mieux connaître cet animal pour sauvegarder ses milieux naturels. Il est coordonné par le ministère de l'Écologie et rassemble région, départements, communes, agences nationales comme l'ONF et associations locales.

La vipère d'Orsini.

• Le suivi d'une « invasion »

Le **frelon asiatique** est apparu en France en 2004, dans le Lot-et-Garonne (dans des poteries importées de Chine). En 2009, cette espèce est signalée dans un large quart sud-ouest. Ce frelon dévore les abeilles et représente donc une menace pour l'apiculture.

Le Muséum National d'Histoire Naturelle a répertorié et publié en libre accès sur Internet un très grand nombre de données d'inventaires. Cet Inventaire National du Patrimoine Naturel (INPN) rassemble des travaux réalisés sur tout le territoire depuis plusieurs décennies. Des comparaisons entre époques différentes montrent la progression rapide du frelon asiatique.

Frelon asiatique dévorant une abeille.

En 2004

En 2009

Cartes de répartition du frelon asiatique en 2004 et 2009.

... découvrir des métiers et des formations

Travailler sur la connaissance de la biodiversité

Vous aimez
- Travailler sur le terrain
- Identifier les êtres vivants
- Faire découvrir des espèces animales et végétales

Les domaines d'activité potentiels

Des chercheurs en zoologie, en botanique ou en écologie travaillent dans des équipes de recherche rattachées au CNRS, à l'INRA ou au Muséum National d'Histoire Naturelle par exemple. Des possibilités existent aussi dans des groupes pharmaceutiques ou horticoles, des musées ou des zoos.

Les collectivités territoriales (régions, départements), des bureaux d'études ou des associations recherchent des personnes pour des travaux d'expertise sur le terrain ou des animations auprès du public.

Pour y parvenir

Les postes de chercheurs nécessitent des études scientifiques longues allant jusqu'à l'obtention d'un master ou d'un doctorat. Certains BTSA comme le BTSA de Gestion et Protection de la Nature permettent de postuler auprès des collectivités locales et des associations. Des connaissances personnelles solides sur la faune et la flore sauvage sont indispensables.

Les débouchés

Il existe peu de postes de chercheurs et un peu plus de places pour les techniciens, cette branche pouvant être amenée à se développer dans l'avenir.

Chercheur
c'est un travail, sur le terrain, de découverte et de collecte d'échantillons, puis d'étude des résultats et de communication.

Technicien-expert
c'est aller sur le terrain pour inventorier ou encore faire découvrir au public la biodiversité locale.

... mieux comprendre l'histoire des sciences

Les cabinets de curiosité

Au XVIᵉ siècle, les explorateurs commencent à ramener des spécimens inconnus des « terres nouvelles » et la mode des cabinets de curiosité est lancée en Europe. Des princes, des savants ou de riches amateurs constituent alors des collections d'objets hétéroclites qu'ils font admirer au cours de réceptions : animaux naturalisés, herbiers, fossiles, armes indigènes, etc.

Passés de mode, ces cabinets disparaissent presque tous au XVIIIᵉ et au XIXᵉ siècle. Les collections en revanche ne sont pas perdues. Celles du cabinet du roi Louis XIII enrichiront le Musée de l'Homme et le Muséum d'Histoire Naturelle. Un plus large public y aura alors accès.

Tester ses connaissances

1 Définissez les mots ou expressions

Espèce, biodiversité, écosystème, vertébré, parenté, polarité, symétrie.

2 Questions à choix multiples

Choisissez la ou les bonnes réponses.

1. La biodiversité se manifeste :
a. dans un milieu donné où vivent de nombreuses espèces ;
b. au sein d'une population, du fait des petites différences existant entre les individus ;
c. par l'existence de milieux de vie très différents comme les mangroves, prairies ou forêts.

2. Un animal est nécessairement un vertébré :
a. s'il possède un système nerveux ;
b. s'il possède des vertèbres ;
c. s'il présente une symétrie bilatérale.

3. Les vertébrés possèdent un ancêtre commun exclusif car :
a. ils sont les seuls à posséder des vertèbres ;
b. ils possèdent tous des vertèbres ;
c. ils possèdent tous un système nerveux centralisé et des yeux.

3 Vrai ou faux ?

Repérez les affirmations exactes et corrigez celles qui sont inexactes.

a. Il existe sur le territoire français des zones présentant une biodiversité très riche.
b. L'existence d'une polarité antéro-postérieure chez un animal le classe parmi les vertébrés.
c. Tous les vertébrés présentent une polarité antéro-postérieure.
d. Nous partageons un ancêtre commun avec les autres mammifères, mais pas avec les oiseaux.
e. Les individus d'une même espèce sont identiques.
f. Certains groupes peuvent être représentés par un grand nombre d'individus appartenant à un nombre réduit d'espèces.

4 Argumentez une affirmation

a. La biodiversité n'est pas seulement constituée par la diversité des espèces vivantes.
b. Certaines zones du globe ont un intérêt écologique plus grand que d'autres.
c. Nous ne connaissons qu'une partie de la biodiversité.
d. Il est possible de trouver un caractère possédé par tous les vertébrés.

Utiliser ses compétences

5 Explorer la biodiversité sur le terrain

Être conscient de sa responsabilité face à l'environnement

Une sortie est organisée dans une zone naturelle. Cette dernière est classée du fait de la présence de plantes et d'animaux rares et protégés au niveau national (insectes et grenouilles).

Le travail demandé par le professeur consiste à identifier les espèces de fleurs et les espèces animales présentes dans deux milieux différents.

Choisissez parmi les différentes propositions celles qui vous paraissent permettre d'étudier un milieu naturel sans le dégrader :

● **Pour le premier milieu**, les observations doivent être faites dans un carré de 10 m² délimité par piquets et ficelle.

a. On commence par bien observer le milieu depuis le chemin pour choisir la zone d'observation. Elle ne doit pas être prise au hasard.

b. Pour chaque espèce de plante à fleurs, on compte combien il y en a dans le carré et on en cueille une pour la ramener au laboratoire.

c. Même si les insectes sont identifiés, il est utile de les photographier avant de les relâcher.

● **Le deuxième milieu** est un cours d'eau. Des têtards sont attrapés et placés dans un bécher comme illustré sur la photo ci-dessous.

a. Les têtards prélevés dans le bécher vont pouvoir être ramenés au laboratoire.

b. Après la capture des têtards, on note la localisation précise du lieu et on prend une photo des animaux prélevés.

6 EXERCICE GUIDÉ

Classement d'une espèce Exploiter des photographies, raisonner

Les fossiles présentés ci-contre sont suffisamment complets pour permettre de situer ces animaux dans la classification.

1. Faites l'inventaire des caractères observables sur ces deux photographies.

2. Pourquoi est-il possible de placer l'un de ces fossiles dans le groupe des vertébrés, mais pas l'autre ?

3. Lequel est le plus étroitement apparenté à l'Homme ?

Aide à la résolution

1. Décrivez la symétrie, déterminez les axes de polarité, situez les caractères observables par rapport à ces axes.

2. Recherchez les caractères exclusifs des vertébrés (ceux qui définissent le groupe) et les points communs à tous les vertébrés (polarité, symétrie).

3. Cherchez si l'Homme et l'un des deux animaux partagent un élément de façon exclusive, c'est-à-dire qu'eux seuls le possèdent.

7 Des enseignements de l'Histoire   Raisonner avec rigueur

La pomme de terre est originaire d'Amérique du Sud où cette espèce présente une grande diversité génétique : certaines variétés résistent bien aux maladies, d'autres sont adaptées à différents climats.

Au XIXe siècle, les plantations européennes de pomme de terre, qui fournissaient une part importante de l'alimentation, étaient issues d'une variété unique. De plus, les agriculteurs privilégiaient un mode de reproduction asexué *(schéma ci-contre)*.

Les mauvaises conditions météorologiques en 1846 et 1847 ont favorisé le développement du mildiou, une maladie due à un champignon. Les cultures furent dévastées et une famine terrible frappa l'Irlande avec pour conséquence un million de morts et 1,5 million de migrants vers les États-Unis (30 % de la population perdue). La sélection de souches résistantes au mildiou a permis de relancer la production.

1. En quoi le mode de reproduction asexué ne favorise-t-il pas une grande diversité de la pomme de terre ?

2. Pensez-vous qu'une attaque de mildiou en Amérique du Sud aurait été aussi dramatique qu'en Irlande ? Expliquez pourquoi.

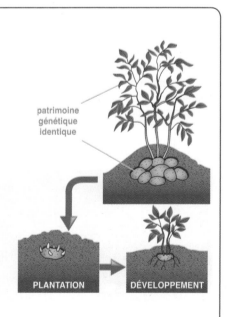

patrimoine génétique identique

PLANTATION   DÉVELOPPEMENT

8 Gestion de la biodiversité d'un site   Recenser et organiser des informations

● **L'historique du marais de Saint-Fraigne (Charente)**
Le marais de Saint-Fraigne est une zone humide dont l'intérêt faunistique et floristique est reconnu depuis de nombreuses années. En 1995, la décision est prise d'arrêter toute exploitation agricole sur 38 hectares du site. Un recensement de la biodiversité est fait en 1998. En 2003, une nouvelle étude permet de mesurer l'impact des mesures de préservation. Suite à cette étude, des modifications dans la gestion du site sont prises :
– reprise d'un pâturage sur certaines zones ;
– fauche régulière des prairies ;
– gestion des fossés de drainage pour faciliter l'immersion du site en hiver.

La prairie inondable en mai.

● **Résultats des deux études de 1998 et 2003**

	Surface occupée en 1998 (en hectares)	Surface occupée en 2003 (en hectares)	Nombre d'espèces végétales différentes en 2003
Saulaie	0	6,2	7
Roselière	0,6	8,5	8
Prairie inondable	17,0	1,9	28

● **Description des milieux**

– **Saulaie** : ce milieu était absent en 1998, mais on voyait des jeunes pousses de saules dans certaines prairies. La flore de ce milieu ne contient aucune espèce remarquable.

– **Roselière** : ce milieu se compose presque uniquement de baldingère (ou faux-roseau). Cette espèce a une extension très rapide quand elle n'est pas régulièrement fauchée. Aucune espèce remarquable n'est présente dans ce milieu.

– **Prairie inondable** : ce milieu est très dépendant d'une immersion saisonnière et d'interventions humaines pour empêcher l'envahissement par certaines plantes ou arbres. On y recense plusieurs espèces rares comme la gratiole officinale ou le cuivré des marais (papillon peu courant et protégé au niveau national). Les effectifs de ce papillon dans les marais de Saint-Fraigne sont en recul depuis 1998.

La gratiole officinale.

Le cuivré des marais.

1. Décrivez l'évolution du site de Saint-Fraigne entre 1998 et 2003.

2. Quelle a été l'évolution de la biodiversité végétale et animale pendant cette période ?

3. Justifiez les mesures de préservation prises après l'étude de 2003.

Utiliser ses capacités expérimentales

9 Réaliser une observation anatomique

Pratiquer une dissection, communiquer

■ Problème à résoudre

On sait que tous les vertébrés possèdent une colonne vertébrale et que les centres nerveux occupent une position dorsale. On désire observer les relations anatomiques entre moelle épinière et colonne vertébrale d'une part et préciser la structure d'une vertèbre d'autre part.

■ Matériel disponible

– Grenouille dans un bac à dissection.
– Outils de dissection (pinces, ciseaux, sonde cannelée, pointe fine).
– Loupe binoculaire et lampe.
– Appareil photo et ordinateur avec logiciel permettant de récupérer et de traiter les photos.

A. Dégagement de la colonne vertébrale

■ Protocole expérimental

– Placez l'animal sur le dos.
– Découpez la peau selon une ligne médiane, puis épinglez les deux volets. Procédez de la même façon pour les muscles abdominaux.
– Recouvrez d'eau.
– Enlevez tous les organes visibles dans l'abdomen (foie, tube digestif, organes génitaux, reins). On accède ainsi à la colonne vertébrale et aux nerfs qui en partent.

■ Exploitation des résultats

– Prenez une photo de l'animal mettant en évidence la position dorsale des organes recherchés (colonne vertébrale et nerfs).
– Transférez la photo sur l'ordinateur, ajoutez annotations, titre et échelle.

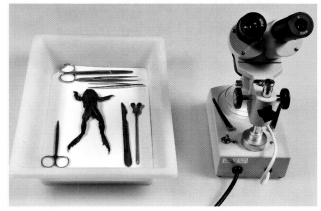

Le plan de travail et le matériel disponible.

B. Observation d'une vertèbre

■ Protocole expérimental

– Découpez un fragment de colonne vertébrale comprenant 4 ou 5 vertèbres.
– Isolez une vertèbre.
– Observez-la sous la loupe binoculaire.
– Avec un scalpel et des ciseaux fins, enlevez soigneusement les muscles qui adhèrent à la vertèbre.
– Repérez les différents éléments de la vertèbre : corps vertébral, canal vertébral et prolongements osseux.
– Identifiez l'emplacement de la moelle épinière.
– Tentez d'observer cette moelle épinière dans le reste de la colonne vertébrale (observation délicate qui dépend du degré de conservation).

■ Exploitation des résultats

– Prenez une photo montrant la position de la moelle épinière à l'intérieur du canal vertébral.
– Transférez la photo sur l'ordinateur, ajoutez annotations, titre et échelle.

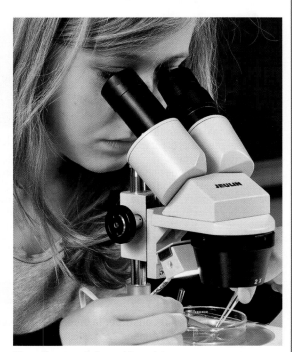

Dissection sous la loupe binoculaire.

Guide pratique, p. 245

Des DOCUMENTS pour se poser des questions

La biodiversité évolue

On estime que 5 à 30 millions d'espèces peuplent aujourd'hui la planète mais 1,5 à 1,8 million seulement ont été décrites scientifiquement.

Ce nombre très important ne représente pourtant qu'une infime fraction du nombre total des espèces ayant existé sur la Terre depuis les débuts de la vie. L'état actuel de la biodiversité est donc le résultat d'une longue évolution et n'en représente qu'une étape.

L'évolution des espèces

Dans son livre publié en 1859 « *De l'origine des espèces par voie de sélection naturelle* », Charles Darwin attribue un rôle fondamental à la sélection naturelle dans la modification de la diversité biologique au cours du temps.

L'influence de l'Homme

L'espèce humaine, elle-même produit de l'évolution biologique, est aujourd'hui devenue, par ses activités et pour satisfaire ses besoins, un facteur d'évolution. L'Homme modifie les écosystèmes et interfère ainsi avec l'évolution naturelle de la biodiversité. On estime que le taux de disparition actuel des espèces est au moins 1 000 fois supérieur au rythme naturel, estimé sur les 10 derniers millions d'années.

LES PROBLÉMATIQUES DU CHAPITRE

- Peut-on reconstituer la biodiversité qui existait dans une région voici plusieurs millions d'années ?
- Les activités humaines jouent-elle un rôle dans l'évolution de la biodiversité ?
- Quels sont les mécanismes permettant l'apparition de nouvelles espèces ?

Deux espèces aujourd'hui disparues : le tyranno-saure et un crocodile géant de près de 10 tonnes.

La biodiversité
en perpétuelle évolution

Un exemple de biodiversité ancienne

Les scientifiques estiment que les espèces actuelles ne représentent que 1 % des espèces ayant vécu sur Terre. *L'étude de la biodiversité d'un milieu ancien permet de mettre en évidence la profonde transformation du monde vivant au cours des temps géologiques*

A Étude de la biodiversité d'un milieu ancien

ACTIVITÉ EXPÉRIMENTALE

Prélèvement au niveau de l'affleurement (entre les traits rouges) : les morceaux de roche sont ensuite dissociés dans l'eau et les résidus sont tamisés.

Observation des résidus tamisés et isolement de microrestes fossiles à la loupe binoculaire.

Le site de Cherves de Cognac (en Charente) est un site fossilifère du début du Crétacé (– 140 Ma) contenant une richesse exceptionnelle en dents et restes de petites tailles.

Moins spectaculaires qu'un gros squelette, ces restes permettent cependant de faire des études quantitatives et de reconstituer la biodiversité de la région à cette époque.

Les écosystèmes actuels de Cherves sont proches de ceux présentés aux pages 70 et 71.

Pour trouver des précisions pour réaliser la manipulation :

www.bordas-svtlycee.fr

1 mm

Les restes fossiles observés à la loupe binoculaire : ils contiennent des dents (requins et poissons), des fragments d'os et des coquilles...

Doc. 1 Extraction et observation des microrestes fossiles.

B Quelques espèces identifiées sur le site

Triconodon (mammifères)
Espèce terrestre ; se nourrissait essentiellement d'insectes et de petits vertébrés.

0,5 mm

Velociraptor (dinosaures théropodes)
Carnivore terrestre ; la plupart des espèces identifiées étaient de la taille d'un poulet, mais certaines étaient beaucoup plus grandes.

1,2 mm

Stégosaure (dinosaures)
Grand herbivore terrestre (5 à 6 m de long) ; devait se nourrir de fougères et de mousses.

1,5 mm

Lepidotes (poissons osseux)
Poisson supportant indifféremment des eaux douces ou marines.

0,5 mm

Requin parvodus (poissons cartilagineux)
Petit requin d'eau douce de moins de 1 mètre de long.

1 mm

Bernissartia (crocodiliens)
Petit crocodile de rivage (eaux douces ou saumâtres) ; il devait se nourrir de mollusques et de coquillages.

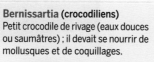

0,5 mm

Archéoptéryx (oiseaux)
Sans doute le plus souvent arboricole, mais capable de voler (vol plané ?) ; régime à base d'insectes et de carcasses de poissons.

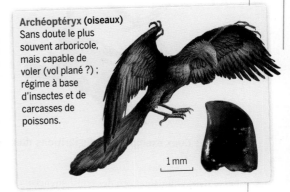

1 mm

Résultats des comptages des dents pour quelques grands groupes (D'après Mazin & Pouech)		Poissons cartilagineux (espèces littorales)	Poissons osseux (espèces littorales)	Crocodiliens	Dinosaures	Oiseaux	Mammifères
	Dents (par tonne de sédiment)	32 000	19 600	14 555	55	11	55

Doc. 2 **Des ouvrages spécialisés permettent de savoir à quel animal appartenait une dent fossile.**

Pistes d'exploitation

1. Doc. 1 et 2 : À l'aide du document 2, identifiez quelques-unes des dents présentées sur la photographie de micro-restes fossiles du document 1.

2. Doc. 1 et 2 : En utilisant les données du document 2, proposez une description du milieu existant à Cherves au début du Crétacé, c'est-à-dire il y a environ 140 millions d'années.

Lexique, p. 258

L'Homme, facteur d'évolution de la biodiversité

La biosphère a subi d'innombrables modifications au cours des temps géologiques : de nouvelles **espèces** sont apparues, d'autres ont disparu. *À une échelle de temps « humaine », ces apparitions ou disparitions d'espèces sont plus difficiles à mettre en évidence ; elles sont néanmoins bien réelles et sont souvent la conséquence de l'action de l'Homme.*

A Des espèces disparaissent

● **La disparition de l'ectopiste migrateur**

Au XVIIIᵉ siècle, on observait aux États-Unis des vols de ces pigeons formés de plusieurs milliards d'individus et s'étendant sur des centaines de kilomètres. Pour protéger les cultures des ravages occasionnés, il fut décidé de limiter les populations en menant une chasse intensive. L'efficacité dépassa les espérances : quand on prit conscience que cette espèce allait disparaître, il était trop tard. Le dernier individu mourut dans un zoo, en 1914.

● **La disparition des tortues de Bourbon**

Quand les premiers marins accostent sur l'île de la Réunion, au XVIIᵉ siècle, ils y trouvent une espèce de tortue terrestre géante (plus de 50 kg). Les populations sont très importantes, et cette tortue va être une source de viande pour les marins de passage, puis pour les colons installés sur l'île.

« Elles sont en si grande quantité par tous les endroits de l'île qu'une personne peut en tuer en un jour douze cents, ou pour mieux dire, autant qu'elle voudra. »

De Lespinay, 1671.

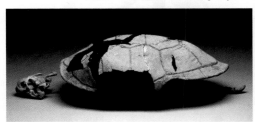

La tortue de Bourbon est observée pour la dernière fois vers 1840. Elle n'est connue aujourd'hui que par des spécimens trouvés en cours de fossilisation dans un marécage.

Doc. 1 Deux exemples de disparitions dues à l'Homme.

Les activités humaines ont des conséquences sur la biodiversité des écosystèmes.
En voici quelques exemples :
– utilisation de pesticides et d'herbicides en agriculture ;
– pêche intensive ;
– déforestation ou assèchement de zones humides pour laisser la place à l'agriculture ou à des espaces urbanisés ;
– introduction, volontaire ou non, d'espèces étrangères dans un milieu qui peuvent ainsi prendre la place d'espèces locales et les faire disparaître.

▶ **Évolution des disparitions et invasions d'espèces nouvelles en France**

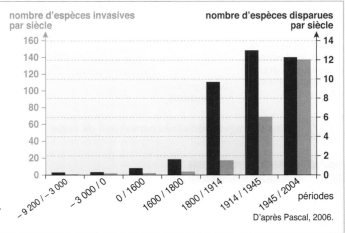

D'après Pascal, 2006.

Doc. 2 Activités humaines et modifications des peuplements.

B Des espèces nouvelles apparaissent

• Une histoire surprenante

Dans le métro londonien existe une variété de moustiques particulièrement agressifs vis-à-vis des humains. Bien que morphologiquement très semblables aux moustiques de surface, les moustiques du métro ont des mœurs différentes : ceux de surface piquent uniquement les oiseaux et présentent une période de vie ralentie en hiver (diapause) alors que ceux du métro piquent uniquement les mammifères (homme, rats, souris) et ne présentent pas de diapause hivernale.

Plus surprenant encore, les moustiques de surface et ceux du métro ne peuvent se reproduire entre eux, même si l'on tente de les croiser en laboratoire. En revanche, ailleurs dans le monde, par exemple sur le pourtour méditerranéen, ces deux formes de moustiques coexistent à l'air libre et peuvent se reproduire entre elles. Elles appartiennent donc à la même **espèce**, nommée *Culex pipiens*.

Femelle de moustique effectuant un repas de sang, indispensable à sa production d'œufs.

• Des différences génétiques entre les populations

Pour distinguer les populations du métro de celles de surface, les scientifiques ont donné le nom de *Culex pipiens* forme *molestus* aux premiers et de *Culex pipiens* forme *pipiens* aux seconds.

Des analyses génétiques effectuées sur différentes populations de moustiques démontrent :
– que les populations de surface et les populations souterraines forment deux ensembles suffisamment éloignés au point de vue génétique pour interdire, aujourd'hui, toute reproduction entre elles ;
– que la forme *molestus* du métro londonien serait issue d'une population unique de *Culex pipiens* de surface, enfermée dans les couloirs et les tunnels du métro lors de sa construction il y a un siècle et qui, par la suite, serait restée isolée de la forme *pipiens*.

• Une histoire qui s'inscrit dans un processus évolutif général

Il existe aujourd'hui plusieurs milliers d'espèces différentes de moustiques réparties sur toute la surface du globe. L'étude de leur ADN permet de retracer l'histoire évolutive de ce groupe avec de multiples apparitions d'espèces depuis plus de 150 millions d'années.

L'exemple des moustiques du métro de Londres montre que cette histoire continue.

• Répartition des différentes populations de moustiques en fonction de deux indices de distance génétique utilisés par les généticiens

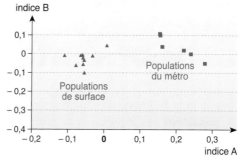

• Relations de parenté entre trois espèces de moustiques

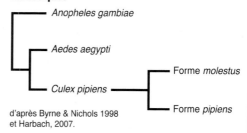

d'après Byrne & Nichols 1998 et Harbach, 2007.

Doc. 3 L'exemple des moustiques du métro de Londres.

Pistes d'exploitation

1. Doc. 1 : Montrez que les activités humaines peuvent provoquer la disparition d'espèces.

2. Doc. 2 : Discutez l'impact de l'Homme sur les peuplements des écosystèmes.

3. Doc. 3 : Expliquez pourquoi les formes *pipiens* et *molestus* coexistant à Londres sont considérées aujourd'hui comme formant deux nouvelles espèces.

4. Doc. 1 à 3 : Montrez que les activités humaines contribuent à l'évolution de la diversité des êtres vivants.

Lexique, p. 258

Dérive génétique et biodiversité

L'exemple des moustiques du métro de Londres a montré qu'une population, qui s'isole de la population « mère » dont elle est issue, peut devenir génétiquement différente. *L'objectif est maintenant de comprendre une des causes de la modification génétique d'une population avec le temps, appelée* **dérive génétique**.

A La notion de dérive génétique

La variété de l'ornementation de la coquille de l'escargot des haies est déterminée par quatre **gènes** présentant chacun différentes formes alléliques. Dans les **populations** très importantes de cette espèce, la diversité de l'ornementation de la coquille ne diminue pas au fil du temps.

Doc. 1 La diversité des allèles est un des aspects de la biodiversité.

Dans l'hémisphère nord, les éléphants de mer présentent une faible variabilité génétique. Des populations réduites (suite à la chasse) et un mode de vie en « harem » (seuls quelques mâles engendrent la plupart des descendants) ont abouti à une perte de la diversité génétique initiale : c'est un exemple de dérive génétique.

Doc. 2 Une perte de la biodiversité dans les petites populations.

● **Élevage de drosophiles dans des « cages à populations »**

Des drosophiles sont élevées dans des « cages » pouvant contenir au maximum 4 000 mouches. Chaque femelle peut pondre plusieurs centaines d'œufs ; on peut ainsi obtenir jusqu'à 20 générations sur une année.

Dans les années 1950, le généticien T. Dobzhansky réalise les expériences suivantes :
– Il place dans 10 cages des **populations de grande taille** (4 000 mouches des deux sexes) et dans 10 autres cages des **petites populations** (10 mâles et 10 femelles). Dans toutes ces cages, la fréquence d'un **allèle** (nommé PP) est de 50 %.

– Il suit ensuite l'évolution de la fréquence de l'allèle PP au sein de chaque population pendant 500 jours. Le *graphe ci-contre* traduit les résultats obtenus pour les petites populations de départ. Dans le cas des grandes populations de départ, la fréquence de l'allèle PP au bout de 500 jours est comprise, selon la population, entre 25 et 40 %.

● **Résultats : évolution de la fréquence de l'allèle PP pour les 10 petites populations de départ**

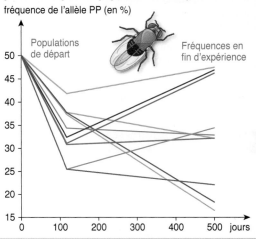

Doc. 3 Une étude expérimentale de la dérive génétique dans des populations de drosophiles.

B   Modéliser la dérive génétique

Dans une population, on trouve des individus génétiquement différents. Certains représentent la majorité des individus, d'autres, porteurs de mutations génétiques, sont plus rares dans la population.

Le jeu ci-dessous permet de reconstituer l'évolution des fréquences des différents types dans une population. Dans le cas présent, aucun des quatre types n'est avantagé ou désavantagé par rapport aux autres.

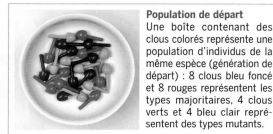

Population de départ
Une boîte contenant des clous colorés représente une population d'individus de la même espèce (génération de départ) : 8 clous bleu foncé et 8 rouges représentent les types majoritaires, 4 clous verts et 4 bleu clair représentent des types mutants.

La règle du jeu

Étape 1

Dans la boîte représentant la population de départ, on prélève, les yeux fermés ou bandés, 5 clous qui représentent chacun un couple de géniteurs. Ces clous sont posés sur la feuille « géniteurs ».

Étape 2

Pour le premier couple de géniteurs, on lance un dé qui modélise le nombre de descendants à qui il a transmis son caractère (entre 1 et 6) puis on place un nombre correspondant de clous dans une nouvelle boîte.

Étape 3

On recommence l'étape 2 pour les 4 autres couples de géniteurs et tous les descendants sont placés dans la boîte contenant déjà les clous bleus. L'ensemble des clous représente alors la « première génération ».

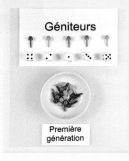

Étapes suivantes

On recommence à l'étape 1 en tirant au sort 5 clous dans la boîte « première génération ». Arrivé à l'étape 3, on obtient ainsi une « deuxième génération ».
Et ainsi de suite pour obtenir les générations 3, 4, 5, etc.

Le jeu s'arrête au bout de la dixième génération ou quand une couleur représente 100 % des clous.

Doc. 4   **Un jeu pour comprendre le mécanisme de la dérive génétique.**

Pistes d'exploitation

1. Doc. 1, 2 et 3 : Recherchez un lien entre la taille d'une population et l'importance de la dérive génétique.

2. Doc. 4 : Observez les résultats du jeu obtenus au sein de la classe : les couleurs « gagnantes » sont-elles toujours les mêmes ? Proposez une explication.

3. Doc. 1 à 4 : Expliquez pourquoi une petite population qui s'isole peut, en quelques générations, devenir génétiquement très différente de la population d'origine.

Lexique, p. 258

Sélection naturelle et biodiversité

Vous avez vu au Collège que les facteurs du milieu peuvent parfois sélectionner, au sein d'une population, les individus les plus adaptés. *Nous allons voir que la* **sélection naturelle** *peut, comme la dérive génétique, faire évoluer la diversité génétique d'une population.*

A L'impact d'une sélection naturelle sur la biodiversité

● L'archipel des Galapagos est un ensemble d'îles volcaniques situées au large de l'Amérique du Sud. Elles abritent une biodiversité exceptionnelle déjà remarquée par Charles Darwin, en 1835. Les observations qu'il y fit ont permis par la suite de conforter sa théorie de la sélection naturelle.

● Depuis une quarantaine d'années, Peter et Rosemary Grant suivent l'évolution des pinsons sur l'île de Daphne Major. Ils se sont notamment intéressés à l'espèce *Geospiza fortis*. Ils ont remarqué, chez cette espèce, une variabilité de la dimension du bec et en 2002, ils ont identifié un gène (Bmp4) dont il existe différents **allèles** et qui détermine la forme et les dimensions du bec.

● P. et R. Grant ont mesuré annuellement la fréquence de ces deux types de pinsons et ont tenté de corréler leurs mesures à des variations de conditions environnementales.

▲ *Geospiza fortis* à gros bec

Geospiza fortis à petit bec ▶

Les individus à petit bec se nourrissent exclusivement de petites graines, alors que les individus à gros bec se nourrissent principalement de grosses graines.

Variations de la disponibilité en graines durant les années de sécheresse

À une diminution globale de la quantité de graines disponibles s'ajoute une variation de taille et de dureté des graines :

taille et dureté des graines

Sécheresse

temps

Variations de la biodiversité des pinsons

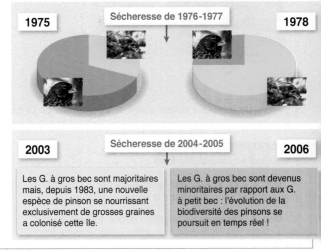

1975   Sécheresse de 1976-1977   **1978**

2003   Sécheresse de 2004-2005   **2006**

Les G. à gros bec sont majoritaires mais, depuis 1983, une nouvelle espèce de pinson se nourrissant exclusivement de grosses graines a colonisé cette île.

Les G. à gros bec sont devenus minoritaires par rapport aux G. à petit bec : l'évolution de la biodiversité des pinsons se poursuit en temps réel !

Doc. 1 Des études récentes sur les pinsons des îles Galapagos.

B Modéliser la sélection naturelle

Dans l'activité de la page 93, nous avons considéré que les sujets n'étaient ni avantagés ni désavantagés. Ce n'est pas toujours le cas. Certains allèles peuvent donner un avantage : leurs porteurs trouvent plus facilement à manger, échappent plus aisément aux prédateurs et ont davantage de descendants. Pour d'autres allèles, c'est l'inverse.

Le jeu ci-dessous permet de reconstituer l'évolution des fréquences de tels allèles dans une population.

Population de départ
Une boîte contenant des clous colorés représente une population d'individus de la même espèce (génération de départ) : 8 clous bleu foncé et 8 rouges représentent les types majoritaires, 4 clous verts (porteurs d'une mutation favorable) et 4 bleu clair (porteurs d'une mutation défavorable).

La règle du jeu

Étape 1

Le jeu débute comme celui de la page 93.
Dans la boîte représentant la population de départ, on prélève, les yeux fermés ou bandés, 5 clous qui représentent chacun un couple de géniteurs. Pour chaque couple de géniteurs, on lance un dé qui indique le nombre de descendants à qui il transmet son caractère (entre 1 et 6).

Attention : avant de placer dans une nouvelle boîte un nombre de clous correspondant à la couleur du géniteur, il faut lire l'étape 2.

Étape 2

Attention, c'est ici que la règle du jeu change.
Le nombre de descendants de chaque couple est « pondéré » de la manière suivante :
– *clous bleu foncé et rouges :* on place dans une nouvelle boîte le nombre de descendants correspondant au tirage de dé (ni avantage ni désavantage) ;
– *clous verts :* on multiplie le résultat du tirage par 2 (mutation favorable) ;
– *clous bleu clair :* on retient « 1 » pour un tirage de 1, 2 ou 3 et « 2 » pour un tirage de 4, 5 ou 6 (mutation défavorable).

Étape 3

Tous les clous correspondant aux résultats des tirages ont été placés dans la nouvelle boîte. Cet ensemble de clous représente alors la « première génération ».

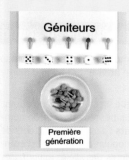

Géniteurs

Première génération

Étapes suivantes

On recommence alors à l'étape 1 en tirant au sort 5 clous dans la boîte « première génération ». Arrivé à l'étape 3, on obtiendra ainsi la « deuxième génération ». Et ainsi de suite pour obtenir les générations 3, 4, 5, etc.

Le jeu s'arrête au bout de la dixième génération ou quand une couleur représente 100 % des clous.

Doc. 2 Un jeu pour comprendre le mécanisme de la sélection naturelle.

Pistes d'exploitation

1. Doc. 1 : Comment expliquez-vous l'existence d'une variété de la dimension du bec chez cet oiseau ?

2. Doc. 1 : Quelle a été l'influence de la sécheresse de 1976-1977 sur la biodiversité des *Geospiza fortis* ? Proposez une explication.
Même question pour la sécheresse de 2004-2005.

3. Doc. 2 : Que modélise dans le jeu le fait de multiplier par deux le nombre de descendants des «clous verts» ? Même question pour le tirage de dés pour les «clous violets».

4. En utilisant les conclusions des activités 3 et 4, montrez que la biodiversité observée à un moment donné n'est qu'une étape de l'évolution.

Lexique, p. 258

chapitre 5 La biodiversité en perpétuelle évolution

1 La biodiversité évolue au cours du temps

● L'étude d'un milieu ancien révèle la présence passée d'espèces vivantes inconnues aujourd'hui mais aussi l'absence d'espèces actuelles. La **biodiversité se renouvelle** donc en permanence : des **espèces apparaissent** tandis que **d'autres disparaissent**. Les espèces actuelles ne représenteraient que 1 % des espèces ayant vécu sur Terre.

● Les activités humaines contribuent à cette évolution. Même si quelques nouvelles espèces sont apparues dans des milieux créés par l'Homme, les disparitions sont beaucoup plus nombreuses que les apparitions. On estime que, du fait des activités humaines, le **taux d'extinction** d'espèces est actuellement très supérieur au taux moyen d'extinction « naturel » caractérisant l'évolution de la vie sur Terre.

● La biodiversité constatée aujourd'hui est donc le résultat d'une longue histoire évolutive mais son état actuel ne représente qu'une étape ; elle se modifiera nécessairement dans le futur.
L'Homme doit en prendre conscience et essayer de sauvegarder cette biodiversité pour lui conserver sa capacité d'évoluer.

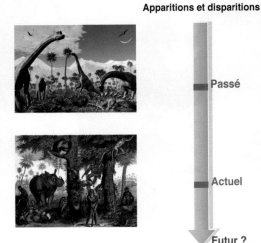

Apparitions et disparitions

Passé

Actuel

Futur ?

À RETENIR

La biodiversité actuelle représente une étape de l'histoire du monde vivant. Depuis les débuts de la vie sur Terre, d'innombrables espèces sont apparues puis ont disparu.
Les activités humaines ont un effet de plus en plus sensible sur cette évolution (disparitions d'espèces notamment). L'Homme doit donc prendre conscience de sa responsabilité face à l'évolution du monde vivant.

2 Une grande diversité génétique au sein des populations

● On définit une **population** comme un groupe d'individus appartenant à une même espèce et vivant dans une même zone géographique.

● Il existe une **diversité génétique** au sein des populations. Dans une population, les individus possèdent, pour de nombreux gènes, des **allèles différents** : c'est un des aspects de la biodiversité. Par ailleurs, deux populations peuvent présenter des diversités alléliques différentes : les allèles majoritaires ne sont pas forcément les mêmes et certains allèles peuvent n'exister que dans une seule des populations.

● Au cours du temps, dans une population isolée, la **fréquence des allèles** peut varier : pour un allèle donné, cette fréquence peut augmenter, diminuer, voire même devenir nulle (disparition de l'allèle). De plus, de nouveaux allèles apparaissent sans cesse par **mutations géniques**.

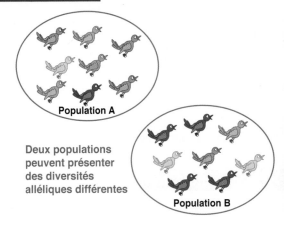

Population A

Deux populations peuvent présenter des diversités alléliques différentes

Population B

À RETENIR

La diversité des allèles est un des aspects de la biodiversité. Elle se manifeste au sein des populations qui peuvent présenter des diversités alléliques très différentes.

3 Des mécanismes évolutifs à l'origine de nouvelles espèces

a. La dérive génétique et la sélection naturelle

● La transmission par les géniteurs à leurs descendants de leur bagage allélique est un phénomène essentiellement aléatoire, c'est-à-dire soumis au hasard. Au sein d'une population, il y a donc, génération après génération, une modification de la fréquence des allèles ; ce phénomène est nommé **dérive génétique**. Cette dérive est plus marquée quand la population est de petite taille.

● Les allèles qui favorisent la survie, qui permettent d'atteindre plus facilement l'âge de la reproduction et/ou qui donnent un caractère particulièrement attirant pour les partenaires de sexe opposé, font que les individus qui en sont porteurs engendrent une plus grande descendance et transmettent donc mieux leurs allèles. On appelle **sélection naturelle** cet avantage reproductif en relation avec un milieu de vie donné.

b. L'apparition de nouvelles espèces

● Une nouvelle espèce n'apparaît pas instantanément : elle se forme à partir de populations qui, suite à la sélection naturelle et/ou la dérive génétique, deviennent incapables de se reproduire avec leur population d'origine.

● L'exemple le plus fréquent chez les animaux est l'apparition d'une espèce suite à l'**isolement « géographique »** d'une petite population. Cette dernière « emporte » un échantillon d'allèles de façon aléatoire du fait du « tirage au sort » des individus isolés. Cet échantillon d'allèles est différent de la diversité allélique de la population mère.

● Sous l'effet de la **dérive génétique** et de la **sélection naturelle** qui sont les deux **moteurs de l'évolution**, la petite population isolée évolue indépendamment de la grande population. Au bout d'un certain nombre de générations, sa constitution génétique peut être devenue suffisamment différente de celle la population d'origine pour empêcher l'interfécondité avec cette dernière : nous sommes alors en présence d'une nouvelle espèce.

DÉRIVE GÉNÉTIQUE : le nombre de descendants qui conservent le caractère d'un géniteur donné est lié au hasard.

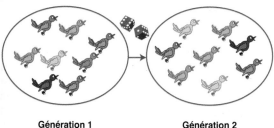

Génération 1   Génération 2

SÉLECTION NATURELLE : dans des conditions de milieu données, un allèle peut procurer un avantage reproductif.

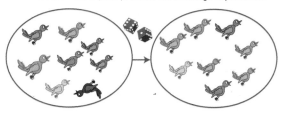

Génération 1   Génération 2

À RETENIR

La dérive génétique est une modification aléatoire de la diversité des allèles au sein d'une population. Elle se produit de façon plus marquée lorsque l'effectif de cette population est faible. La sélection naturelle désigne le fait que la fréquence des allèles qui favorisent la survie et la reproduction s'accroît d'une génération à l'autre. La dérive génétique et la sélection naturelle peuvent conduire à l'apparition de nouvelles espèces.

Mots-clés

● Évolution
● Disparition d'espèces
● Apparition d'espèces
● Influence humaine
● Dérive génétique
● Sélection naturelle
● Population

Capacités et attitudes

▶ Mettre en évidence l'influence de l'Homme sur la biodiversité.
▶ Utiliser des outils simples de détermination pour reconstituer la biodiversité passée d'un milieu.
▶ Manipuler et modéliser pour comprendre la dérive génétique et la sélection naturelle.
▶ Prendre conscience de la responsabilité humaine face à l'environnement et au monde vivant.

Des espèces qui n'évolueraient pas ?

100 millions d'années séparent les deux espèces de cœlacanthe ci-contre : elles sont morphologiquement si proches l'une de l'autre que l'on pourrait penser qu'il s'agit d'une seule et même espèce.

En fait, jusqu'en 1938 on croyait le groupe des cœlacanthes éteint depuis très longtemps. La pêche d'un spécimen au large des Comores a donc fait sensation. La grande ressemblance avec les formes fossiles a amené à qualifier le cœlacanthe actuel de « fossile vivant ».

Ci-contre, un cœlacanthe actuel (en haut) ▶ et un cœlacanthe fossile (en bas).

Forme actuelle   **Forme fossile**

La comparaison des nageoires pectorales d'un cœlacanthe actuel et d'un cœlacanthe fossile révèle que la forme globale de la nageoire est la même pour les deux individus mais que ceci n'est plus vrai au niveau de la structure. Des paléontologues ont étudié un spécimen fossile datant du Dévonien (entre – 416 et – 359 millions d'années) chez lequel le squelette de cette nageoire était intact. Ils ont mis en évidence une organisation des os très différente de celle de la forme actuelle (*dessins ci-contre*). La nageoire du cœlacanthe a donc subi une évolution au cours des millions d'années qui séparent les deux espèces.

◀ **Nageoires pectorales d'un cœlacanthe actuel et d'un cœlacanthe fossile** (d'après Friedmann, 2007).

Les similitudes de forme ne traduisent pas une non-évolution. Par exemple, la ressemblance entre les deux espèces de saumon ci-contre est forte ; pourtant, l'analyse génétique montre de très grandes différences (en effet, seulement 5 % des gènes contrôlent la morphologie). Il est donc possible d'évoluer de façon très importante sans changer beaucoup d'aspect.

L'appellation de « fossile vivant » n'a donc pas de signification biologique.
Toutes les espèces évoluent mais, chez certaines d'entre elles, cette évolution est extérieurement moins visible que chez d'autres.

◀ **Deux espèces de saumon du Pacifique : le saumon rose (en haut) et le saumon rouge (en bas).**

... découvrir des métiers et des formations

Travailler dans la gestion de la biodiversité

Vous aimez
- Travailler sur le terrain
- Concevoir, aménager
- Mener des projets, discuter avec des partenaires

Technicien en espaces verts
c'est concevoir et entretenir des espaces verts dans les villes et les villages tout en respectant réglementations et environnement.

Les domaines d'activité potentiels

Dans les régions et les départements, des chefs de projet et des chargés de mission gèrent de nombreux espaces naturels dont les lacs et cours d'eaux. Ils consultent les riverains, les professionnels, les associations pour concevoir des aménagements respectant les besoins de tous et l'environnement.

Dans les communes, des techniciens entretiennent bords de route, espaces verts et milieux naturels. Ils veillent par leurs actions à protéger la biodiversité dans les zones urbaines et périurbaines. De nombreuses autres structures (parcs naturels, DDEA, associations, cabinets d'études, ADEME...) recherchent également des techniciens ou des conseillers en environnement.

Pour y parvenir

Les BTSA Gemeau *(gestion et maîtrise de l'eau)*, GPN *(gestion et protection de la nature)* ou *aménagements paysagers* donnent accès aux postes de techniciens. Pour un chef de projet, un master *(développement local)* ou un niveau ingénieur est nécessaire. L'entrée dans la fonction publique territoriale se fait par un concours.

Technicien en espaces naturels
c'est contrôler l'état des milieux naturels, rencontrer les utilisateurs, puis élaborer et suivre des aménagements.

Les débouchés

La question du développement durable étant de plus en plus présente dans les réglementations, ces professions se développent.

... mieux comprendre l'histoire des sciences

La théorie de l'évolution confortée par les faits

- En 1859, Charles Darwin explique la diversité des espèces vivantes actuelles selon le principe de la **sélection naturelle**.

- Les découvertes des chromosomes et des gènes au début du XXe siècle amènent plusieurs chercheurs comme T. Dobzhansky ou J. Huxley à la reprendre. Ils la rebaptisent en 1970 du nom de **néodarwinisme**. Loin d'être remise en question, la théorie initiale de Darwin se trouve ainsi expliquée.

- Peu après, en 1972, M. Kimura montre le rôle de la **dérive génétique** dans l'évolution des espèces. Ce mécanisme s'ajoute à celui de la sélection naturelle.

- Dans les années 1980, S. J. Gould *(photographie ci-contre)* identifie le rôle majeur des **crises biologiques** dans l'évolution.

- La biologie moléculaire des années 1990 et 2000 a pu comparer les gènes de plusieurs espèces et retracer ainsi leurs liens de parenté et leurs histoires évolutives.

Exercices

1 Définissez les mots ou expressions

Population, évolution, dérive génétique, influence humaine, sélection naturelle.

2 Questions à choix multiples

Choisissez la ou les bonnes réponses parmi les différentes propositions.

1. La biodiversité actuelle :
a. est l'étape définitive de l'évolution ;
b. résulte de l'évolution des espèces au cours des temps géologiques ;
c. est différente de celle qui existait il y a cent millions d'années.

2. Les activités humaines :
a. peuvent conduire à l'apparition de nouvelles espèces ;
b. ont provoqué la disparition de certaines espèces ;
c. semblent amplifier la vitesse de disparition des espèces au cours des dernières décennies.

3. L'évolution des espèces:
a. n'est jamais due au hasard ;
b. peut se faire sous l'influence de facteurs du milieu de vie ;
c. fait intervenir des mécanismes génétiques.

3 Vrai ou faux ?

Repérez les affirmations exactes et corrigez celles qui sont inexactes.

a. Il n'est pas possible de trouver dans un milieu ancien de plusieurs dizaines de millions d'années des fossiles d'espèces inconnues aujourd'hui.
b. La disparition d'espèces est un phénomène récent dû aux activités humaines.
c. Un individu désavantagé par rapport à d'autres peut choisir d'évoluer pour effacer ce désavantage.
d. La fréquence des allèles dans une population ne change pratiquement pas quelles que soient les conditions.

4 Argumentez une affirmation

a. La biodiversité actuelle est une étape de l'évolution des espèces.
b. Les activités humaines ont un impact sur l'apparition et la disparition des espèces sur Terre.
c. La sélection naturelle peut conduire à l'apparition de nouvelles espèces.
d. Une petite population peut évoluer plus rapidement qu'une grande population.

5 Expérimenter sur l'évolution des espèces Raisonner avec rigueur

Il est possible de réaliser des expérimentations pour mettre en évidence les mécanismes évolutifs. On doit, pour cela, choisir une espèce ayant un cycle de reproduction très court (drosophiles ou bactéries, par exemple). Puis, on suit l'évolution de la fréquence de plusieurs allèles au cours du temps.

On se propose ici de tester la réalité des mécanismes évolutifs en travaillant sur des populations de drosophiles élevées en laboratoire dans des cages.

Choisissez parmi les différentes propositions celles qui vous paraissent rigoureuses pour chaque expérience.

• Première expérience : On désire dans un premier temps mettre en évidence la dérive génétique en suivant l'évolution de la fréquence de deux allèles d'un gène.
a. On compte régulièrement pour chaque cage la fréquence de chacun des deux allèles.
b. On élève dans une cage des drosophiles possédant un allèle et dans une autre cage des drosophiles possédant l'autre allèle (pour éviter qu'elles se croisent).
c. On élève les drosophiles dans des cages placées dans des conditions de température différentes pour tester l'influence de ce paramètre.

• Deuxième expérience : On travaille ensuite sur la sélection naturelle. On cherche si la fréquence des allèles change en fonction de la luminosité.

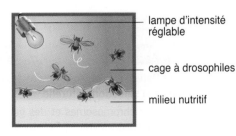

lampe d'intensité réglable

cage à drosophiles

milieu nutritif

a. On élève des drosophiles dans dix cages placées dans différentes conditions d'éclairement. Il n'est pas utile de faire une cage témoin placée à l'obscurité.
b. On élève des drosophiles dans différentes cages placées dans différentes conditions d'éclairement. À la fin de l'expérience, on compare la fréquence de l'allèle dans chaque population avec la fréquence initiale.
c. Dans chacune des cages, on veille à ce que la fréquence initiale des deux allèles soit la même au départ de l'expérimentation.

6 Évolution de populations d'oiseaux

Exploiter un graphique, raisonner

Des scientifiques suivent régulièrement et depuis de nombreuses années les populations d'oiseaux sauvages.

Le *graphique ci-contre* présente les résultats du suivi réalisé en Grande-Bretagne pour deux catégories d'oiseaux. Il montre également certaines évolutions dans les pratiques agricoles pour la même période et pour les mêmes régions.

Utilisez ces documents pour formuler une hypothèse pouvant expliquer l'évolution de la biodiversité des oiseaux.

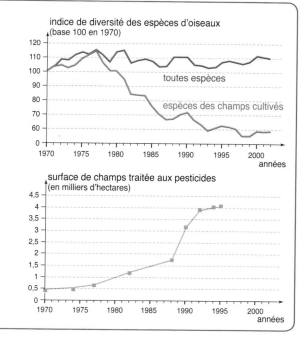

indice de diversité des espèces d'oiseaux (base 100 en 1970)

toutes espèces

espèces des champs cultivés

surface de champs traitée aux pesticides (en milliers d'hectares)

7 L'évolution des espèces insulaires   Organiser des informations, raisonner avec rigueur

Les îles renferment une biodiversité originale avec de nombreuses espèces **endémiques**. Lors de sa création, une île est vierge de toute vie, mais très vite, des individus viennent la coloniser. Les populations qui s'installent sont de petites tailles et évoluent rapidement.

La photographie montre la végétation pionnière installée sur l'île volcanique de Surtsey, près de l'Islande : cette île s'est formée en 1963 suite à une éruption volcanique.

Le graphe correspond à une comparaison de la diversité génétique des populations insulaires, comparée à celle des populations continentales : plus l'indice est élevé, plus il y a d'allèles différents dans la population.

1. **Comparez la diversité génétique entre îles et continents.**

2. **Comment pouvez-vous expliquer la différence de diversité génétique observée ?**

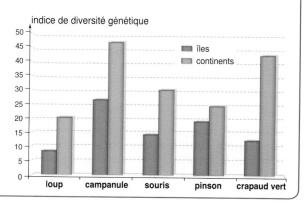

indice de diversité génétique

îles
continents

loup   campanule   souris   pinson   crapaud vert

8 Avantage reproducteur et sélection naturelle Raisonner avec rigueur

● Un attribut surprenant chez l'euplecte à longue queue

Mâle en dehors de la période de reproduction

L'euplecte à longue queue est une espèce de passereau commune en Afrique. Le plumage des mâles, beige strié de brun et noir une grande partie de l'année (*photographie a*), subit de grandes transformations en période de reproduction : il devient entièrement noir, à l'exception d'une tache rouge à l'épaule, et la queue s'allonge pour atteindre deux fois la longueur du corps (*photographie b*).

Cette longueur des plumes de la queue est gouvernée génétiquement : certains mâles possèdent des allèles qui leur confèrent une queue un peu plus longue que celle des autres.

● **Des études expérimentales riches d'enseignements**
Les euplectes mâles vivent sur des territoires bien définis et cherchent à y attirer un maximum de femelles. Celles-ci vont s'accoupler avec le mâle, construire un nid sur son territoire et s'occuper des petits.

Pendant la période de reproduction, des chercheurs ont compté le nombre de nids actifs (présence d'œufs ou de petits) dans trois populations (A, B et C) comprenant neuf mâles chacune (*premier graphique*) : la taille des queues et la qualité des territoires des mâles sont similaires.

Chaque mâle est ensuite capturé :
– on conserve la taille des queues des mâles du groupe B ;
– on raccourcit les queues des mâles du groupe A en coupant les plumes avec des ciseaux ;
– on rallonge les queues des mâles du groupe C en collant à la glue les morceaux de plumes coupés sur le groupe A. De nouvelles observations permettent de compter les nouveaux nids actifs créés sur le territoire de chacun des mâles (*deuxième graphique*).

D'après Andersson, 1982.

1. Quel avantage apporte une longue queue pour un mâle euplecte ? Quelle peut en être la conséquence concernant la transmission des allèles gouvernant la longueur de la queue ?

Mâle en période de reproduction

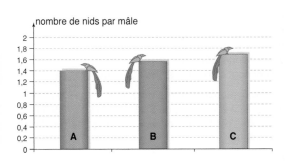

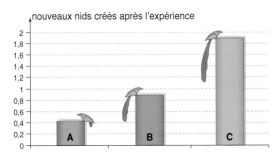

2. À votre avis, pourquoi les scientifiques parlent-ils de sélection sexuelle pour ce type de sélection naturelle ?

3. Comparez les étapes de cette sélection sexuelle avec l'exemple des pinsons page 94.

Utiliser ses capacités expérimentales

9 Une modélisation de la dérive génétique · Utiliser un logiciel pour modéliser un phénomène

■ Problème à résoudre

Dans l'espèce humaine, le gène « Rhésus » contrôle la présence ou l'absence d'un marqueur à la surface des globules rouges. C'est pourquoi certaines personnes sont dites « Rh+ » tandis que d'autres sont « Rh− ». Il existe donc deux allèles pour ce gène et, *a priori*, aucun de ces allèles ne procure d'avantage ou de désavantage. On souhaite simuler l'évolution possible de la fréquence d'un tel allèle dans une population, de génération en génération.

■ Matériel et utilisation

Utiliser les fonctionnalités du logiciel « Évolution allélique » (auteur : Philippe Cosentino) pour montrer :
– comment, à partir d'une situation initiale où les deux allèles sont répartis équitablement dans une population (50 % Rh+ et 50 % Rh−), peuvent évoluer les fréquences de ces deux allèles ;
– que l'effectif de la population a un impact, que vous préciserez, sur cette évolution.

■ Protocole

Sélectionnez l'écran correspondant au mécanisme évolutif que l'on veut simuler, ici dérive génétique.

1. Inscrire le nom de chaque allèle

2. Choisir la fréquence de l'allèle Rh+

3. Choisir le nombre de générations

4. Choisir l'effectif de la population

5. Effectuer plusieurs simulations successives

Fichier   Affichage   Fenêtre   Aide   Auteur : P.COSENTINO 2006-2007

Nom de l'allèle 1 : A
Nom de l'allèle 2 : a

Fréquence initiale de l'allèle 1
f = 1

Nombre de générations : 100 *(max = 100)*

Effectif de la population : 20 *(max = 10000)*

Lancer la simulation et tracer la courbe

P.COSENTINO

■ Exploitation des résultats

– Imprimez le résultat de la simulation (menu *Fichier*).
– Ajoutez un titre et les annotations nécessaires.
– Concluez en indiquant, d'une part, l'évolution possible de la fréquence de l'allèle choisi, d'autre part, l'impact de l'effectif de la population.

Pour télécharger le logiciel « Évolution allélique » :

www.bordas-svtlycee.fr

Sur ce même site, vous trouverez le protocole pour utiliser la deuxième fonctionnalité de ce logiciel : *Sélection naturelle*.

Un exemple de résultat : 5 simulations de l'évolution de la fréquence de l'allèle Rh+, sur 100 générations, pour des populations de 100 individus.

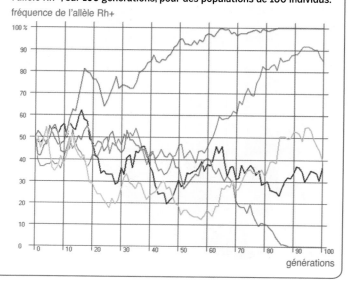

fréquence de l'allèle Rh+

générations

Partie **2**

Enjeux planétaires
contemporains

Les besoins nutritifs des végétaux chlorophylliens

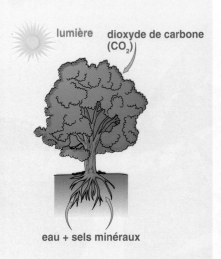

lumière — dioxyde de carbone (CO_2)

eau + sels minéraux

● Afin de se nourrir pour assurer leur croissance, les **végétaux chlorophylliens** n'ont besoin que de matières minérales : eau, sels minéraux, **dioxyde de carbone (CO_2)**. Cependant, ils ne peuvent produire leur matière qu'à condition de recevoir de la **lumière**.

Le devenir de la matière des êtres vivants

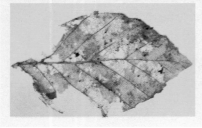

● Le plus souvent, la matière organique produite par les êtres vivants est, après leur mort, **décomposée** progressivement.

● Parfois, comme en témoignent les **fossiles**, la matière des êtres vivants échappe à la décomposition et se trouve enfouie avec les sédiments.

Agriculture et élevage, à l'origine de nos aliments

● L'Homme consomme des aliments qui proviennent essentiellement des **cultures** et des **élevages**.

● Les aliments, plus ou moins transformés, sont tous produits par les êtres vivants à travers les **chaînes alimentaires**.

● Les végétaux chlorophylliens sont les premiers maillons des chaînes alimentaires.

Le sol : un milieu complexe

● Le sol est un milieu qui abrite de très nombreux êtres vivants. À travers le **réseau alimentaire** du sol, les êtres vivants du sol fragmentent, transforment et décomposent les restes d'organismes vivants. Le sol est donc un milieu riche en **matières organiques**.

● Le sol s'enrichit en **matières minérales** qui proviennent d'une part de la décomposition de la matière des êtres vivants, d'autre part de la dégradation des **roches du sous-sol**.

× 30

Sol observé à la loupe binoculaire

Des DOCUMENTS pour se poser des questions

La production de matière par les végétaux

Les végétaux sont des producteurs primaires : ils fabriquent leur propre matière à partir d'eau, de CO_2 et de sels minéraux, en utilisant l'énergie solaire. Cette production primaire est essentielle au fonctionnement de la biosphère.

L'origine biologique des combustibles fossiles

On qualifie le pétrole, le charbon et le gaz naturel de combustibles fossiles : cela sous-entend que ces ressources énergétiques ont une origine biologique fossile.

Les gisements de pétrole

La connaissance des conditions de formation des gisements d'hydrocarbures est un atout précieux pour les prospecteurs constamment à la recherche de nouvelles ressources.

LES PROBLÉMATIQUES DU CHAPITRE

- Quelle est la nature de la matière produite par les végétaux ?
- Comment cette matière est-elle produite à partir de l'énergie solaire ?
- Quel est le devenir de la matière produite par les végétaux ?
- En quoi le charbon ou le pétrole ont-ils une origine biologique ?

Les végétaux, des « capteurs solaires ».

Le soleil,
source d'énergie de la biosphère

LES ACTIVITÉS DU CHAPITRE

La production de matière organique par les végétaux

Depuis la classe de Sixième, vous savez qu'une plante a besoin de lumière, d'eau, de sels minéraux et de dioxyde de carbone pour produire sa propre matière. *L'objectif est désormais de déterminer la nature de la matière produite par les végétaux et d'expliquer en quoi ces différentes conditions sont nécessaires à cette production.*

A Lumière et production de matière par les végétaux

ACTIVITÉ EXPÉRIMENTALE

Un pied de *pelargonium*, dont la moitié des feuilles a été enfermée dans un cache noir, est placé en plein soleil pendant 8 heures.

– À l'aide d'un emporte-pièce, on découpe le même nombre de rondelles dans le limbe des feuilles laissées à la lumière et dans celles placées à l'obscurité.

– On place alors ces rondelles à l'étuve à 100 °C jusqu'à déshydratation complète.

– On mesure ensuite la masse de matière sèche végétale obtenue. Les résultats ci-dessous ont été obtenus avec 150 rondelles de chaque.

	Masse sèche (en g)
Rondelles de feuilles placées à la lumière	0,21
Rondelles de feuilles placées à l'obscurité	0,15

Doc. 1 **Une expérience réalisable au lycée.**

■ **PROTOCOLE EXPÉRIMENTAL**

– À la fin de l'expérience décrite dans le document 1, on prélève au *pelargonium* quelques feuilles entières, certaines placées à la lumière et d'autres à l'obscurité.

– On décolore ces feuilles en les plongeant dans de l'alcool bouillant (la chlorophylle est dissoute pour ne pas gêner les observations suivantes).

– Après avoir passé ces feuilles sous l'eau froide, on les étale dans une boîte de Petri et on les recouvre d'eau iodée. En présence d'amidon, ce colorant provoque une réaction spécifique conduisant à une couleur bleu-noir.

■ **RÉSULTATS**

Aspect des feuilles de *pelargonium* ayant subi le traitement décrit dans le protocole.
a Feuille placée à la lumière.
b Feuille placée à l'obscurité.

Doc. 2 **La mise en évidence d'une production de matière carbonée.**

B La nécessité de matières minérales

En 1952, Calvin réalise une expérience qui lui vaudra le prix Nobel en 1961. Il laisse des chlorelles (algues unicellulaires) se développer en présence de lumière, puis injecte dans leur milieu de culture du CO_2 marqué, c'est-à-dire fabriqué à partir de carbone 14 radioactif (^{14}C). Trente secondes après l'injection, il ébouillante les algues, ce qui bloque instantanément toutes les réactions biochimiques.

Calvin sépare ensuite les molécules contenues dans le cytoplasme des algues en les faisant migrer dans un papier filtre spécial et réalise une **autoradiographie** des molécules « étalées ». Toute molécule radioactive, ayant donc intégré du ^{14}C, fait une tâche noire sur la plaque photographique. Ici, les taches ont été colorées pour différencier glucides et protides.

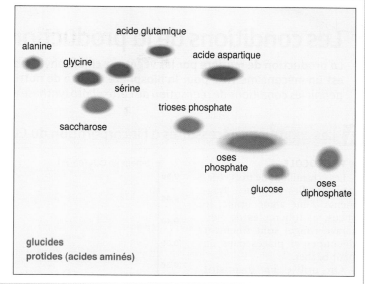

Doc. 3 Quelques molécules organiques produites par le végétal chlorophyllien à la lumière.

La culture **hors sol** est une technique classique en horticulture. Elle nécessite un apport contrôlé en eau et en sels minéraux pour satisfaire les besoins des plantes. Par exemple, le magnésium est un constituant important de la molécule de chlorophylle, le potassium aide à la synthèse des protéines et le calcium est un élément fondamental des parois cellulaires.

● **Un exemple de solution nutritive utilisée en culture hors sol**

Sels minéraux	Concentration (mg·L^{-1})
NO_3^-	170,8
NH_4^+	30,8
$H_2PO_4^-$	213,4
K^+	210,7
Ca^{2+}	124,0
Mg^{2+}	18,0
SO_4^{2-}	72,0

Doc. 4 La connaissance des besoins minéraux des plantes a rendu possibles les cultures hors sol.

Pistes d'exploitation

1. Doc. 1 et 2 : Montrez, à partir de la mise en relation des deux documents, que la lumière permet une production de matière par la plante. Déterminez la nature de la matière produite.

2. Doc. 3 et 4 : En utilisant les pages 34 et 35 et les informations apportées par les documents 3 et 4, expliquez pourquoi le CO_2 et les sels minéraux sont indispensables à la production de matière par les végétaux.

Lexique, p. 258

Les conditions de la production de matière végétale

La production de matière par les végétaux chlorophylliens, connue sous le nom de **photosynthèse**, est un mécanisme vital pour la biosphère (source de nutriments et de dioxygène). *L'objectif est de définir les conditions de réalisation de cette photosynthèse et d'en dresser un bilan chimique simplifié.*

A Les conditions nécessaires à l'incorporation du CO_2

ACTIVITÉ EXPÉRIMENTALE

■ PROTOCOLE

– Les échantillons de trois végétaux (feuilles d'épinard, fragments d'une algue brune, le fucus, et tubercules de betterave rouge) sont finement découpés et placés dans un petit bécher.
– On utilise un dispositif d'ExAO (matériel Eurosmart) permettant d'estimer les variations de la teneur en CO_2 de l'air au contact des échantillons.
– Au cours de la mesure, on alterne des périodes d'obscurité et d'éclairement.

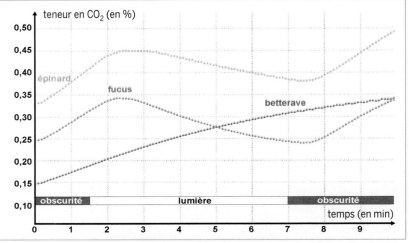

Doc. 1 Une mesure de la teneur du milieu en CO_2 dans différentes conditions.

■ PROTOCOLE

– Préparer un jus concentré de chacun des trois végétaux.
– Déposer quelques gouttes du premier jus près d'une extrémité d'une bande de papier à chromatographie (en laissant sécher entre chaque goutte).
– Répéter l'opération pour les autres jus.
– Placer les bandes de papier dans une éprouvette au contact d'une solution de solvant à chromatographie.

■ RÉSULTATS

– **Taches arrondies au bas des bandes de papier :** zones du dépôt initial.
– **Taches 1 :** différentes sortes de chlorophylles.
– **Taches 2 :** pigments non chlorophylliens.

épinard   betterave   fucus

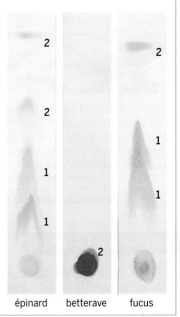

épinard   betterave   fucus

Doc. 2 Une identification des pigments colorés contenus dans les trois végétaux.

B L'origine de la production de dioxygène par les végétaux

On reprend le matériel de l'expérience du document 1, en utilisant cette fois-ci une sonde oxymétrique.

On mesure ainsi l'évolution du taux d'O_2 dans le milieu en éclairant de plus en plus fortement le montage (faible, moyen et fort).

Mesures réalisées dans l'air, avec le matériel Eurosmart.

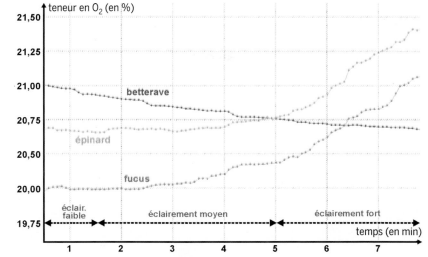

Doc. 3 Liens entre intensité lumineuse, pigments et production de dioxygène.

En 1941, Ruben et Kamen cherchent à réfuter ou confirmer l'hypothèse de Van Niel qui suggère que le dioxygène produit par photosynthèse peut provenir d'une déshydrogénation de l'eau et non du CO_2 consommé comme on le croyait auparavant. Pour cela, dans le milieu de culture de chlorelles (algues microscopiques), ils enrichissent en ^{18}O soit l'eau ($H_2^{18}O$) dans le milieu de culture A, soit le dioxyde de carbone ($C^{18}O_2$) dans le milieu de culture B. ^{18}O est un isotope lourd et naturel de l'oxygène qui représente 0,2 % de l'ensemble de l'oxygène. Ils éclairent ensuite les deux cultures et suivent le devenir de l'^{18}O.

	Proportion des molécules comportant ^{18}O (en %)		
	eau	dioxyde de carbone	dioxygène produit
Milieu de culture A	0,85	0,20	0,84
Milieu de culture B	0,20	0,68	0,20

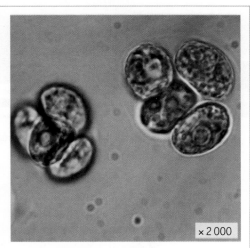

Chlorelles observées au microscope.

Doc. 4 Les expériences qui permirent de découvrir l'origine du dioxygène libéré lors de la photosynthèse.

Pistes d'exploitation

1. Doc. 1 et 2 : Retrouvez deux conditions indispensables à l'incorporation du dioxyde de carbone par un végétal.

2. Doc. 3 : En quoi les résultats obtenus renseignent-ils sur les relations entre photosynthèse et dioxygène ?

3. Doc. 4 : Quelle conclusion concernant l'origine du dioxygène libéré lors de la photosynthèse pouvez-vous tirer des expériences de Ruben et de Kamen ?

4. Doc. 1 à 4 : À l'aide de ces documents et en utilisant les conclusions des pages 110 et 111, justifiez le bilan chimique ci-après qui est le bilan de la photosynthèse dans le cas de la synthèse d'un glucide comme le glucose :

$$6\ CO_2 + 6\ H_2O \rightarrow \text{glucose} + 6\ O_2$$

Lexique, p. 258

L'importance planétaire de la photosynthèse

Les végétaux capturent l'énergie lumineuse pour fabriquer leur matière organique par photosynthèse. Ils sont ainsi à l'origine d'un long flux d'énergie traversant l'ensemble du monde vivant.
Il s'agit donc de comprendre l'importance de la photosynthèse au niveau planétaire.

A La productivité primaire

La **productivité primaire brute** correspond à la quantité de carbone intégrée dans la matière organique végétale par m² et par an. Elle reflète la capacité des végétaux à convertir l'énergie lumineuse en énergie chimique (correspondant à la matière organique produite). Toutefois, les végétaux utilisent une partie de cette matière pour leur propre fonctionnement.

De ce fait, la **productivité primaire nette** est donc la quantité d'énergie disponible pour les autres êtres vivants qui vont consommer la matière produite par les végétaux. Elle est estimée par diverses techniques comme les mesures de satellites qui détectent les variations de concentrations de chlorophylle.

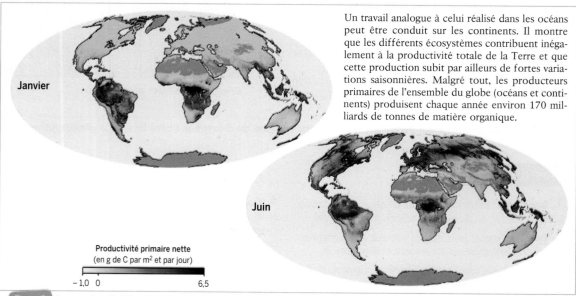

Productivité primaire nette (en g de C par m² et par jour)

| 0 | 200 | 400 | 600 | 800 |

Doc. 1 **La productivité primaire dans les océans.**

Janvier

Un travail analogue à celui réalisé dans les océans peut être conduit sur les continents. Il montre que les différents écosystèmes contribuent inégalement à la productivité totale de la Terre et que cette production subit par ailleurs de fortes variations saisonnières. Malgré tout, les producteurs primaires de l'ensemble du globe (océans et continents) produisent chaque année environ 170 milliards de tonnes de matière organique.

Juin

Productivité primaire nette
(en g de C par m² et par jour)

–1,0 0   6,5

Doc. 2 **La productivité primaire sur les continents.**

B Un transfert de matière et d'énergie dans les écosystèmes

● Grâce à la photosynthèse, les végétaux chlorophylliens convertissent l'énergie lumineuse en énergie chimique (les molécules organiques synthétisées). Au sein des réseaux trophiques des écosystèmes, les êtres vivants non photosynthétiques utilisent directement ou indirectement la matière produite par les producteurs primaires pour produire leur propre matière et assurer leur fonctionnement (ce sont des consommateurs).

● La matière et l'énergie passent ainsi d'un maillon à l'autre des chaînes alimentaires. Néanmoins, à chaque passage, il y a des déperditions considérables de matière et d'énergie : 1/10e seulement est assimilé par le maillon suivant, le reste étant en grande partie perdu par la respiration.

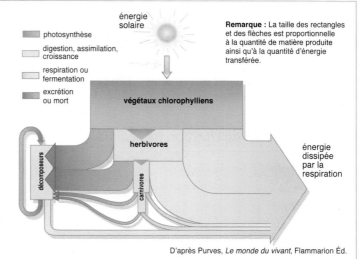

D'après Purves, *Le monde du vivant*, Flammarion Éd.

Doc. 3 **Réseaux trophiques** et flux d'énergie.

Dans un **écosystème**, la matière produite par les êtres vivants est normalement recyclée : de matière organique, elle redevient matière minérale grâce aux décomposeurs et minéralisateurs (bactéries). Cependant, dans certains cas, il se peut qu'une partie de cette matière quitte l'écosystème et ne participe pas à son bon équilibre.

C'est le cas lorsque l'Homme prélève à son profit une partie de la biomasse (pour faire des meubles ou se chauffer par exemple).

C'est aussi le cas lorsque de la matière organique mal dégradée est amenée par les eaux de ruissellement puis les rivières et les fleuves jusqu'à l'océan où elle se retrouve enfouie sous des sédiments.

Les eaux de cette rivière vénézuélienne sont noires car elles sont chargées de matières organiques « volées » à la forêt.

Doc. 4 **Des fuites de matière organique dans les écosystèmes.**

Pistes d'exploitation

1. Doc. 1 et 2 : Quels sont les écosystèmes les plus productifs ? La densité du plancton marin a chuté de 8,5 % ces dix dernières années. Pourquoi est-ce préoccupant ?

2. Doc. 1 et 2 : Mettez en évidence l'importance planétaire de la photosynthèse.

3. Doc. 3 : Pourquoi peut-on dire que le monde vivant est le siège d'un flux d'énergie et de matière ?

4. Doc. 4 : Quels problèmes pose la fuite de matière organique des écosystèmes ?

Lexique, p. 258

Le charbon, un exemple de biomasse fossilisée

Dans certaines conditions, il arrive que la matière organique échappe à la minéralisation et au recyclage au sein des écosystèmes. Elle se transforme alors lentement en combustibles fossiles. *L'objectif est ici de découvrir les conditions de formation d'un de ces combustibles, le charbon.*

A Un gisement de charbon français

Localisation de Graissessac.

L'affleurement : une carrière d'une cinquantaine de mètres de hauteur présentant quelques couches de charbon (↘).

Le site fait partie d'un ensemble de petits bassins houillers lacustres, d'âge carbonifère (− 300 millions d'années), présents sur le pourtour du Massif central. Tous ces bassins sont marqués par des failles qui témoignent d'effondrements caractéristiques de zones en extension dans le passé. Certains niveaux rouges sont riches en oxydes de fer typiques d'une altération en climat tropical.

L'ancienne exploitation au-dessus du village.

Trois exemples parmi les nombreux végétaux fossilisés : 1. *Annularia* ; 2. *Pecopteris* ; 3. *Calamites*

Doc. 1 Le gisement de Graissessac (Hérault) : localisation, affleurement et contenu fossilifère.

B Reconstituer les conditions de formation du gisement

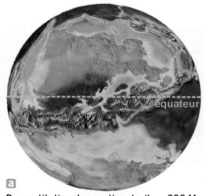

a Reconstitution des continents, il y a 300 Ma. Le point rouge correspond à la position de la région étudiée.

b Reconstitution d'une forêt houillère (fougères géantes, calamites, fougères à graines).

Doc. 2 **Une production de biomasse favorisée par les conditions climatiques.**

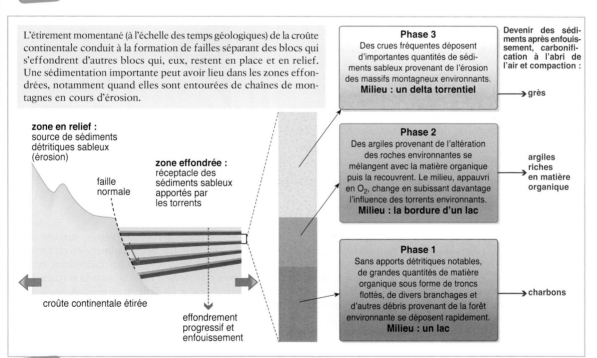

L'étirement momentané (à l'échelle des temps géologiques) de la croûte continentale conduit à la formation de failles séparant des blocs qui s'effondrent d'autres blocs qui, eux, restent en place et en relief. Une sédimentation importante peut avoir lieu dans les zones effondrées, notamment quand elles sont entourées de chaînes de montagnes en cours d'érosion.

zone en relief :
source de sédiments détritiques sableux (érosion)

faille normale

zone effondrée :
réceptacle des sédiments sableux apportés par les torrents

croûte continentale étirée

effondrement progressif et enfouissement

Phase 3
Des crues fréquentes déposent d'importantes quantités de sédiments sableux provenant de l'érosion des massifs montagneux environnants.
Milieu : un delta torrentiel

Phase 2
Des argiles provenant de l'altération des roches environnantes se mélangent avec la matière organique puis la recouvrent. Le milieu, appauvri en O_2, change en subissant davantage l'influence des torrents environnants.
Milieu : la bordure d'un lac

Phase 1
Sans apports détritiques notables, de grandes quantités de matière organique sous forme de troncs flottés, de divers branchages et d'autres débris provenant de la forêt environnante se déposent rapidement.
Milieu : un lac

Devenir des sédiments après enfouissement, carbonification à l'abri de l'air et compaction :

→ grès

argiles riches en matière organique

→ charbons

Doc. 3 **Des phénomènes répétitifs permettant la fossilisation de la biomasse.**

Pistes d'exploitation

1. Doc. 1 : Décrivez rapidement le site. Effectuez une recherche pour trouver d'autres exemples de bassins houillers de même âge que celui de Graissessac.

2. Doc. 2 : En quoi la production de biomasse est-elle favorisée dans la situation décrite ?

3. Doc. 3 : Comment pouvez-vous interpréter le changement de milieu supposé lors des trois phases d'un cycle de dépôts ?

4. Doc. 1 à 3 : Reconstituez l'histoire de ce bassin en y intégrant le maximum d'informations provenant des documents proposés.

Lexique, p. 258

Prospecter des gisements de combustibles fossiles

Comme le charbon, les hydrocarbures (pétrole et gaz naturel) sont des combustibles fossiles d'origine biologique. *La connaissance des conditions de formation des hydrocarbures permet la prospection de nouveaux gisements.*

A De la matière organique aux gisements de roches carbonées

● Deux conditions préalables sont nécessaires à la formation d'une roche carbonée : la conservation d'une importante biomasse et son enfouissement.

Moins de 1 % de la matière organique produite échappe à la décomposition et au recyclage. Cela se déroule lorsqu'une biomasse est ensevelie rapidement sous de fortes quantités de sédiments. La matière organique se retrouve dans des conditions anoxiques (sans oxygène) et elle est de ce fait soustraite à l'action des décomposeurs.

● Si l'enfouissement se poursuit, grâce à des phénomènes tectoniques, la matière organique mal dégradée est amenée en profondeur. Elle subit alors un réchauffement qui entraîne sa simplification moléculaire par cuisson (perte d'oxygène puis d'hydrogène). En fonction de la profondeur de l'enfouissement et de la composition initiale de la matière organique, la cuisson peut conduire à du charbon, de l'huile (pétrole) ou du gaz. On appellera roche mère, la roche contenant initialement de l'huile ou du gaz.

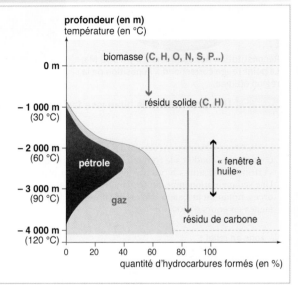

Doc. 1 **Une lente transformation de la matière organique liée à l'enfouissement.**

Du fait de leur faible densité, les hydrocarbures (pétrole, gaz) ne restent pas dans la roche mère mais remontent vers la surface. Pour qu'un gisement d'hydrocarbures se forme, il faut donc qu'un piège les arrête lors de la remontée. Ces pièges sont le plus souvent des structures tectoniques particulières *(dessins ci-dessous)* qui contiennent à la fois une roche réservoir, poreuse, susceptible de contenir les hydrocarbures et une roche imperméable, surmontant la roche réservoir et empêchant la poursuite de la migration vers la surface.
Ces conditions étant difficilement réunies, seuls 1 % des hydrocarbures formés sont finalement piégés.

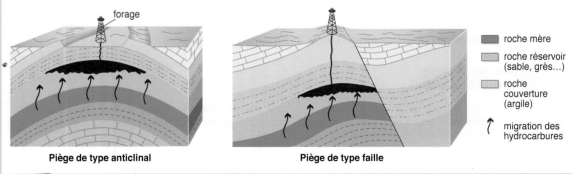

Piège de type anticlinal   Piège de type faille

▇ roche mère
▨ roche réservoir (sable, grès...)
░ roche couverture (argile)
↑ migration des hydrocarbures

Doc. 2 **Un nécessaire piégeage des hydrocarbures.**

B · La recherche et l'exploitation de gisements pétroliers

Grâce à des explosions réalisées en surface, on peut réaliser une sorte d'échographie du sous-sol en analysant les ondes renvoyées en surface par les différents changements de composition des matériaux du sous-sol. On peut ainsi modéliser la structure de la croûte en profondeur et y déceler d'éventuels pièges à pétrole. Quand un tel piège est repéré, des forages doivent être réalisés pour vérifier le caractère exploitable et rentable du gisement.

Les *dessins ci-contre* correspondent à une prospection pétrolière dans le sud-est de l'Australie.

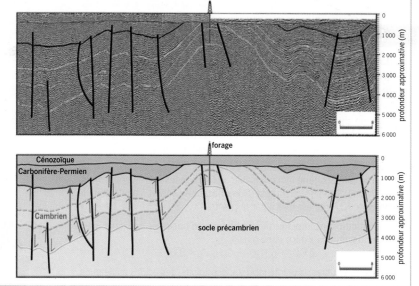

Doc. 3 **La prospection par sismique-réflexion et la vérification d'une hypothèse.**

Depuis 1967, les **sables bitumineux** de l'Alberta (Canada) sont exploités dans de grandes mines à ciel ouvert (**a**). Ces sables contiennent environ 11 % d'un bitume beaucoup plus visqueux que le pétrole conventionnel. D'abord extrait dans d'immenses bacs de décantation, le bitume est aujourd'hui pompé comme le pétrole brut après injection profonde de vapeur d'eau, puis traité sur place. Ces mines ont apporté une certaine prospérité économique et démographique à la région. Mais l'impact environnemental est considérable : destruction de la forêt boréale, des tourbières, des zones humides, détournement du cours naturel des rivières. Il est courant d'observer des résidus bitumineux flotter à la surface des lacs de la région (**b**).

Doc. 4 **L'exploitation de sables bitumineux et ses conséquences environnementales.**

Pistes d'exploitation

1. **Doc. 1** : Expliquez pourquoi la formation d'une roche mère pétrolière est une anomalie dans le fonctionnement naturel des écosystèmes.

2. **Doc. 1 et 2** : Résumez les étapes de la formation d'un pétrole. Expliquez pourquoi les gisements d'hydrocarbures sont rares.

3. **Doc. 3** : Justifiez la réalisation d'un forage dans cette région.

4. **Doc. 4** : Discutez de l'intérêt de l'exploitation des sables bitumineux dans cette région.

Lexique, p. 258

chapitre 1 — Le soleil, source d'énergie pour la biosphère

1 La lumière permet la photosynthèse

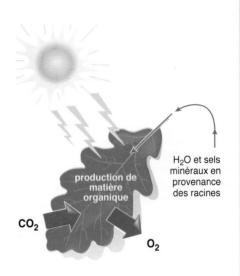

- Dans les parties chlorophylliennes des végétaux, la lumière solaire est susceptible d'être convertie en énergie chimique utilisable pour synthétiser de la matière organique : c'est la **photosynthèse**.

- Le **dioxyde de carbone** (CO_2) est intégré dans la matière organique grâce à l'énergie chimique fabriquée à partir de la lumière. Il est la **source de carbone et d'oxygène** nécessaire à la fabrication des sucres, molécules organiques synthétisées par la plante (par exemple, le glucose $C_6H_{12}O_6$).

- L'**eau** (H_2O) est aussi nécessaire à la photosynthèse : elle est en effet la **source d'hydrogène** indispensable aux synthèses des diverses molécules issues de la photosynthèse. Son utilisation conduit à un déchet : le **dioxygène** (O_2) qui est rejeté par la plante.

- L'équation-bilan simplifiée de la fabrication d'une molécule de glucose par photosynthèse s'écrit donc ainsi :
$$6\ CO_2 + 6\ H_2O \rightarrow C_6H_{12}O_6 + 6\ O_2$$

- En plus des sucres, la plante fabrique des lipides, des acides nucléiques, des protides, ce qui nécessite l'apport d'azote, de soufre, de phosphore par exemple. Ces éléments sont apportés par les **sels minéraux** puisés dans le sol grâce aux racines.

H₂O et sels minéraux en provenance des racines

production de matière organique

CO_2

O_2

À RETENIR

La lumière solaire permet, dans les parties chlorophylliennes des végétaux, la synthèse de matière organique à partir d'eau, de sels minéraux et de dioxyde de carbone.

2 La photosynthèse permet l'entrée de l'énergie solaire dans la biosphère

- Dans un écosystème, les végétaux fabriquent leur matière organique à partir d'éléments minéraux, en utilisant l'énergie lumineuse. Ils sont à l'origine de la **productivité primaire**.

- Au sein des **réseaux trophiques**, les **producteurs secondaires** utilisent, directement ou indirectement, la matière organique déjà produite par les végétaux. Ils utilisent ainsi de l'énergie chimique stockée grâce à l'activité photosynthétique des plantes.

- On appelle **biomasse** la quantité totale de matière organique produite par les êtres vivants dans un écosystème (producteurs primaires et producteurs secondaires).

- Les **transferts de matière** de maillon en maillon dans les chaînes alimentaires sont le support d'un **transfert d'énergie**. Il existe ainsi un long flux d'énergie ayant pour origine la lumière et permettant le fonctionnement de l'écosystème. Néanmoins, à chaque maillon, une partie seulement de cette énergie est investie sous forme de biomasse.

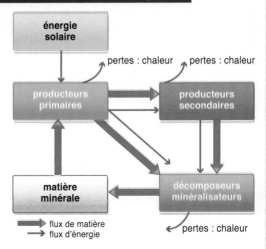

énergie solaire

pertes : chaleur   pertes : chaleur

producteurs primaires   producteurs secondaires

matière minérale   décomposeurs minéralisateurs

→ flux de matière
→ flux d'énergie

pertes : chaleur

À RETENIR

La photosynthèse permet, à l'échelle de la planète, l'entrée de matière minérale et d'énergie dans la biosphère. Cette énergie est en partie stockée sous forme de biomasse et en partie perdue sous forme de chaleur.

3 La formation des combustibles fossiles permet la fossilisation de l'énergie solaire

● Les **combustibles fossiles** ont une origine biologique. Ils se forment au sein de bassins sédimentaires par transformation d'une biomasse d'origine végétale ou planctonique incorporée dans des sédiments. La matière organique rapidement enfouie est ainsi soustraite à l'action des minéralisateurs et se dégrade difficilement.

● Dans des conditions géologiques particulières, par exemple un effondrement tectonique qui permet un enfoncement lent et régulier du plancher le long d'une faille (on parle de subsidence), la matière organique et les sédiments sont amenés peu à peu à de plus hautes températures (la température croît au cours de l'enfoncement en moyenne de 3 °C tous les 100 m). Cet **enfouissement** conduit, d'une part, à une transformation progressive des sédiments en roches sédimentaires et, d'autre part, à la **dégradation thermique de la matière organique**.

● Selon la température atteinte, et donc la profondeur d'enfouissement, la matière organique se transforme en charbon, en pétrole puis en gaz. Le pétrole se forme ainsi dans une fourchette de profondeurs précise que les pétroliers qualifient de « **fenêtre à huile** » et qui se situe entre 60 et 100 °C, ce qui correspond à un enfouissement de 2 à 3 km. Le dessin ci-contre indique les conditions de formation d'un **gisement d'hydrocarbures**.

● La connaissance des conditions de formation et de conservation des combustibles fossiles, celle des structures géologiques favorisant leur piégeage, permettent de rechercher de nouveaux gisements pour les exploiter. Cette exploitation nécessite des moyens techniques onéreux et parfois nuisibles à l'environnement. Elle n'est donc réalisée que si le gain est supérieur au coût. Un gisement d'hydrocarbures n'est donc pas forcément une réserve utilisable mais il peut le devenir si le prix du pétrole s'envole.

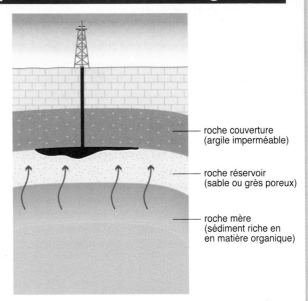

roche couverture
(argile imperméable)

roche réservoir
(sable ou grès poreux)

roche mère
(sédiment riche en
en matière organique)

On appelle **roche mère** la roche sédimentaire dans laquelle les hydrocarbures (pétrole ou gaz) se forment. Ceux-ci, ayant une faible densité, migrent vers la surface. Ils peuvent être perdus si rien ne les arrête dans leur ascension ou être conservés s'ils sont stoppés par la rencontre d'une couche imperméable appelée **roche couverture** (une couche argileuse, par exemple). Les hydrocarbures sont alors piégés dans une **roche réservoir**, la première roche poreuse située sous la couverture (du sable, par exemple).

À RETENIR

Dans des environnements de forte productivité biologique, une faible proportion de la matière organique produite peut échapper à l'action des décomposeurs. Dans des conditions géologiques particulières, elle est enfouie et peut se transformer en combustible fossile au cours de l'enfouissement. La connaissance de ces mécanismes permet de découvrir les gisements et de les exploiter par des méthodes adaptées. Cette exploitation a des implications économiques et environnementales.

Mots-clés

● **Photosynthèse**
● **Biomasse**
● **Productivité primaire**
● **Productivité secondaire**
● **Combustibles fossiles**
● **Hydrocarbures**
● **Gisements** ● **Réserves**

Capacités et attitudes

❘ Expérimenter pour établir les grands éléments du bilan de la photosynthèse.
❘ Extraire et organiser des informations pour prendre conscience de l'importance planétaire de la photosynthèse.
❘ Observer des échantillons pour rechercher les indices d'une origine biologique d'un exemple de combustible fossile.
❘ Exploiter des données de terrain pour comprendre les caractéristiques d'un gisement de combustible fossile.

Découvrir une nouvelle ressource : les gaz non conventionnels

• Qu'est-ce qu'un gaz non conventionnel ?

Les gaz dits « **conventionnels** » sont des gaz naturels présents dans des réservoirs rocheux (roches perméables et poreuses). Ces gaz sont récupérés à l'aide de forages verticaux et leur exploitation est courante.

Cependant, les ressources en gaz conventionnel s'épuisent et on s'intéresse aujourd'hui aux gisements de gaz dits « **non conventionnels** » qui se trouvent dans des schistes (roches argileuses imperméables et peu poreuses). Ces gaz ont pour origine la décomposition de la matière organique par des bactéries. Du fait de l'imperméabilité de la roche, les gaz ne peuvent migrer dans un réservoir et restent piégés au sein de la roche. Leur exploitation est plus complexe.

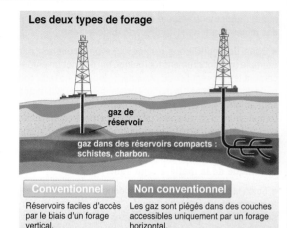

Les deux types de forage

gaz de réservoir

gaz dans des réservoirs compacts : schistes, charbon.

Conventionnel	Non conventionnel
Réservoirs faciles d'accès par le biais d'un forage vertical.	Les gaz sont piégés dans des couches accessibles uniquement par un forage horizontal.

• Une extraction complexe et coûteuse

Pour exploiter un gisement de gaz non conventionnel, il faut, dans un premier temps, réaliser un forage vertical pour atteindre la couche de roche contenant ce gaz. Ce forage vertical doit ensuite se transformer en un forage horizontal afin de traverser longuement la couche de gaz. Enfin, du sable et de l'eau sont envoyés sous haute pression pour fracturer la roche et libérer le gaz piégé dans les pores de la roche.

Ces techniques sont très coûteuses mais elles sont de mieux en mieux maîtrisées.

• Un avenir prometteur

Malgré son coût élevé, l'extraction des gaz non conventionnels se développe considérablement. Aux États-Unis, par exemple (graphique ci-dessous), l'exploitation du gaz non conventionnel a représenté 51 % des gaz extraits en 2008.

En France, il semble que des réserves importantes soient présentes dans le bassin du sud-est. Des forages pourraient être rentables dans des régions comme l'Ardèche, la Drôme ou les Hautes-Alpes.

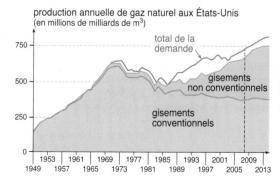

production annuelle de gaz naturel aux États-Unis (en millions de milliards de m^3)

• Des conséquences sur l'environnement

Ces gisements de gaz dans une roche très imperméable nécessitent un nombre important de puits, quelques centaines à quelques milliers, d'où un impact important sur le paysage.

De plus, une grande quantité d'eau doit être injectée dans le gisement, eau qu'il faut ensuite traiter avant de la rejeter dans la nature.

... découvrir des métiers et des formations

Les métiers liés à la géologie

Vous aimez
- Le travail sur le terrain
- Communiquer avec les autres
- Travailler en équipe

Les domaines d'activité potentiels

Un géologue travaille en recherche fondamentale dans une université et en géologie appliquée dans une compagnie pétrolière ou un cabinet d'urbanisme. Les géologues sont souvent spécialisés dans une discipline : volcanologie, sismologie, hydrogéologie, géologie des hydrocarbures...

Un technicien géologue est chargé par exemple d'études préalables à la réalisation d'ouvrages (pont, bâtiment...) ou à l'extraction de combustibles. Il organise et contrôle un chantier en collaboration avec le géologue ingénieur.

Pour y parvenir

Un bac scientifique est fortement conseillé.
Devenir géologue nécessite entre 5 et 8 ans d'études après le bac. Des écoles d'ingénieurs recrutent après 2 ans de classes préparatoires. L'Université délivre des masters professionnels, des masters de recherche débouchant sur des doctorats.
Devenir technicien géologue nécessite 2 ans d'études après le bac avec l'obtention d'un Brevet de Technicien Supérieur en géologie appliquée.

Géologue
c'est étudier la Terre en surface et en profondeur.

Technicien-géologue
c'est faire des relevés avant un chantier et contrôler le chantier au point de vue géologique.

Les débouchés

Peu de postes de chercheurs. Un peu plus de place pour les techniciens, cette branche pouvant être amenée à se développer dans l'avenir.

... mieux comprendre l'histoire grâce à la science

Le coup de grisou dans les mines de charbon

Le grisou est un gaz qui se dégage des couches de charbon. Constitué essentiellement de méthane (CH_4), c'est un gaz inodore, incolore et extrêmement combustible. Il est redouté des mineurs car le mélange air-méthane, au contact d'une flamme, peut brûler de façon explosive : c'est le coup de grisou à l'origine d'une multitude d'accidents mortels. Il est en général aggravé par un effondrement des galeries, et parfois par un « coup de poussière » : en suspension dans l'air, les fines poussières de carbone (ou poussier) forment, elles aussi, un ensemble hautement explosif. En 1906, c'est un « coup de poussière » qui est à l'origine de la catastrophe minière de Courrières (près de Lens) faisant 1 099 victimes.

Émile Zola (1840-1902) évoque dans *Germinal*, publié en 1885, la vie des travailleurs dans les mines de charbon. C'est un travail extrêmement difficile et dangereux, en particulier à cause des coups de grisou : « *On côtoyait d'anciens travaux,*

une galerie abandonnée de Gaston-Marie, très profonde, où un coup de grisou, dix ans plus tôt, avait incendié la veine, qui brûlait toujours... ».

Exercices

Tester ses connaissances

1 Définissez les mots ou expressions

Photosynthèse, productivité primaire brute, productivité primaire nette, biomasse, gisement, subsidence.

2 Questions à choix multiples

Choisissez la ou les bonnes réponses parmi les différentes propositions.

1. La photosynthèse :
a. nécessite la présence de chlorophylle dans les tissus végétaux ;
b. permet la libération de CO_2 dans l'atmosphère ;
c. permet la libération d'O_2 dans l'atmosphère.

2. L'énergie solaire :
a. est captée par les producteurs secondaires ;
b. permet la décomposition de la matière organique ;
c. est stockée en partie dans la biomasse.

3. Un gisement d'hydrocarbure se situe :
a. dans la roche mère ;
b. dans la roche réservoir ;
c. dans la roche couverture.

3 Questions à réponse courte

a. Quels sont les besoins des végétaux chlorophylliens pour la synthèse de matière organique ?
b. Indiquez un contexte géologique favorable à l'enfouissement de la matière organique puis à la formation d'hydrocarbures au cours du temps.

4 Vrai ou faux ?

Repérez les affirmations exactes et corrigez celles qui sont inexactes.

a. La photosynthèse permet la transformation de l'énergie lumineuse en énergie chimique.
b. Le dioxygène rejeté lors de la photosynthèse provient de l'eau.
c. Au sein d'un écosystème, il n'y a pas de transfert d'énergie entre les producteurs primaires et secondaires.
d. Les charbons ont une origine exclusivement minérale.

5 Des pièges à hydrocarbures en sous-sol

Complétez le schéma ci-dessous avec les mots suivants : *roche mère, roche réservoir, roche imperméable, migration des hydrocarbures.*

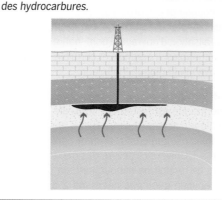

Utiliser ses compétences

6 Une étude expérimentale   Utiliser ses connaissances pour interpréter une expérience

Des rameaux d'une plante aquatique, l'élodée, sont placés dans un récipient contenant de l'eau enrichie en dioxyde de carbone (CO_2) et exposés à la lumière.

Une éprouvette remplie d'eau, placée au-dessus d'un entonnoir, permet de recueillir les bulles de gaz qui s'échappent régulièrement des rameaux.

Choisissez, parmi les différentes propositions, celles qui vous paraissent exactes :

a. Le gaz dégagé est du dioxyde de carbone.
b. Le gaz dégagé est du dioxygène.
c. À l'obscurité, le même gaz se dégagerait.
d. La réaction observée n'est possible que grâce à la chlorophylle.

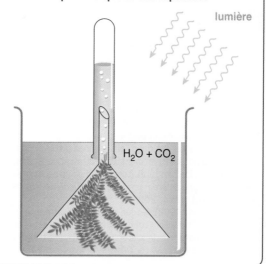

lumière

$H_2O + CO_2$

7 EXERCICE GUIDÉ

Pigments colorés et répartition des algues marines

Exploiter des données, raisonner, émettre des hypothèses

Selon les pigments qu'elles contiennent, les algues sont classées par groupes. Ces pigments sont des molécules colorées qui confèrent aux algues différentes couleurs (vertes, brunes, rouges). Mais ce sont surtout des molécules qui interviennent dans les mécanismes de la photosynthèse grâce à leur sensibilité à la lumière, c'est-à-dire leur pouvoir d'absorption de certaines radiations lumineuses.

On cherche à savoir si ces pigments peuvent jouer un rôle dans la répartition particulière des groupes d'algues le long des côtes.

Après avoir exploité l'ensemble des informations disponibles, formulez des hypothèses sur le rôle possible des pigments colorés dans la répartition des différentes algues en profondeur.

Aide à la résolution

1. Analysez chacun des documents pour en maîtriser le contenu.

2. Faites le bilan du contenu en pigments de chacun des groupes d'algues.

3. Indiquez à quelles radiations chaque groupe d'algues peut être sensible.

4. Comparez ces listes aux profondeurs de pénétration des différentes radiations colorées.

5. Construisez, par le raisonnement, des hypothèses concernant l'éventuelle intervention des pigments dans la répartition des algues.

	Chlorophylle			Caroténoïdes	Phycobilines
	a	b	c		
Algues vertes	X	X		X	
Algues brunes	X		X	X	
Algues rouges	X			X	X
Radiations auxquelles chaque pigment est sensible	bleu + rouge	bleu + rouge	bleu	bleu	vert

X : pigments présents dans les algues

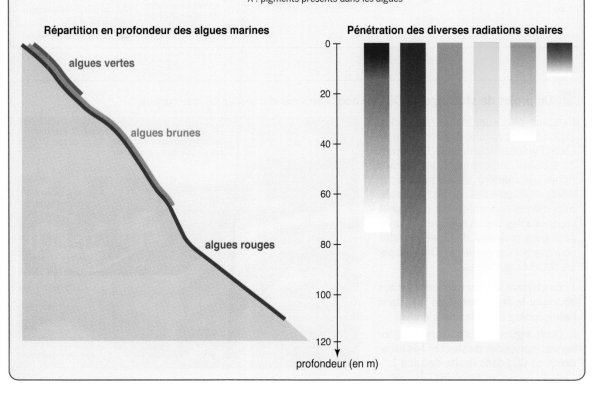

Répartition en profondeur des algues marines

algues vertes

algues brunes

algues rouges

Pénétration des diverses radiations solaires

profondeur (en m)

Exercices

8 Du bitume dans les sédiments du bassin de la Limagne
Extraire et organiser des informations

Le fossé de la Limagne, près de Clermont-Ferrand, est rempli par plus de 2 000 mètres de sédiments. Les caractéristiques de ces sédiments indiquent qu'il se sont déposés sous de faibles profondeurs d'eau et accumulés pendant 12 millions d'années au cours de l'Oligocène (– 35 à – 23 Ma).

Dans ces sédiments, on trouve de nombreux gisements de bitume comme celui de la Mine des Rois, près de Pont-du-Château. Cette mine, ouverte en 1884, a été fermée définitivement en 1984.

1. Proposez une explication au remplissage du fossé de la Limagne par 2 000 mètres de sédiments.

2. Expliquez la présence de bitume dans ces sédiments.

Écoulement naturel d'hydrocarbure sur la paroi d'une galerie souterraine (Mine des Rois).

Coupe schématique ouest-est de la Limagne passant par Clermont-Ferrand.

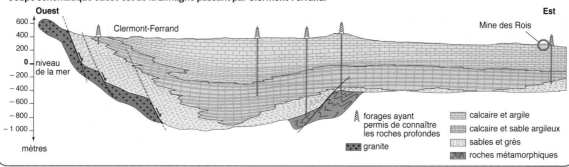

forages ayant permis de connaître les roches profondes

granite

calcaire et argile
calcaire et sable argileux
sables et grès
roches métamorphiques

9 Un projet de stockage de CO_2 à Lacq
Recenser et organiser des informations

Pendant plusieurs décennies, on a exploité le gaz naturel dans la région de Lacq (Pyrénées-Atlantiques). Les roches du sous-sol comprennent des niveaux riches en matière organique (roche mère) situés sous des couches poreuses, elles-mêmes surmontées par des roches imperméables. Depuis quelque temps, les géologues prévoient d'utiliser ces sites pour stocker une partie du CO_2 rejeté par les activités humaines.

1. En utilisant vos connaissances, dites pourquoi le rejet massif de CO_2 dans l'atmosphère pose des problèmes.

2. Quels arguments conduisent les géologues à proposer de stocker nos excédents de CO_2 dans le site de Lacq ?

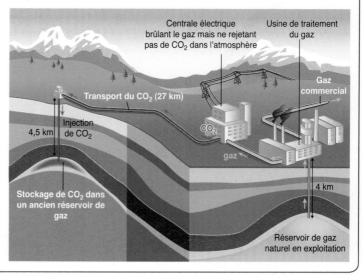

10 Photosynthèse et taux de CO$_2$ dans le milieu

Expérimenter, raisonner

■ Problème à résoudre

Les végétaux chlorophylliens sont capables d'assimiler le dioxyde de carbone présent dans leur milieu pour fabriquer leur matière organique. Pour cela, la lumière est indispensable.

On cherche à savoir si le taux de CO$_2$ dans le milieu est un « facteur limitant », c'est-à-dire si l'augmentation de ce taux peut favoriser les mécanismes photosynthétiques.

■ Matériel disponible

– Logiciel d'ExAO et sa fiche technique.
– Sonde à O$_2$ et sonde à CO$_2$, fonctionnant dans l'air.
– Feuilles d'épinard.
– Petit morceau de calcaire.
– Flacon d'acide et une seringue.
– Enceinte relativement étanche permettant l'installation des sondes et le passage de la seringue.

■ Protocole expérimental

Concevez un protocole permettant de répondre au problème posé, en s'inspirant du principe présenté ci-dessous.

■ Exploitation des résultats

– Communiquez les résultats obtenus avec l'outil de votre choix.
– Critiquez les résultats obtenus et répondez au problème posé.

Feuilles d'épinard.

Action de l'acide sur le calcaire.

Principe général du montage

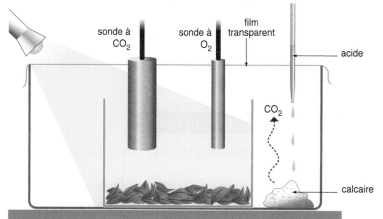

sonde à CO$_2$

sonde à O$_2$

film transparent

acide

CO$_2$

calcaire

Guide pratique, p. 245

Des DOCUMENTS pour se poser des questions

Les combustibles fossiles ont mauvaise réputation

Énergie polluante et non renouvelable, les hydrocarbures ont mauvaise presse ; ils apparaissent néanmoins incontournables dans le panorama énergétique mondial en particulier pour les transports aériens.

De la connaissance des mécanismes à celle des gisements

La connaissance des mécanismes à l'origine des vents et des courants est un préalable indispensable aux prises de décision concernant l'utilisation de ces ressources énergétiques.

Différentes énergies renouvelables

L'eau et l'air sont en mouvement. Ces déplacements sont à l'origine d'une énergie que l'on peut utiliser pour fabriquer de l'électricité. Ces ressources énergétiques sont, contrairement aux combustibles fossiles, renouvelables à l'échelle humaine.

LES PROBLÉMATIQUES DU CHAPITRE

- Pourquoi le recours aux « combustibles fossiles » pose-t-il un problème pour le XXIᵉ siècle ?
- Quelle est l'origine de l'énergie éolienne ? De l'énergie hydroélectrique ?
- L'humanité peut-elle passer de l'ère du « non renouvelable » à celle des énergies renouvelables ?

Pourra-t-on un jour se passer
des combustibles fossiles ?

Le défi énergétique :
du non renouvelable au renouvelable

Combustibles fossiles et rejet de CO_2

Les hydrocarbures et le charbon constituent notre principale ressource énergétique. Cependant, la combustion de ces produits d'origine biologique rejette du CO_2 dans l'atmosphère. *Il s'agit ici de mettre en évidence l'impact des activités humaines sur l'équilibre naturel du CO_2 dans l'atmosphère.*

A Une évolution naturelle du taux de CO_2 atmosphérique

Sur Terre, le carbone est présent sous de nombreuses formes : CO_2 de l'atmosphère, CO_2 présent dans l'eau sous différentes formes, matière organique des êtres vivants, roches carbonées, calcaires...

Ces réservoirs ne sont cependant pas indépendants les uns des autres : par des mécanismes géochimiques ou biochimiques, ils échangent de la matière, ce qui constitue un cycle biogéochimique responsable du taux de CO_2 atmosphérique.

* Valeurs données en Gt de carbone pour les réservoirs et en $Gt \cdot an^{-1}$ de CO_2 pour les flux.
1 gigatonne (Gt) = 10^9 tonnes.

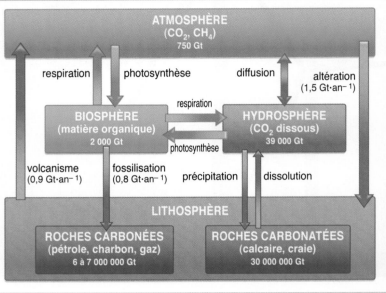

Doc. 1 Un cycle naturel du carbone.

En forant dans la calotte glaciaire, on peut retrouver des glaces âgées de plus de 500 000 ans. Dans les bulles d'air emprisonnées entre les cristaux de neige lors de leur transformation en glace, les scientifiques mesurent le taux de CO_2 des atmosphères passées.

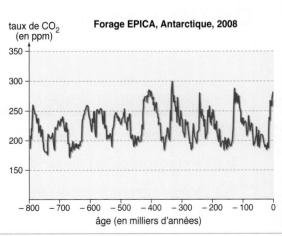

Doc. 2 Une variation naturelle du taux de CO_2 inscrite dans les archives géologiques.

B Une interférence humaine

L'Homme tire des combustibles fossiles la majeure partie de l'énergie dont il a besoin pour ses activités. Leur combustion libère dans l'atmosphère une grande quantité de CO_2 comme dans cette centrale thermique (photographie) où l'on brûle du charbon pour produire de l'électricité. Les combustibles fossiles ayant une origine biologique, leur combustion libère inexorablement du CO_2, mais aussi du soufre par exemple.

Ces productions sont à l'origine de diverses pollutions et d'un **réchauffement climatique**.

• Les activités humaines productrices de CO_2

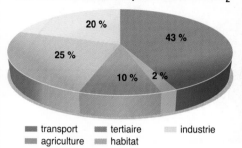

20 %
43 %
25 %
10 % 2 %

■ transport   ■ tertiaire   ■ industrie
■ agriculture ■ habitat

• Des flux quantitativement importants

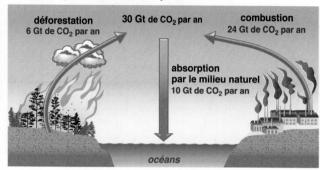

déforestation
6 Gt de CO_2 par an

30 Gt de CO_2 par an

combustion
24 Gt de CO_2 par an

absorption
par le milieu naturel
10 Gt de CO_2 par an

océans

Doc. 3 Les activités humaines rejettent du CO_2.

Le milieu naturel absorbe une grande part de la production de CO_2 liée aux activités humaines. Cependant, on estime que chaque année plus de 20 milliards de tonnes de CO_2 supplémentaires dues aux activités humaines s'accumulent dans l'atmosphère. Cette augmentation est aujourd'hui mesurée directement ; la confrontation de cette progression avec les données recueillies dans les glaces est édifiante.

Évolution de la teneur de l'atmosphère en CO_2 depuis 1 200 ans

taux de CO_2 (en ppm)

360
340
320
300
280
260

années

800   1 000   1 200   1 400   1 600   1 800   2 000

Doc. 4 Une évolution préoccupante.

Pistes d'exploitation

1. Doc. 1 : Expliquez comment le taux de CO_2 peut être équilibré naturellement dans l'atmosphère.

2. Doc. 2 : Montrez qu'il existe une variation naturelle du taux de CO_2 atmosphérique au cours du temps.

3. Doc. 1 et 3 : Recopiez le cycle du carbone et fléchez l'interférence des activités humaines sur ce cycle naturel. Comparez quantitativement leur impact à quelques phénomènes naturels.

4. Doc. 2 et 4 : Comparez l'évolution actuelle et passée du taux de CO_2 atmosphérique. Expliquez en quoi la situation actuelle est préoccupante.

Lexique, p. 258

L'énergie éolienne, de l'énergie solaire

L'énergie des vents a toujours été utilisée par les hommes. Les vents correspondent à des déplacements au sein d'une enveloppe fluide de la planète, l'atmosphère. *L'objectif est de comprendre que l'énergie éolienne provient d'une conversion de l'énergie solaire et que la connaissance de l'origine des vents permet de déterminer le gisement éolien.*

A Une inégale répartition de l'énergie solaire reçue par la Terre

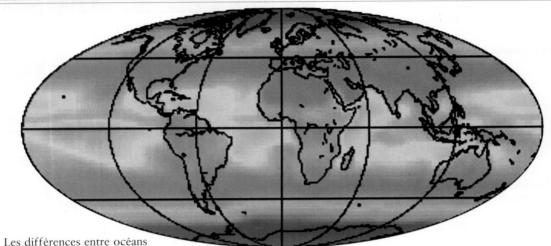

Les différences entre océans et continents sont dues à la réflexion de la lumière, plus importante sur les continents que sur les océans.

0   95   190   285   380 W/m²

Doc. 1 La répartition de l'énergie solaire absorbée par la surface du globe.

■ **PROTOCOLE EXPÉRIMENTAL**
– Éclairer un globe terrestre avec un projecteur suffisamment éloigné.
– Interposer, entre le projecteur et le globe, une plaque percée de trous de même diamètre afin d'obtenir des pinceaux de lumière de même diamètre et parallèles entre eux.
– Observer le globe.

■ **RÉSULTATS**

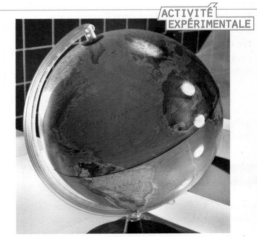

Localisation	Équateur	Turin	Spitzberg
Latitude	0°	45°N	80°N
Angle « lumière-surface »*	90°	30°	10°
Surface éclairée par un faisceau lumineux de 1 m² de section	1 m²	1,4 m²	5,8 m²

* Angle entre direction du Soleil et surface terrestre (Soleil au zénith de l'équateur).

Remarque : les pinceaux lumineux transportant tous la même quantité de lumière, plus la surface éclairée est grande, plus la quantité d'énergie reçue par unité de surface est faible.

Doc. 2 Modéliser pour comprendre l'inégale répartition de l'énergie solaire reçue par la Terre.

B Du déplacement d'air au gisement éolien

L'énergie solaire est en partie absorbée par la surface du globe et en partie réémise sous forme de chaleur par l'intermédiaire d'un rayonnement infrarouge. En chauffant la Terre, le soleil est donc indirectement à l'origine d'un réchauffement des basses couches de l'atmosphère. Ce réchauffement provoque la mise en mouvement des masses d'air, à la fois verticalement et horizontalement. Les mouvements horizontaux proches de la surface constituent les vents.

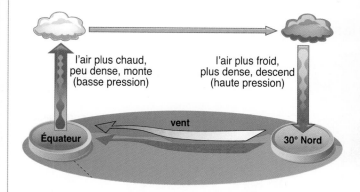

l'air plus chaud, peu dense, monte (basse pression)

l'air plus froid, plus dense, descend (haute pression)

vent

Équateur

30° Nord

tube permettant la communication entre l'intérieur et l'extérieur de la bouteille

papier d'Arménie

Une modélisation de l'origine des vents.

Doc. 3 L'énergie solaire met l'air en mouvement.

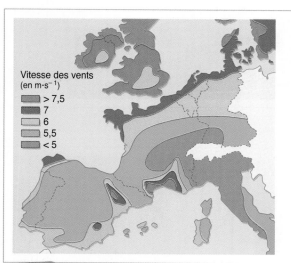

Vitesse des vents (en m·s⁻¹)

> 7,5
7
6
5,5
< 5

De l'équateur vers les pôles, l'inégale répartition de l'énergie solaire reçue par la Terre est à l'origine de plusieurs grandes cellules de convection des masses d'air. Les vents sont ainsi plus ou moins présents selon les latitudes. De plus, la rotation de la Terre et des interactions entre les **cellules de convection** font que celles-ci s'enroulent sur elles-mêmes et n'ont pas une trajectoire rectiligne. Par exemple, en Europe occidentale, les masses d'air sont essentiellement dirigées du sud-ouest vers le nord-est (vents dominants de sud-ouest).

À ces phénomènes globaux s'ajoutent des mécanismes plus locaux : des déséquilibres thermiques entre la mer et le continent, ou entre des montagnes et des plaines par exemple, créent des vents plus ou moins forts.

La connaissance de ces phénomènes permet de dresser une carte des différentes régions potentiellement intéressantes pour exploiter l'énergie éolienne.

Doc. 4 Le gisement éolien.

Pistes d'exploitation

1. Doc. 1 et 2 : Expliquez l'inégale répartition de l'énergie solaire reçue par la Terre. Expliquez la répartition des climats en fonction de la latitude.

2. Doc. 3 : Pourquoi peut-on dire que l'énergie solaire est à l'origine des vents ?

3. Doc. 4 : Quels sont les secteurs les plus propices en Europe pour implanter des éoliennes ? Expliquez pourquoi.

4. Doc. 4 : Expliquez l'origine des vents côtiers. Recherchez par exemple pourquoi l'été une brise fraîche venant de la mer rafraîchit les baigneurs pendant la journée, tandis que la nuit, les vents soufflent de l'intérieur des terres vers la mer.

Lexique, p. 258

L'énergie hydroélectrique, de l'énergie solaire

Tout comme l'atmosphère, l'hydrosphère est une enveloppe fluide animée de mouvements : pluies, rivières ou encore courants marins. *Comprendre l'origine des mouvements de ces masses d'eau permet d'exploiter leurs gisements et de les convertir en énergie utilisable pour les activités humaines.*

A Le cycle de l'eau est activé par le soleil

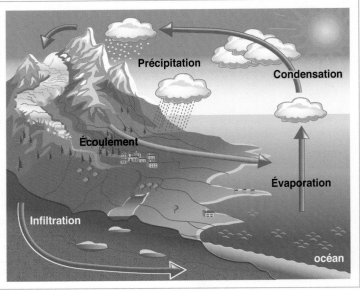

La vapeur d'eau est invisible : cependant, des satellites météorologiques sont équipés de capteurs qui peuvent la détecter et estimer la teneur de l'air en vapeur d'eau.

Sur l'*image ci-dessus* (satellite Météosat), les zones claires traduisent une forte teneur de l'air en vapeur d'eau.

Doc. 1 **Le soleil met l'eau en mouvement.**

• **L'énergie hydroélectrique** est la principale ressource énergétique renouvelable. À l'échelle planétaire, elle produit autant d'électricité que l'énergie nucléaire. Il s'agit de la forme d'énergie solaire la plus utilisée. En effet, en activant le cycle de l'eau, l'énergie solaire déplace l'eau en haut des reliefs desquels elle s'écoule ensuite. L'eau stockée dans les barrages a une énergie potentielle qui est transformée en électricité lorsqu'elle s'écoule dans une conduite et fait tourner une turbine. Le rendement est très important (90 %).

• Les barrages ont néanmoins un impact environnemental : ils modifient le cycle de l'eau en favorisant l'évaporation, ils sont à l'origine de l'accumulation de sédiments parfois polluants et ils modifient la migration des poissons. Les plus grands barrages peuvent aider à propager des maladies et perturbent l'agriculture en aval (elle perd en productivité par manque d'alluvions fertilisateurs).

Doc. 2 **Les barrages, principal mode de stockage de l'énergie solaire.**

B Les courants marins et l'énergie solaire

L'inégale répartition de l'énergie solaire reçue par la Terre se traduit par une variation latitudinale très marquée de la température de surface des eaux océaniques. Ces différences thermiques, alliées à la force motrice des vents, créent de grands courants qui déplacent les eaux de surface sur une épaisseur de 100 à 200 mètres. D'autres courants plus profonds existent, mais leur mécanique est plus complexe.

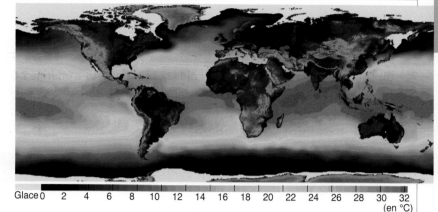

Glace 0 2 4 6 8 10 12 14 16 18 20 22 24 26 28 30 32 (en °C)

Doc. 3 **Température de surface de l'eau de mer.**

ACTIVITÉ EXPÉRIMENTALE

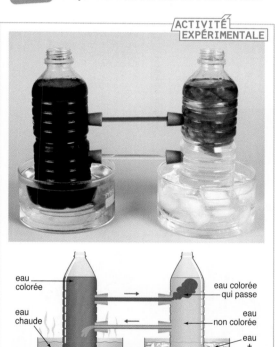

eau colorée

eau chaude

eau colorée qui passe

eau non colorée

eau + glace

Doc. 4 **Un modèle pour comprendre l'origine des courants marins.**

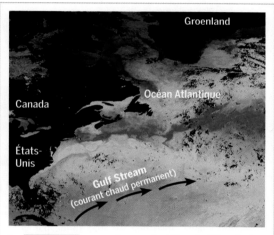

Le **Gulf Stream** a une vitesse régulière de 8 km·h⁻¹ et un débit de 14 km³ par seconde. Son énergie cinétique est équivalente à celle de vents de 230 km·h⁻¹. Il s'agit donc d'un gisement énergétique immense. Un projet pour le moment futuriste consisterait à y implanter des turbines immergées à 60 mètres de profondeur. Leur utilisation donnerait une source d'énergie renouvelable quasiment illimitée.

Doc. 5 **Utiliser l'énergie du Gulf Stream ?**

Pistes d'exploitation

1. Doc. 1 et 2 : Décrivez le fonctionnement du cycle de l'eau. Expliquez pourquoi on peut qualifier l'énergie hydroélectrique « d'énergie solaire ».

2. Doc. 2 : Justifiez le titre donné au document. Discutez des avantages et inconvénients de l'énergie hydroélectrique.

3. Doc. 3 et 4 : Expliquez l'origine des courants marins de surface. Montrez qu'il s'agit d'une forme d'énergie solaire.

4. Doc. 5 : Expliquez en quoi le Gulf Stream est un gisement énergétique mais pas encore une réserve utilisable.

Lexique, p. 258

Quelle énergie pour demain ?

Les ressources énergétiques de la planète, quasiment toutes d'origine solaire, pourront-elles répondre aux besoins de l'Homme, toujours plus consommateur d'énergie ? *Il s'agit de prendre conscience à l'échelle globale du défi énergétique qui est dès aujourd'hui lancé à l'humanité.*

A Le bilan radiatif de la planète

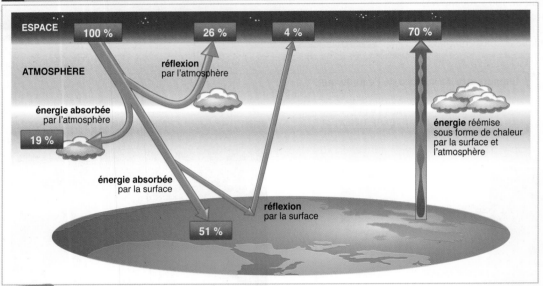

ESPACE 100 % 26 % 4 % 70 %

ATMOSPHÈRE

réflexion par l'atmosphère

énergie absorbée par l'atmosphère

19 %

énergie réémise sous forme de chaleur par la surface et l'atmosphère

énergie absorbée par la surface

réflexion par la surface

51 %

Doc. 1 Que devient l'énergie solaire reçue par la planète ?

L'énergie solaire absorbée sur une année par la surface de la Terre est de 3 850 zettajoules (ou ZJ, avec 1 ZJ = 10^{21} J). Le rendement de la photosynthèse étant de 0,1 % en moyenne et les organismes photosynthétiques ne recouvrant globalement que 10 % de la surface du globe, il n'y a donc que 0,01 % de l'énergie solaire qui est utilisée par la biosphère. Une grande partie de cette énergie captée par la biosphère est convertie en chaleur par la respiration ou la fermentation ; seule une infime part échappe à la décomposition et se fossilise (charbon, pétrole, gaz naturel).

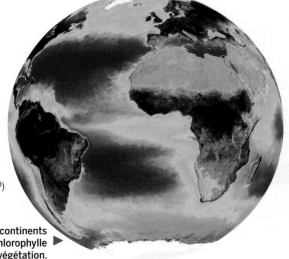

Concentration en chlorophylle dans les océans (en mg/m^3)

0,01   0,1   1,0   10   60

Sur l'*image ci-contre*, les couleurs au niveau des continents ne traduisent pas la concentration en chlorophylle mais un « indice » de végétation. ▶

Doc. 2 Quelle part de l'énergie solaire est utilisée par la biosphère ?

B Des besoins énergétiques à assouvir

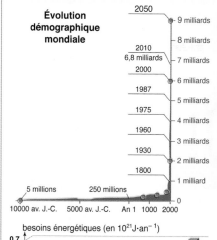

Évolution démographique mondiale

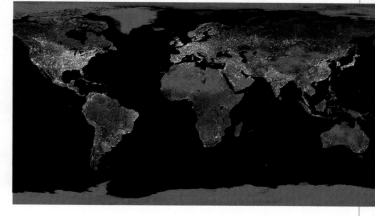

Cette image satellitale de la Terre observée de nuit révèle la lumière artificiellement émise vers l'espace par l'Homme ; elle résume l'emprise de l'Homme sur la planète. Nous occupons toujours de plus en plus d'espace, nos mégalopoles sont toujours plus grandes (80 % des humains vivront bientôt dans les villes), nos besoins énergétiques sont toujours plus importants. Au rythme démographique actuel, nous serons 9 milliards d'humains en 2050.

Doc. 3 **Les besoins énergétiques de l'humanité.**

Le *graphique ci-contre* présente les différentes ressources énergétiques utilisées à l'échelle du globe. Ce panorama montre clairement la prédominance des énergies d'origine biologique. L'immense majorité de l'énergie solaire reçue par la planète est donc totalement sous-exploitée car l'utilisation des énergies reste dépendante des moyens techniques. Le soleil fournit l'énergie suffisante pour satisfaire les besoins croissants de l'humanité mais il reste à inventer les procédés pour parvenir à l'exploiter.

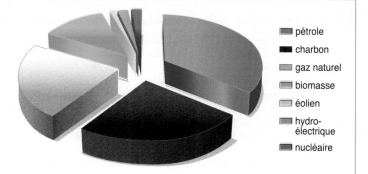

- pétrole
- charbon
- gaz naturel
- biomasse
- éolien
- hydro-électrique
- nucléaire

Doc. 4 **Différentes ressources énergétiques sont exploitées au niveau mondial.**

Pistes d'exploitation

1. **Doc. 1 :** Rédigez un court texte pour résumer le devenir de l'énergie solaire reçue par la Terre.

2. **Doc. 2 et 3 :** Comparez l'énergie reçue par la planète et les besoins humains en énergie.

3. **Doc. 2 et 4 :** Discutez de la place actuelle des différentes formes d'énergie d'origine solaire. Quelles places devraient-elles avoir dans le futur ?

4. **Doc. 1 à 4 :** Résumez en quelques lignes les enjeux du défi énergétique lancé à l'humanité.

Lexique, p. 258

chapitre 2 Le défi énergétique, du non renouvelable au renouvelable

1 Cycle du carbone et activités humaines

● L'élément carbone est présent dans différents **réservoirs** terrestres interdépendants qui s'échangent principalement du CO_2. Ces échanges déterminent un **cycle géochimique** responsable d'un équilibre du taux de CO_2 atmosphérique.

● Les **archives géologiques** montrent que cet équilibre se modifie au cours du temps. Il existe une fluctuation naturelle du taux de CO_2 atmosphérique.

● Les **combustibles fossiles** (charbon, pétrole, gaz) ont une origine biologique. Par la combustion de ces énergies fossiles, les activités humaines restituent dans l'atmosphère du CO_2 piégé très lentement par photosynthèse puis par fossilisation.

● L'océan et la biosphère absorbent une partie du CO_2 d'origine humaine mais cela n'est pas suffisant. Chaque année, des milliards de tonnes de CO_2 supplémentaires s'accumulent dans l'atmosphère, d'où une **augmentation du taux de CO_2** d'une ampleur et d'une rapidité jamais vues depuis 500 000 ans.

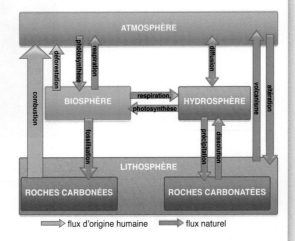

▷ flux d'origine humaine   ▷ flux naturel

À RETENIR

Brûler un combustible fossile, c'est utiliser une énergie solaire du passé : l'Homme restitue ainsi très rapidement dans l'atmosphère du dioxyde de carbone que la nature avait lentement prélevé et piégé. L'augmentation rapide, d'origine humaine, de la concentration du dioxyde de carbone dans l'atmosphère déséquilibre le cycle naturel du carbone.

2 Les déplacements d'air et d'eau, des énergies d'origine solaire

● Du fait de la sphéricité du globe, la quantité d'énergie solaire reçue par unité de surface varie selon la latitude. Elle diminue de l'équateur vers les pôles.

● Les zones qui reçoivent plus d'énergie sont plus échauffées ; la chaleur ainsi dégagée par la surface du globe réchauffe l'air qui, devenu moins dense, s'élève. Il se crée ainsi des zones de basses pressions à l'origine de déplacements d'air horizontaux, les **vents** : ceux-ci sont orientés des **zones de haute pression** vers les **zones de basse pression**.

● Des **courants marins** naissent aussi de l'inégale répartition de l'énergie solaire reçue par la Terre. Poussées par les vents, de gigantesques masses d'eau sont mises en mouvement.

● L'énergie solaire est responsable du **cycle de l'eau**. L'eau s'évapore grâce à la chaleur équatoriale et circule, sous forme de vapeur, grâce aux mouvements atmosphériques ; les précipitations, l'écoulement par gravité permettent le retour de l'eau dans les bassins océaniques.

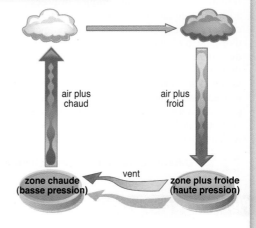

À RETENIR

L'énergie solaire, inégalement reçue à la surface de la planète, est à l'origine des vents, des courants marins et du cycle de l'eau. Utiliser l'énergie des vents, des courants marins, des barrages hydroélectriques, revient à utiliser indirectement de l'énergie solaire. Ces ressources énergétiques sont rapidement renouvelables.

3 Mieux utiliser l'énergie du soleil, un défi pour demain

• Le **bilan radiatif** de notre planète est globalement nul : la Terre renvoie autant d'énergie qu'elle en reçoit. L'énergie solaire reçue par la Terre est en partie absorbée et réfléchie par l'atmosphère ainsi que par la surface du globe.

• L'énergie solaire absorbée par la surface de la Terre en une année est de 3 850 zettajoules (ZJ = 10^{21} joules). Cette valeur énorme comprend l'énergie transférée par les courants d'air et d'eau mais aussi l'énergie intégrée dans la matière vivante par la **photosynthèse**.

• Le rendement de la photosynthèse est inférieur à 1 % ; par ailleurs, les organismes photosynthétiques ne recouvrent qu'une faible surface du globe. La part de l'énergie solaire convertie en **biomasse** est donc infime. De façon exceptionnelle, cette biomasse peut être transformée en combustibles fossiles. Il faut donc bien comprendre que charbon, pétrole et gaz naturel ne représentent qu'une part dérisoire de l'énergie solaire reçue par la Terre.

• La nuit, la Terre s'allume désormais de mille feux, nos villes se voient de l'espace ! L'humanité prend de plus en plus de place sur la planète et ses besoins en énergie sont croissants. Avant la fin de ce siècle, 80 % des plus de 9 milliards d'humains vivront dans les villes et leurs besoins énergétiques dépasseront les 0,7 ZJ·an^{-1} (un tiers de plus que les besoins actuels).

• Le panorama des différentes ressources énergétiques utilisées actuellement à l'échelle du globe montre clairement la prédominance des énergies d'origine biologique (biomasse et combustibles fossiles). La plus grande part de l'énergie solaire reçue par la Terre est donc inexploitée. Maîtrise de la consommation énergétique et solutions technologiques innovantes seront les clés du défi énergétique qui attend l'humanité.

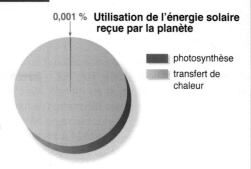

0,001 % **Utilisation de l'énergie solaire reçue par la planète**

■ photosynthèse
■ transfert de chaleur

Consommation énergétique mondiale

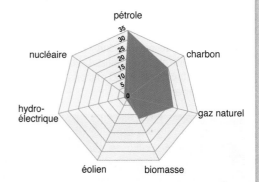

À RETENIR

La comparaison de l'énergie reçue par la planète et des besoins humains en énergie permet de discuter de la place actuelle ou future des différentes formes d'énergie d'origine solaire : énergies non renouvelables à l'échelle humaine (combustibles fossiles) et énergies renouvelables à l'échelle humaine (énergie éolienne, énergie hydroélectrique).

Mots-clés

• **Énergies renouvelables**
• **Énergies non renouvelables**
• **Conversions énergétiques**
• **Cycle géochimique**
• **Vents** • **Courants marins**
• **Cycle du carbone**
• **Cycle de l'eau**

Capacités et attitudes

▶ Schématiser pour représenter l'impact des activités humaines sur le cycle naturel du carbone.

▶ Expérimenter pour comprendre l'inégale répartition de l'énergie solaire reçue par la Terre.

▶ Modéliser pour comprendre l'origine des vents et des courants marins.

▶ Extraire et mettre en relation des informations pour comprendre les enjeux du défi énergétique.

Les Trois-Gorges, la deuxième grande muraille de Chine

- Le barrage des Trois-Gorges, construit en Chine sur l'immense fleuve Yang-Tse, est le premier complexe hydroélectrique au monde. Avec ses 2 309 mètres de long et ses 185 mètres de haut, il constitue l'un des plus grands ouvrages bâtis par l'Homme à ce jour. Il a nécessité 14 années de travaux, coûté près de 25 milliards d'euros.

Il est pleinement opérationnel depuis 2009. Pour le construire, il a fallu bâtir une immense digue provisoire de 11 millions de m^3 de roches et de terre (194 000 m^3 de matériaux étaient amenés chaque jour !) et utiliser ensuite 27 millions de m^3 de béton.

- Vingt six turbines produisent 85 milliards de kWh d'électricité par an, soit l'équivalent d'une dizaine de centrales nucléaires. Ce barrage devrait permettre d'économiser 50 millions de tonnes de charbon par an.

- Pour réaliser cette œuvre pharaonique, 1,8 million de personnes ont été déplacées, souvent sans être relogées. Des villes entières ont été ensevelies (15 villes et 116 villages) et, avec elles, des trésors architecturaux, historiques et archéologiques. Les écosystèmes ont été bouleversés, la biodiversité a été altérée, une espèce a même disparu : le dauphin de Chine. La sédimentation en amont et en aval du barrage est perturbée, ce qui laisse présager des modifications du cours d'eau et du delta.

Mai 2000

Mai 2004

4 km

Le bassin de retenue créé par le barrage s'étend sur une longueur de 600 km, 4 milliards de m^3 d'eau y sont stockés. Les crues du Yang-Tse meurtrières et dévas- tatrices devraient ainsi enfin être régulées et le développement des régions intérieures chinoises facilité.

... découvrir des métiers et des formations

Les métiers des énergies renouvelables

Vous aimez
- Concevoir des projets
- Travailler en équipe
- Utiliser des données de terrain
- Imaginer des solutions alternatives
- Gérer, calculer, organiser, convaincre

Technicien d'exploitation et de maintenance de parc éolien
c'est s'assurer, entre autres, que les turbines génèrent une énergie propre.

Les domaines d'activités potentiels

Dans le **domaine public** ou **privé**, l'ingénieur en recherche et développement fait des études de coût, de rentabilité, de faisabilité, de performance et d'impact. Il prospecte, étudie, teste et compare les différentes solutions énergétiques. Il crée aussi de nouveaux produits, imagine de nouveaux procédés.

Les techniciens spécialisés, notamment dans le **domaine privé**, accompagnent la mise en place de solutions durables tant au niveau commercial que pour le conseil ou la maintenance.

Pour y parvenir

Des études scientifiques, mais aussi économiques, conduisent à ce domaine d'activité. L'Université (licences professionnelles et des DUT dédiés aux métiers des énergies renouvelables) mais aussi les Sections de Techniciens Supérieurs donnent les qualifications nécessaires aux emplois de techniciens. Les classes préparatoires puis les écoles d'ingénieurs ainsi que les masters professionnels de l'Université permettent de postuler aux emplois de niveau ingénieur.

Un bon conseil : ne négligez aucune matière, il faut être polyvalent pour réussir dans ce domaine qui fait appel aussi bien aux sciences, qu'à l'économie, au droit et à la communication.

Les débouchés

Les postes d'ingénieur notamment sont encore limités mais l'avenir est prometteur. Des perspectives s'ouvrent dans le domaine privé dans le cadre de l'équipement des foyers en solutions durables du type panneaux solaires ou géothermie.

... comprendre l'histoire grâce à la science

Le premier voyage de Christophe Colomb

C'est en voulant traverser l'Atlantique pour aller aux Indes par l'ouest, que Christophe Colomb découvre « les Amériques ». Navigateur hors pair, il sait, en quittant Palos de la Frontera dans le sud de l'Espagne au commandement de la Santa Maria, le 3 août 1492, qu'il va profiter des vents d'est jusqu'aux Canaries. Après une courte escale, il prend le cap plein ouest. Les vents ne le mèneront pas vers le Japon et l'Inde comme il le pensait mais vers les Caraïbes.

Ce sont encore les vents dominants qui le ramèneront au Portugal par une route passant beaucoup plus au nord. Il ramènera avec lui quelques « indiens », qui s'avèreront donc être des antillais.

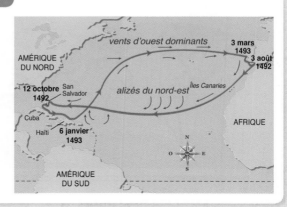

Exercices

1 Définissez les mots ou expressions

Réservoirs de carbone, roche carbonatée, roche carbonée, flux de carbone, énergie non renouvelable, énergie renouvelable, vents.

2 Questions à choix multiples

Choisissez la ou les bonnes réponses parmi les différentes propositions.

1. Le taux de CO_2 atmosphérique :
a. n'a jamais été aussi élevé depuis 500 000 ans ;
b. est stable au cours du temps ;
c. a déjà été plus élevé au cours des 500 000 dernières années.

2. Les vents :
a. soufflent des zones de basses pressions vers les zones de hautes pressions atmosphériques ;
b. soufflent des zones de hautes pressions vers les zones de basses pressions atmosphériques ;
c. correspondent à une forme d'énergie solaire.

3. Les courants marins de surface comme le Gulf Stream :
a. sont dépendants de l'énergie solaire ;
b. sont liés aux vents ;
c. transfèrent de la chaleur des pôles vers l'équateur.

3 Vrai ou faux ?

Repérez les affirmations exactes et corrigez celles qui sont inexactes.
a. Les mouvements atmosphériques sont des mouvements uniquement horizontaux.
b. Les vents dominants en Europe occidentale sont des vents d'est.
c. Il existe une variation naturelle du taux de CO_2 atmosphérique indépendamment des activités humaines.
d. L'élévation actuelle du taux de CO_2 atmosphérique est un phénomène tout à fait semblable à ce qui s'est produit au cours des 500 000 dernières années.
e. Le Gulf Stream est une ressource énergétique.
f. Un barrage sur une rivière est une forme de stockage de l'énergie solaire.

4 Questions à réponse courte

a. Quel est l'enjeu du défi énergétique ?
b. Quel impact les activités humaines ont-elles sur le cycle du carbone ?
c. Quelle est l'origine des vents ?
d. Quelle est l'origine des courants marins de surface ?
e. Quels sont les différents réservoirs de carbone sur la planète Terre ?
f. Quel est le moteur du cycle de l'eau ?

5 Retrouvez le mot qui correspond à la définition.

a. Zone où la pression atmosphérique permet la naissance de vents.
b. Courant marin de surface naissant dans le golfe du Mexique.
c. Flux de carbone entre l'hydrosphère et l'atmosphère.
d. Flux d'entrée du carbone dans la biosphère.
e. Énergie majoritairement utilisée par les activités humaines.

6 Énergie solaire et surface du globe Raisonner à partir d'une image

La surface terrestre absorbe de l'énergie du Soleil et réémet de l'énergie vers l'espace sous forme de chaleur (rayonnement infrarouge). La différence entre l'énergie absorbée et l'énergie réémise peut être calculée en tout point de la planète.

Ce calcul permet d'obtenir l'image ci-contre de la « **Puissance Radiative Nette** » de la planète.

Choisissez, parmi les différentes propositions, celles qui vous paraissent exactes :
a. Les déserts se distinguent des autres régions situées à la même latitude.
b. En Afrique, la forêt équatoriale réfléchit davantage la lumière solaire reçue que le désert du Sahara.
c. Les différences de puissance radiative nette observées à la surface du globe dépendent uniquement de la sphéricité de la Terre.
d. Globalement, les régions équatoriales absorbent davantage qu'elles ne réémettent.
e. Globalement, les régions équatoriales absorbent moins qu'elles ne réémettent.

$-80 \quad -60 \quad -40 \quad -20 \quad 0 \quad 20 \quad 40 \quad 60 \quad 80 \quad 90 \quad W/m^2$

7 EXERCICE GUIDÉ

Enquête sur le taux de CO_2 des atmosphères du passé · Mettre en relation des informations

Les stomates (*photographie ci-contre*) sont des orifices présents dans les feuilles. Ils permettent les échanges gazeux entre la plante et le milieu. Pour une feuille donnée, on évalue l'abondance des stomates par l'indice stomatique (% de stomates par rapport au nombre de cellules épidermiques).

Des mesures de l'indice stomatique et de la quantité de dioxyde de carbone présent dans l'atmosphère au cours du XXe siècle ont permis d'établir une relation entre ces deux paramètres (**doc. 1** et **2**).

À l'aide de la mise en relation des documents 1 à 3, indiquez comment il est possible d'estimer les valeurs du taux de CO_2 atmosphérique du passé pour les comparer aux valeurs du taux actuel.

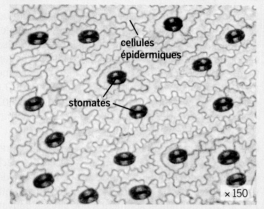

Épiderme d'une feuille de fougère observé au microscope optique.

Doc. 1 : Évolution de l'indice stomatique et de la teneur en CO_2 atmosphérique au cours de la période industrielle.

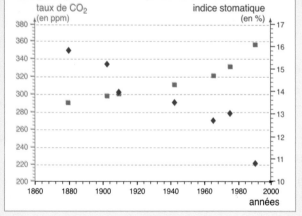

Doc. 2 : Relation entre le taux de CO_2 atmosphérique et l'indice stomatique.

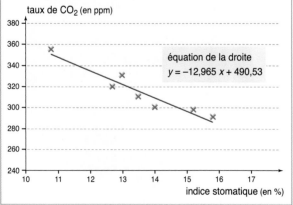

équation de la droite
$y = -12,965\ x + 490,53$

Doc. 3 : Valeurs d'indice stomatique déterminées sur des feuilles fossiles et actuelles.

● Feuilles fossiles :

Âge (en Ma)	Indice stomatique (en %)
– 2,5	9,5
– 6,5	16,2
– 10,0	10,5
– 55,0	8,29
– 65,9	7,03

Source : Dana Royer et al.

● Feuilles actuelles :

Des mesures effectuées en 2010 sur des feuilles de chêne du Limousin donnent un indice stomatique de 8,5 %.

Aide à la résolution

1. Expliquez la méthode utilisée, faites le lien entre l'indice stomatique et la teneur en CO_2 (texte et documents 1 et 2).

2. Utilisez l'équation de la droite du graphique (**doc. 2**) pour calculer le taux de CO_2 de différentes atmosphères du passé (**doc. 3**). On cherche la valeur de y, celle de x étant donnée par le tableau.

3. Refaites ce calcul pour l'atmosphère de 2010 et comparez cette valeur à celle des atmosphères passées.

8 Un projet d'éolienne à couper le souffle !

Saisir des informations, raisonner

De plus en plus de projets d'éoliennes de haute altitude voient le jour. En effet, on sait que le vent est plus fort en altitude : moins freiné par les obstacles naturels, il est plus régulier et souffle jusqu'à trois fois plus fort. On essaie donc aujourd'hui de développer des systèmes pour disposer des éoliennes à 400 m voire 1 000 m d'altitude. Mais un inventeur californien va plus loin, il rêve de disposer des éoliennes à 10 000 m d'altitude (illustration et texte ci-contre) !

C'est en effet à ce niveau, au-dessus des anticyclones et des dépressions, que l'on trouve des vents particuliers : les courants-jets (Jet Stream). Ce sont des vents d'ouest très forts et réguliers qui se situent entre 7 et 12 km d'altitude et soufflent à une vitesse pouvant atteindre 360 km·h^{-1}. Ces vents sont bien connus des pilotes d'avion puisque ceux-ci, pour échapper aux perturbations de la basse atmosphère, volent à leur altitude. Du fait des courants jets, l'aller Paris-New York est ainsi plus long d'une heure que le même vol retour.

L'éolienne imaginée est un véritable monstre : 175 m de long, pour une masse de 100 tonnes ! L'éolienne décolle grâce à sa centaine de rotors, les mêmes qui en altitude tournent pour produire de l'électricité. Celle-ci est transmise sur terre par un câble de 10 km de long qui sert également à amarrer le système au sol ! La production estimée est de 50 mégawatts (dix fois plus que les éoliennes les plus efficaces installées en pleine mer).

1. Expliquez pourquoi on envisage d'implanter des éoliennes à 10 km d'altitude.

2. Discutez des avantages et des inconvénients de ces éoliennes de très haute altitude.

9 Vents et courants marins de surface

Saisir des informations, raisonner

En comparant ces deux cartes, argumentez le lien existant entre vents et courants marins de surface.

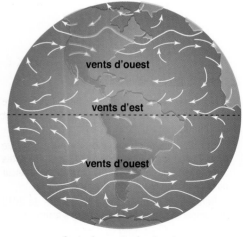

Carte des vents dominants.

Carte des courants marins de surface.

10 Des transferts de carbone entre l'air et l'eau

Concevoir et réaliser un protocole
Utiliser un dispositif d'ExAO

■ Problème à résoudre

À l'aide de divers matériels on se propose de modéliser les transferts de l'élément carbone entre l'hydrosphère et l'atmosphère. L'objectif est de montrer, d'une part, que le CO_2 est susceptible de passer de l'air vers l'eau et réciproquement, d'autre part, que différents paramètres peuvent influer sur ce passage.

■ Matériel disponible

– Récipients susceptibles de contenir des sondes d'ExAO et fermés hermétiquement,
– eau de chaux,
– eau bouillie,
– eau du robinet,
– eau distillée,
– pipette permettant de souffler dans le récipient,
– pastilles de potasse (absorbeur de CO_2),
– plaque chauffante,
– sondes thermométriques,
– sondes à CO_2 et dispositif d'ExAO.

■ Protocole

– Choisissez parmi le matériel proposé celui qui vous permettra de réaliser vos expériences.
– Élaborez un protocole intégrant le dispositif d'ExAO.
– Réalisez vos expériences et sauvegardez les résultats.

■ Exploitation des résultats

– Communiquez les résultats à l'aide de l'outil de votre choix.
– Présentez les conditions expérimentales puis justifiez le choix du matériel utilisé et indiquez les échanges mis en évidence par vos expériences.

● Un premier exemple parmi les différentes expériences qu'il est possible de réaliser (sonde à CO_2 dans l'eau).

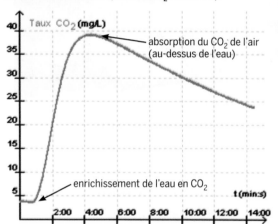

● Un deuxième exemple d'expérience.
Ici, on place une sonde à CO_2 dans l'air tandis qu'une autre sonde à CO_2 et une sonde thermométrique sont placées dans l'eau.

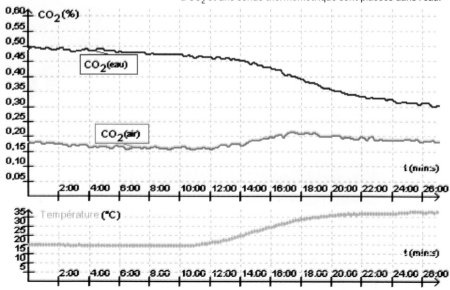

Guide pratique, p. 245

Le défi énergétique : du non renouvelable au renouvelable

Des DOCUMENTS pour se poser des questions

Tous les jours, au self...

Si l'Homme ne maîtrise pas davantage l'évolution démographique, l'agriculture et l'élevage devront répondre aux besoins alimentaires de 9 milliards d'êtres humains en 2050.

Campagne publicitaire pour l'huile de colza

L'huile alimentaire reste le premier débouché de la culture du colza. Cependant, le colza permet aussi de produire un agrocarburant, le diester. En France, en 2005, 300 000 ha de sol ont été utilisés pour produire des agrocarburants. Les prévisions pour 2010 se situent à 1,8 million d'ha.

L'occupation des sols à la surface de la planète

Au XXIe siècle, l'occupation des sols devient un enjeu planétaire.

LES PROBLÉMATIQUES DU CHAPITRE

- Comment nourrir l'humanité ?
- Quel impact l'agriculture a-t-elle sur les milieux naturels ?
- Quels rôles jouent le sol et l'eau dans la production agricole ?
- Sur quelles ressources en sols cultivables pouvons-nous compter ?
- Quels sont les usages possibles des produits de l'agriculture ?

Irrigation d'un champ cultivé, en Californie (États-Unis).

Nourrir l'humanité :
un défi pour le XXIe siècle

Nourrir 9 milliards d'humains

Pour satisfaire les besoins alimentaires de l'humanité, l'Homme utilise à son profit les produits de la photosynthèse. Mais l'agriculture entre en concurrence avec la nature. *L'objectif est ici de comprendre que nourrir chacun « à sa faim » sans détruire notre planète est un défi pour le XXIᵉ siècle.*

A Des besoins alimentaires toujours croissants

Qu'ils proviennent de l'agriculture, de l'élevage, de la pêche ou de l'aquaculture, tous nos aliments résultent, directement ou non, des **matières organiques** fabriquées grâce à la **photosynthèse**.

Doc. 1 Les bases de notre alimentation.

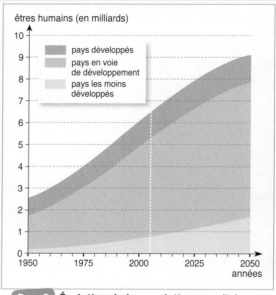

Doc. 2 Évolution de la population mondiale.

Évolution de la disponibilité alimentaire dans trois groupes de pays
(en grammes par personne et par jour)

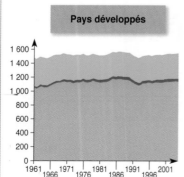

La FAO (Organisation des Nations Unies pour l'alimentation et l'agriculture) estime à 1 milliard le nombre total de personnes souffrant de sous-alimentation chronique dans le Monde en 2009, dont 9 millions dans les pays développés. C'est en Afrique sub-saharienne que la situation reste la plus dramatique, avec 32 % de la population sous-alimentée.

Doc. 3 De criantes inégalités alimentaires entre les régions du Monde.

B De graves conséquences sur notre environnement

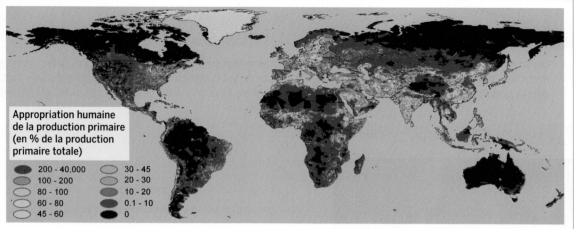

**Appropriation humaine
de la production primaire
(en % de la production
primaire totale)**

- 200 - 40,000
- 100 - 200
- 80 - 100
- 60 - 80
- 45 - 60
- 30 - 45
- 20 - 30
- 10 - 20
- 0.1 - 10
- 0

Le rapport entre la **consommation de produits agricoles** et la production primaire totale (agricole et naturelle) nous indique la part du prélèvement exercé par l'Homme sur les produits de la photosynthèse. À l'échelle de la planète, sur 100 g de matière végétale produite par les écosystèmes, l'Homme en prélève environ 20 g (13 sous forme de bois et 7 sous forme de produits agricoles). La part de ce prélèvement augmente année après année sous l'effet de la déforestation, principalement en zone tropicale humide.

Doc. 4 Un impact quantitatif : le prélèvement d'une partie de la production primaire.

**Causes de la déforestation
en Amazonie brésilienne (2000-2005)**

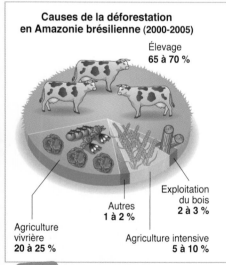

Élevage
65 à 70 %

Autres
1 à 2 %

Exploitation
du bois
2 à 3 %

Agriculture
vivrière
20 à 25 %

Agriculture intensive
5 à 10 %

Les forêts tropicales humides sont soumises à une déforestation tellement active (8 millions d'hectares par an) qu'elles pourraient avoir totalement disparu en 2025. Or, ces forêts contiennent probablement plus de la moitié de la **biodiversité** mondiale ! Les experts estiment ainsi qu'en moyenne, la destruction de 40 ha de forêt tropicale entraîne la disparition d'une espèce vivante.

Ara rouge : les populations de cet oiseau
ont fortement diminué.

Doc. 5 Un impact qualitatif : la diminution de la biodiversité.

Pistes d'exploitation

1. Doc. 1 : Pour quelles raisons dit-on que tous nos aliments dépendent de la photosynthèse ?

2. Doc. 2 et 3 : Quels groupes de pays connaissent une forte croissance démographique ? Comparez la disponibilité alimentaire de ces pays et celle des pays développés.

3. Doc. 4 : Proposez une hypothèse permettant d'expliquer que certaines régions du Monde prélèvent plus que 100 % de leur productivité primaire.

4. Doc. 5 : Calculez le nombre d'espèces qui disparaissent chaque année du fait de la déforestation.

Lexique, p. 258

Eau et sols : deux ressources essentielles

On sait que les végétaux ont besoin d'eau pour réaliser leur photosynthèse et que la plupart, notamment les plantes cultivées, absorbent cette eau dans le sol. L'agriculture a donc besoin de sols cultivables et d'eau. *L'importance de ces deux facteurs peut être mise en évidence au laboratoire et au champ.*

A Une étude réalisable en classe

On se propose de réaliser des cultures en pots dans différentes conditions de sol et d'eau, de façon à mettre en évidence les effets de ces facteurs sur la productivité primaire.

■ **Pour construire votre protocole expérimental**
– Faire varier la quantité de sol (épaisseur) ou d'eau.
– Faire varier la qualité du sol (plus ou moins riche en matières organiques, en sable, limon, argile).
– Faire varier la fréquence des apports d'eau.
– Contrôler les autres facteurs de la production végétale (type de plantes, éclairement, température…).
Remarque : ne faire varier qu'un seul facteur à la fois.

■ **Pour collecter vos résultats expérimentaux**
– Prévoir dès le début de l'expérience quand et comment seront collectés les résultats.
– Saisir des résultats qualitatifs : couleur des feuilles, forme de la plante, état des racines…
– Saisir des caractères quantitatifs : masse totale, masse des racines et des parties aériennes, nombre de feuilles, surface des feuilles, longueur des entre-nœuds…

■ **RÉSULTATS EXPÉRIMENTAUX**
Biomasse produite après un mois de culture de blé
(en grammes de matière sèche)

Type de sol	Profondeur du sol		
	6 cm	9 cm	12 cm
Sable	1,9	2,1	2,5
Terreau	1,9	2,3	2,9

Doc. 1 Des expériences simples pour montrer les rôles de l'eau et du sol.

B Une étude issue de la recherche agronomique

Une parcelle de 10 ha, située près de Laon dans le nord de la France, a été étudiée très en détail par l'Institut National de la Recherche Agronomique (INRA).

En creusant des fosses, on a pu identifier sur cette parcelle 12 types de sols, différant par leur profondeur, leur teneur en argile, limon, sable, matière organique, calcaire… Une carte très précise de ces sols a été dressée (carte a).

Par ailleurs, la teneur en eau des horizons de surface a elle aussi été cartographiée sur une zone plus petite (carte b).

Enfin, la parcelle a été cultivée en blé, et lors de la moisson 2003, le rendement (masse des grains récoltés par unité de surface) a été évalué et cartographié (carte c).

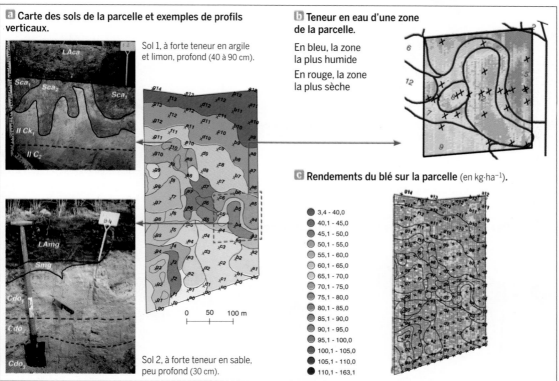

a Carte des sols de la parcelle et exemples de profils verticaux.

Sol 1, à forte teneur en argile et limon, profond (40 à 90 cm).

Sol 2, à forte teneur en sable, peu profond (30 cm).

0   50   100 m

b Teneur en eau d'une zone de la parcelle.

En bleu, la zone la plus humide

En rouge, la zone la plus sèche

c Rendements du blé sur la parcelle (en kg·ha⁻¹).

- 3,4 - 40,0
- 40,1 - 45,0
- 45,1 - 50,0
- 50,1 - 55,0
- 55,1 - 60,0
- 60,1 - 65,0
- 65,1 - 70,0
- 70,1 - 75,0
- 75,1 - 80,0
- 80,1 - 85,0
- 85,1 - 90,0
- 90,1 - 95,0
- 95,1 - 100,0
- 100,1 - 105,0
- 105,1 - 110,0
- 110,1 - 163,1

Doc. 2 Une étroite relation entre propriétés du sol et productivité primaire.

Pistes d'exploitation

1. Doc. 1 : Identifiez deux qualités que doit posséder un sol pour être cultivable. Justifiez la réponse.

2. Doc. 1 : Proposez un protocole détaillé permettant de tester l'influence de la salinité de l'eau sur la productivité primaire.

3. Doc. 2 : Comparez les rendements obtenus sur les sols 1 et 2. Quelles relations pouvez-vous faire avec les propriétés de ces sols ?

Lexique, p. 258

Des ressources limitées et inégalement réparties

Pour nourrir l'humanité, il faut disposer de terres cultivables suffisamment abondantes et de bonne qualité. Il faut par ailleurs une quantité suffisante d'eau. *Comme nous allons le découvrir, ces deux conditions ne sont hélas pas toujours réunies.*

A Tous les sols ne sont pas cultivables

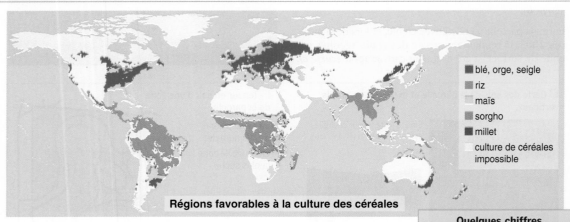

blé, orge, seigle
riz
maïs
sorgho
millet
culture de céréales impossible

Régions favorables à la culture des céréales

La plupart des terres émergées présentent des contraintes qui empêchent toute culture : pente trop forte, sol trop mince, trop pauvre, trop sec, trop humide, trop salé, trop froid...

Quelques chiffres en millions d'hectares (Mha)	
– Terres émergées	13 600
– Sols cultivables	4 200
– Sols cultivés	1 600

Doc. 1 **Des contraintes diverses limitent l'utilisation agricole des sols.**

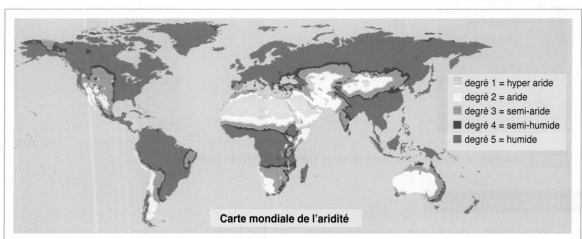

degré 1 = hyper aride
degré 2 = aride
degré 3 = semi-aride
degré 4 = semi-humide
degré 5 = humide

Carte mondiale de l'aridité

La ressource en eau est très inégalement répartie à l'échelle de la planète. Les précipitations proviennent en effet du cycle de l'eau et de la circulation des masses d'air, qui dépendent de l'inégale répartition de l'énergie solaire reçue par la Terre (voir chapitre 2, p. 132). Certaines régions sont donc très arides, d'autres très humides.

Doc. 2 **Le manque d'eau est souvent le premier problème pour l'agriculture.**

B Des conditions agricoles très contrastées

En France, la plupart des sols sont favorables à l'agriculture.

Riches en matière organique et en éléments nutritifs, retenant bien l'eau, ils présentent une intense activité biologique. Cette fertilité est également due à une **pluviométrie** assez élevée (environ 900 mm), répartie sur l'ensemble de l'année et assez peu variable d'une année à l'autre.

Ces conditions permettent le développement d'une agriculture très productive, mais aussi très consommatrice d'apports (engrais, produits phytosanitaires), d'énergie et de travail.

Doc. 3 En France, la qualité des sols et la pluviométrie sont propices à l'agriculture.

Le Sahel est une vaste région située en bordure sud du Sahara. Les sols sont très sableux, très pauvres en matière organique et retiennent mal l'eau. L'année est divisée en deux saisons : la saison sèche (octobre à mai) et la saison des pluies (juin à septembre). Durant la saison des pluies, il pleut en moyenne 400 mm.

Ces pluies tombent lors d'orages parfois violents, ce qui a des conséquences importantes :
– un même village peut recevoir 500 mm d'eau une année et 100 mm l'année suivante ;
– deux villages voisins peuvent recevoir la même année des quantités d'eau très différentes ;
– les très fortes pluies ruissellent et emportent le sol ;
– de longues périodes sans orage compromettent la croissance des plantes.

Les paysans cultivent le **mil** sur de vastes champs, très dispersés. Le travail y est réduit au strict minimum : les graines sont semées sans préparation du sol, dans des petits trous largement espacés les uns des autres. Le sol n'est **fertilisé** que par les déjections du bétail qui mange les pailles après la récolte. Il n'y a pas d'irrigation.

Doc. 4 L'agriculture traditionnelle du Sahel : un exemple d'adaptation à des conditions extrêmes.

Pistes d'exploitation

1. Doc 1 : Quel pourcentage des terres émergées est cultivable ? Quel pourcentage de terres cultivables est effectivement cultivé ?

2. Doc. 1 et 2 : Montrez que la culture des céréales est conditionnée par la ressource en eau.

3. Doc. 3 et 4 : Comparez, sous forme de tableau, les ressources en eau et en sol de la France et du Sahel, ainsi que les deux types d'agriculture pratiqués.

Lexique, p. 258

Agriculture, alimentation et énergie

L'agriculture sert à produire des aliments, mais aussi de nombreux autres produits, dont des combustibles et des agrocarburants. *C'est pourquoi nos besoins énergétiques entrent en concurrence avec nos besoins alimentaires. Voici quelques exemples.*

A Combustibles et carburants d'origine agricole

Depuis toujours l'humanité se chauffe, prépare ses repas et fabrique ses objets en brûlant des combustibles, au premier rang desquels figure le bois. Dans les pays pauvres, l'exploitation du bois s'accompagne souvent d'une destruction de la forêt. Dans les pays développés, des forêts sont cultivées (**sylviculture**) pour produire ce « bois de chauffe ».

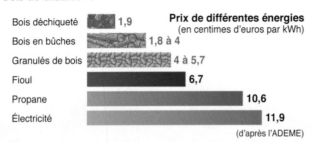

Prix de différentes énergies
(en centimes d'euros par kWh)

Bois déchiqueté	1,9
Bois en bûches	1,8 à 4
Granulés de bois	4 à 5,7
Fioul	6,7
Propane	10,6
Électricité	11,9

(d'après l'ADEME)

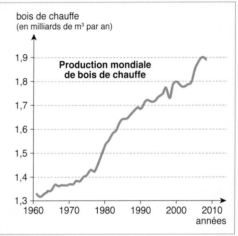

bois de chauffe
(en milliards de m³ par an)

Production mondiale de bois de chauffe

Doc. 1 La forêt peut aussi être considérée comme une production agricole.

La hausse des prix des **carburants fossiles** et la lutte contre le changement climatique favorisent le développement de carburants d'origine agricole. On peut déjà distinguer deux générations :

● les **agrocarburants de première génération** sont issus de cultures qui pourraient être destinées à l'alimentation humaine ou animale. En France, par exemple, le **bioéthanol** est obtenu à partir de betteraves (70 %) et de blé (30 %) ;

● les **agrocarburants de seconde génération**, encore au stade expérimental, sont issus de cultures et de résidus agricoles non comestibles.

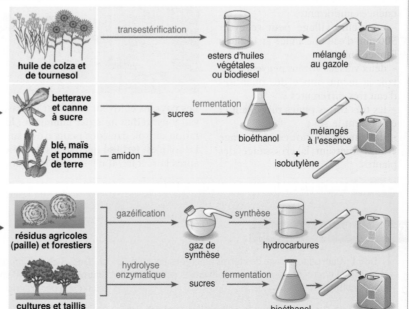

Doc. 2 Faire le plein avec des agrocarburants.

B Conséquences humaines et environnementales des agrocarburants

La « *crise de la tortilla* », *l'aliment de base de la population mexicaine, a ravivé la polémique sur la dépendance du pays vis-à-vis du maïs américain. L'augmentation incessante du prix de la tortilla tout au long de l'année 2006 (+ 14 %) a failli déboucher, en janvier 2007, sur une crise sociale d'envergure.*

Le Monde diplomatique,
mars 2008.

Doc. 3 Des produits alimentaires détournés de leur vocation.

La production d'agrocarburants entre en compétition avec les **cultures vivrières** en détournant à son profit les sols cultivables et l'eau au profit de cultures intensives et polluantes.

Elle se fait aussi au prix d'une déforestation à grande échelle : le remplacement de tous les carburants fossiles par des agrocarburants pourrait augmenter de 50 % le prélèvement de biomasse primaire par l'Homme !

L'impact qui en résulte sur la biodiversité est très négatif : ainsi, la culture industrielle du palmier à huile à Bornéo pourrait avoir raison des dernières populations d'orang-outan.

◄ Déforestation de la forêt tropicale indonésienne au profit de la culture du palmier à huile.

Doc. 4 Une compétition accrue sur les ressources naturelles.

Pistes d'exploitation

1. Doc. 1 et 2 : Comment expliquer la croissance de la consommation de bois de chauffe et le développement des agrocarburants ?

2. Doc. 2 : Citez des exemples de matières premières à partir desquelles on produit des agrocarburants.

3. Doc. 3 et 4 : De nombreuses personnes critiquent les agrocarburants : quels peuvent être leurs arguments ?

4. Doc. 2, 3 et 4 : Quels avantages présentent les agrocarburants de seconde génération ?

Lexique, p. 258

chapitre 3 — Nourrir l'humanité : un défi pour le XXIe siècle

1 Nourrir neuf milliards d'humains

- Tous nos **aliments** proviennent, directement ou non, de la photosynthèse. On estime que l'humanité prélève en moyenne 20 % de la **productivité primaire** mondiale. Mais la situation est très variable selon les régions du globe (certaines consomment beaucoup plus qu'elles ne produisent) et selon le mode de vie (un nord-américain prélève cinq fois plus qu'un indien). Plus d'un milliard de personnes sont encore sous-alimentées.

- La **population mondiale** pourrait s'accroître de 34 % d'ici à 2050. Le monde devrait alors nourrir 2,3 milliards de personnes supplémentaires, qui vivront pratiquement toutes dans les villes des pays pauvres. En 2050, si les 9 milliards d'humains consommaient selon les habitudes alimentaires actuelles des occidentaux, on estime que le prélèvement augmenterait pour atteindre environ **35 %** de la productivité primaire.

- Pour répondre à l'augmentation de la demande alimentaire, les **pratiques agricoles** s'intensifient et de nouvelles terres sont mises en culture. L'agriculture permet à l'humanité de se nourrir, mais elle perturbe gravement les écosystèmes naturels : elle est pour cette raison la principale cause de diminution de la **biodiversité** sur les continents.

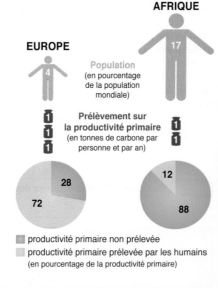

AFRIQUE

EUROPE

Population
(en pourcentage de la population mondiale)

Prélèvement sur la productivité primaire
(en tonnes de carbone par personne et par an)

28
72

12
88

■ productivité primaire non prélevée
■ productivité primaire prélevée par les humains
(en pourcentage de la productivité primaire)

> **À RETENIR**
>
> Au XXIe siècle, la population mondiale va encore s'accroître, essentiellement dans les pays pauvres. Pour nourrir convenablement l'humanité, il faudra augmenter de 70 % la production alimentaire, tout en veillant à limiter autant que possible notre impact sur les écosystèmes, en termes de prélèvements et de biodiversité.

2 Eau et sols, deux ressources essentielles

- Bien que les cultures hors sol continuent de se développer, l'essentiel de la production agricole se fait et se fera encore longtemps au champ. Les **sols** sont donc des ressources essentielles pour notre sécurité alimentaire.

- Pour être cultivable, un sol doit présenter de nombreuses qualités : il doit être suffisamment profond, aéré et pas trop compact afin que les **racines** puissent s'y enfoncer, s'y ancrer et respirer. Il doit être capable de fournir aux plantes les **substances nutritives** et l'**eau** nécessaires à leur croissance. Il ne doit pas contenir d'éléments chimiques toxiques (sel, aluminium…) ou abriter des organismes nuisibles pour les cultures (parasites, ravageurs). Toutes ces qualités et défauts conditionnent largement les rendements des cultures.

- Même dans le meilleur des sols, aucune récolte n'est possible sans eau. Dans les régions où les précipitations sont insuffisantes, on a parfois recours à l'**irrigation** : au niveau mondial, bien que 20 % seulement des terres agricoles soient irriguées, elles fournissent néanmoins 40 % des récoltes.

Sol peu développé, climat sec : production primaire réduite

Sol fertile, eau abondante : production primaire importante

> **À RETENIR**
>
> L'agriculture a besoin de sols cultivables, c'est-à-dire favorables à la croissance des plantes. Pour être cultivable, un sol doit combiner de nombreuses qualités. L'agriculture a aussi besoin d'eau : c'est le principal facteur assurant la croissance des plantes.

3 Eau et sols, deux enjeux majeurs

a. Des ressources limitées et inégalement réparties

● Plus des **deux tiers des sols** de notre planète sont totalement **impropres à l'agriculture** : régions où les ressources en eau sont insuffisantes, zones montagneuses trop pentues, zones côtières trop salées, etc. On estime qu'un peu moins de la moitié des sols cultivables est actuellement cultivée et que 7 % des ressources en eau renouvelables sont utilisées pour l'agriculture.

● À l'échelle planétaire, les **surfaces cultivées** et le **prélèvement d'eau** pour l'agriculture devraient augmenter d'environ 13 % d'ici à 2030 mais les réserves en terres cultivables et en eau semblent suffisantes pour compenser la croissance démographique.

● À l'échelle régionale, la situation est en revanche très contrastée : 90 % des réserves de terres cultivables (avec une ressource en eau renouvelable abondante) sont situés en Amérique latine et en Afrique sub-saharienne. Inversement, d'autres régions comme l'Asie du sud ou le Proche-Orient exploitent déjà la quasi-totalité des sols aptes à l'agriculture et plus de 40 % de leurs ressources en eau renouvelable. En 2030, un pays en développement sur cinq devrait ainsi être confronté à des **pénuries** d'eau.

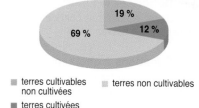

Répartition des terres
(en pourcentage de la surface totale des continents)

19 %
12 %
69 %

■ terres cultivables non cultivées
■ terres non cultivables
■ terres cultivées

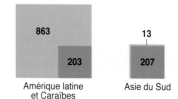

Terres cultivables et terres cultivées dans deux régions (en millions d'hectares)

863
203
Amérique latine et Caraïbes

13
207
Asie du Sud

b. Agriculture, alimentation et énergie

● À l'échelle mondiale l'utilisation de produits agricoles à des fins énergétiques s'accentue : 50 % du **bois** consommé est aujourd'hui utilisé comme combustible (essentiellement dans les pays pauvres) et la production d'**agrocarburants** a triplé entre 2000 et 2008.

● Les **avantages et inconvénients** des agrocarburants font débat : pour certains, ils accentuent la concurrence et les tensions autour des terres, de l'eau agricole, des espaces naturels, et des aliments. Pour d'autres, ils permettent de lutter contre l'épuisement des réserves de carburants fossiles et le changement climatique et participent au développement économique.

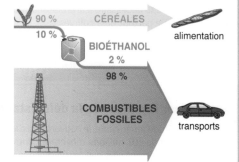

90 % CÉRÉALES — alimentation
10 %
BIOÉTHANOL 2 %
98 %
COMBUSTIBLES FOSSILES — transports

À RETENIR

Malgré la croissance démographique, l'eau agricole et les terres cultivables ne devraient pas manquer dans les prochaines décennies à l'échelle mondiale. Mais ces ressources naturelles sont réparties de façon très inégale : leur utilisation pour produire de la nourriture, des combustibles ou des agrocarburants est aujourd'hui un enjeu majeur.

Mots-clés

● Productivité primaire
● Prélèvement de biomasse
● Agriculture
● Alimentation
● Sol
● Ressources en eau
● Agrocarburant

Capacités et attitudes

▶ Recenser, extraire et organiser des informations pour déterminer la part de production de biomasse utilisée par l'Homme pour se nourrir.

▶ Expérimenter pour démontrer l'importance de l'eau et du sol dans la production agricole.

▶ S'informer pour établir l'inégale répartition planétaire des ressources en eau et en sols.

▶ Comprendre les enjeux du débat autour de l'usage de la production agricole, de la responsabilité humaine en matière d'environnement.

Tester ses connaissances

1 Définissez les mots ou expressions

Ressources en eau, sols cultivables, agrocarburant, prélèvement de biomasse.

2 Questions à choix multiple
Choisissez la ou les bonnes réponses.

1. Pour nourrir convenablement l'humanité :
a. il faut développer l'agriculture ;
b. il est nécessaire de s'interroger sur l'utilisation des surfaces cultivées ;
c. il suffit d'améliorer les rendements des sols actuellement cultivés.

2. Les ressources en eau :
a. risquent d'être insuffisantes pour répondre à l'augmentation de la demande due à la croissance démographique ;
b. sont globalement suffisantes mais très inégalement réparties ;
c. limitent la possibilité de mise en culture de nouvelles terres.

3. Les sols :
a. conditionnent les rendements des cultures ;
b. retiennent l'eau nécessaire à la croissance des végétaux ;
c. sont presque partout déjà cultivés.

3 Vrai ou faux ?
Repérez les affirmations exactes et corrigez celles qui sont inexactes.

a. Dans certaines régions, l'Homme consomme plus de biomasse qu'il n'en est produit.
b. Il est impossible de développer l'agriculture dans les régions désertiques.
c. On peut produire des carburants à partir de cultures de betteraves.
d. Les agrocarburants sont sans aucun doute la réponse adaptée aux défis du XXIe siècle.
e. La plupart des sols de la planète pourraient être cultivés.
f. Le développement de l'agriculture est l'une des principales causes de la diminution de la biodiversité.

4 Expliquez pourquoi :
a. il est indispensable d'accroître les surfaces cultivées ;
b. le développement des agrocarburants ne fait pas l'unanimité ;
c. tous les sols ne sont pas cultivables ;
d. les ressources en eau posent problème.

Utiliser ses compétences

5 Évaluer l'ampleur de la déforestation Faire preuve d'esprit critique

« *Selon une étude américaine, le couvert forestier mondial aurait diminué de 101 millions d'hectares entre 2000 et 2005. C'est nettement plus que les 65 millions d'hectares mentionnés par la FAO. D'où vient une telle différence ? Les estimations de la FAO sont fondées sur les déclarations des pays concernant les surfaces forestières converties ou disparues alors que les chercheurs américains comparent les surfaces boisées à partir d'un échantillon d'images satellitales. Après avoir sélectionné un échantillon aléatoire de 541 blocs de 18,5 sur 18,5 km, ils ont extrapolé les résultats à l'ensemble de la planète et abouti au chiffre de 101 millions d'hectares. Ces valeurs sont à prendre avec précaution : l'échantillon ne représente que 0,22 % des surfaces boisées.* »

D'après « La Recherche », juin 2010.

En vous fondant sur ce texte et les images, choisissez les propositions qui vous semblent rigoureuses :
a. Les valeurs données par la FAO peuvent être sous-estimées.
b. La comparaison des deux images révèle la réalité d'une déforestation.
c. La comparaison des deux images prouve que la déforestation continue d'augmenter à l'échelle de la planète.

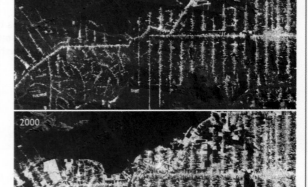

Déforestation en Amazonie : deux images satellitales de la même région, au Brésil, à dix ans d'intervalle.

Utiliser ses capacités expérimentales

6 Déterminer l'humidité utile d'un sol   Pratiquer une démarche scientifique

L'une des propriétés des sols est de retenir de l'eau, laquelle pourra alors être absorbée par les racines des plantes. Cependant, toute l'eau d'un sol n'est pas utilisable par les plantes. On appelle « humidité utile » la quantité d'eau que le sol peut mettre à la disposition des plantes. L'humidité utile est exprimée en pourcentage de l'eau présente dans le sol.

■ Problème à résoudre

On cherche à montrer que l'humidité utile d'un sol dépend de la texture du sol, c'est-à-dire des proportions de particules minérales de différentes tailles qui le composent. Parmi ces particules, on distingue principalement les sables (diamètre > 50 µm), les limons (diamètre compris entre 2 et 50 µm) et les argiles (diamètre < 2 µm). Il faut donc mettre en œuvre un protocole expérimental permettant de déterminer l'humidité utile d'un sol.

■ Matériel disponible

– Échantillon de terre préalablement séché 24 heures à 105 °C et tamisé à l'aide d'un tamis de maille de 2 mm.
– Balance de précision, colonne de tamis (2 mm, 200 µm, 50 µm), chronomètre, centrifugeuse, étuve, verrerie.

■ Protocole expérimental

– Dans une éprouvette, ajoutez de l'eau distillée à 5 g de terre, jusqu'à obtenir 100 mL.
– Agitez et laissez reposer 10 min.
– Transvasez le surnageant 1 (limons fins et argile) dans un tube à centrifuger. Complétez à 100 mL et renouvelez cette opération.
– Séchez le culot 1 (fond de l'éprouvette), passez-le sur la colonne de tamis et récupérez séparément limons grossiers, sables fins et sables grossiers.
– Centrifugez le surnageant 1 pendant 1 min et séparez ainsi les limons fins (culot 2) des argiles (surnageant 2).
– Ajoutez de l'acide chlorhydrique au surnageant 2 pour faire floculer les argiles.
– Laissez décanter et faites sécher.
– Séchez également le culot 2.
– Pesez chacune des fractions obtenues.

■ Exploitation des résultats

– Exprimez les résultats des trois fractions (sables, limons, argiles) en pourcentage.
– Utilisez le diagramme ci-dessous pour déterminer la texture du sol étudié et son humidité utile.
– Exploitez les données du tableau pour répondre au problème posé. Proposez une explication à la différence de rendement.

Quelques données concernant deux parcelles

	Parcelle A	Parcelle B
Surface de la parcelle (en ha)	2	3
Argile (en %)	26	23
Limon (en %)	47	69
Profondeur (en cm)	110	110
Humidité utile (en % eau)	11,4	14,0
Récolte de blé (en quintaux)	150	261

Triangle des textures

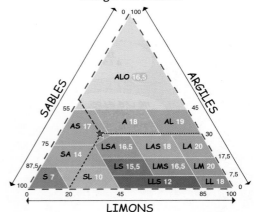

Exemple d'utilisation :
.... 31 % argiles
- - - - 20 % limons
– – – 49 % sables
★ sol argilo-sableux
▓▓ humidité utile : 17 %

ALO argile lourde
AL argile limoneuse
A argile
AS argile sableuse
LA limon argileux
LM limon moyen
LL limon léger
LAS limon argilo-sableux

LSA limon sablo-argileux
LMS limon moyen sableux
LS limon sableux
LLS limon léger sableux
SA sable argileux
SL sable limoneux
S sable

Des DOCUMENTS pour se poser des questions

Ces perroquets Ara soignent leur estomac...

Ils viennent picorer sur cette coupe de sol de fines particules d'argile, issues de la lente transformation de la roche en sol. Ils se protègent ainsi contre les molécules toxiques présentes dans certaines graines et fruits verts dont ils se nourrissent.

Les sols sont fragiles

Un sol abrite naturellement jusqu'à 250 vers de terre par mètre carré. Ce nombre est beaucoup plus faible dans les sols d'agriculture intensive.

Là où se rencontrent la vie et la terre

Dans un sol s'entremêlent et interagissent les roches, l'eau, l'air et les êtres vivants. C'est ainsi que chaque gramme de sol peut contenir un milliard de bactéries, appartenant à des dizaines de milliers d'espèces différentes !

LES PROBLÉMATIQUES DU CHAPITRE

- Comment les roches se transforment-elles en sols ?
- Les sols sont-ils des ressources renouvelables ?
- Quelles menaces pèsent sur les sols de notre planète ?
- Est-il possible d'en préserver les qualités pour les générations futures ?

Cultures en terrasses dans la province du Yunnan (Chine).

Les sols,
enveloppes vivantes et fragiles

LES ACTIVITÉS DU CHAPITRE

La formation d'un sol, une longue histoire

L'agriculture a besoin de sols cultivables. Ceux-ci représentent cependant moins du tiers des terres émergées. *Nous allons voir qu'en plus d'être rares, les sols cultivables ne sont pas renouvelables à l'échelle d'une vie humaine.*

A De la roche nue au premier sol

Île de La Réunion
(image Google Earth)

Âge des coulées volcaniques :
- < 50 ans
- 50 à 5 000 ans
- 5 000 à 65 000 ans
- 65 000 à 150 000 ans
- > 150 000 ans
- Coulées anciennes du Piton des Neiges

Piton des Neiges

Cratère du Piton de la Fournaise

Enclos

10 km

Une coulée âgée de 4 ans

Une coulée âgée de 20 ans

Sur l'île de la Réunion, dans l'enclos du Piton de la Fournaise, on peut observer la formation d'un sol sur des coulées de laves récentes. Dès leur refroidissement, les blocs de lave subissent une **altération** sous l'effet des pluies, de l'air, de la chaleur... Des lichens, des mousses (végétaux pionniers) s'installent et utilisent l'eau et les ions libérés par l'altération des minéraux volcaniques pour réaliser leur photosynthèse. Ces producteurs primaires sont accompagnés de consommateurs (insectes, vers...) et de décomposeurs (bactéries...).

Après quelques années, les matières organiques accumulées dans les anfractuosités de la roche permettent à des fougères et diverses plantes herbacées de s'installer : un véritable écosystème se met peu à peu en place et se complexifie. Trente ans sont nécessaires pour que la végétation colonise entièrement une coulée de lave.

À ce stade, le sol est encore très discontinu et très mince : aucune culture ne peut y être pratiquée.

Doc. 1 **Quelques dizaines d'années sont nécessaires pour qu'un sol commence à se former.**

B Du premier sol au sol cultivable

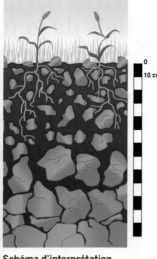

Sol âgé environ de 10 000 ans | Schéma d'interprétation

L'altération de la roche se poursuit sous l'effet de l'eau, de l'air et des êtres vivants. De nouveaux minéraux se forment : ce sont des argiles. Associés à la matière organique (**humus**), ils forment une terre fine près de la surface.

Cependant, la proportion et la taille des cailloux augmentent avec la profondeur. Cet **horizon** A n'excède pas 70 cm d'épaisseur et repose directement sur la **roche mère** peu altérée (horizon R).

La végétation naturelle est la forêt, mais, au prix d'un gros travail d'épierrage, elle est souvent remplacée par des cultures maraîchères et de la canne à sucre.

Doc. 2 **Après quelques milliers d'années, un sol mince et pierreux est identifiable.**

Certaines coulées volcaniques sont suffisamment anciennes pour que s'y développent des sols encore plus profonds.

En surface (horizon A : 0 à 30 cm), le sol est meuble, sans cailloux, riche en racines et en humus.

En dessous (horizon B : 30 à 100 cm), la terre est très argileuse, avec quelques petits cailloux. Les racines sont encore abondantes. Dans l'horizon C (100 à 300 cm) l'altération digère le basalte fissuré, isolant des boules résiduelles de 10 à 100 cm de diamètre. Dans les fissures remplies d'argile, l'eau circule facilement et les racines peuvent pénétrer. Au-dessous de 3 mètres, se trouve la roche mère (R).

Ce type de sol, profond et fertile, est utilisé sur l'île de la Réunion pour la culture de la canne à sucre.

Sol âgé environ de 250 000 ans.

Doc. 3 **Après quelques centaines de milliers d'années, le sol devient épais et cultivable.**

Pistes d'exploitation

1. Doc. 1 : Quels sont les facteurs qui interviennent dans la transformation d'une roche en sol ?

2. Doc. 2 et 3 : Reproduisez le schéma du document 2 puis réalisez à côté et à la même échelle un schéma légendé du même sol, âgé de 250 000 ans.

3. Doc. 1 à 3 : Expliquez pourquoi on peut considérer les sols cultivables comme des ressources non renouvelables.

Lexique, p. 258

Les facteurs essentiels de la formation d'un sol

Les sols se forment sous l'effet de processus complexes, dans lesquels interagissent la roche mère, le climat et les organismes vivants. *L'observation d'un sol permet de retrouver les facteurs de cette lente transformation.*

A Des processus physico-chimiques transforment la roche en sol

ACTIVITÉ EXPÉRIMENTALE

L'eau qui s'infiltre dans la roche, les changements de température (gel/dégel) et les êtres vivants pionniers (racines) provoquent peu à peu la fracturation de la roche mère. Les roches très fissurées (comme les calcaires) sont généralement débitées en blocs anguleux par ce processus. Les roches homogènes (comme les granites, les basaltes) se désagrègent grain par grain.

C'est pourquoi des fragments de la roche mère sont observables dans les sols : on peut les rechercher sur le terrain ou sur des échantillons apportés en classe.

■ **PROTOCOLE D'OBSERVATION**
– Détruire la matière organique en faisant agir de l'eau oxygénée.
– Séparer les grains en fonction de leur taille en utilisant une colonne de tamis.
– Observer les plus gros grains à l'œil nu ; utiliser la loupe, voire le microscope, pour observer les grains rocheux plus fins.
– Rechercher la présence de calcaire en faisant des tests à l'acide.

Les sables fins obtenus par tamisage font effervescence lors du test à l'acide, tout comme les échantillons de roche mère.

Doc. 1 Des observations qui montrent la dégradation physique de la roche mère.

Avec un microscope équipé de filtres polarisants, on compare deux lames minces de granite. Les petits cristaux d'argile résultent de l'**hydrolyse** du cristal de mica.

Cette attaque, due à la présence de CO_2 dissous dans l'eau de pluie ou à des acides provenant des racines des végétaux, libère des ions qui passent en solution dans l'eau du sol.

mica sain

Granite sain

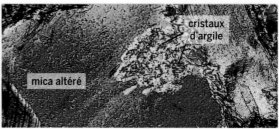

cristaux d'argile

mica altéré

Granite extrait d'un sol

Doc. 2 Observation microscopique révélant l'altération chimique de la roche mère.

B Le rôle de la matière organique

La colonisation progressive du sol par les organismes vivants (lichens, bactéries, champignons, végétaux et animaux) conduit à son enrichissement en matière organique : les restes biologiques sont dégradés et en partie minéralisés, en partie transformés. C'est ainsi que se forme la matière brune de la terre que l'on appelle humus.

L'humus se mélange avec les argiles, formant le « complexe argilo-humique » : chargées négativement, les particules de ce complexe contribuent beaucoup à la **fertilité** et à la **stabilité** du sol.

Différentes expériences permettent de mettre en évidence le rôle de l'humus.

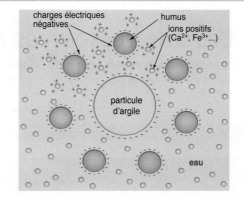

■ EXPÉRIENCE 1

– À partir de la même terre de jardin riche en humus, préparer deux échantillons de même volume.
– Détruire l'humus de l'un des échantillons en utilisant de l'eau oxygénée.
– Placer les deux échantillons dans un entonnoir, au-dessus d'une éprouvette graduée.
– Verser la même quantité d'eau sur les deux échantillons.

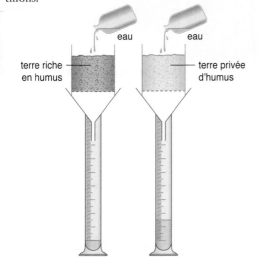

■ EXPÉRIENCE 2

On verse lentement sur une terre riche en humus soit une solution diluée d'éosine (qui doit sa couleur rouge à des ions négatifs), soit une solution diluée de bleu de méthylène (qui doit sa couleur bleue à des ions positifs).

■ RÉSULTAT DE L'EXPÉRIENCE 2

> **Doc. 3** Des expériences qui révèlent le subtil équilibre entre les composantes minérales et organiques du sol.

Pistes d'exploitation

1. Doc. 1 et 2 : Comparez les horizons du sol et montrez que certains éléments du sol sont issus de la roche mère.

2. Doc. 1 et 2 : Montrez que l'installation des êtres vivants pionniers et les transformations physico-chimiques sont deux phénomènes intimement associés.

3. Doc. 3 : Décrivez les résultats de ces deux expériences. Pourquoi dit-on que l'humus améliore la fertilité et la stabilité du sol ?

Lexique, p. 258

Les sols, ressources menacées

Ressources essentielles pour notre sécurité alimentaire, les sols ne sont pas renouvelables à l'échelle d'une vie humaine. *Ils subissent néanmoins de nombreuses agressions qui les abîment, voire les détruisent.*

A Une ressource en régression

a

De la forêt aux champs... puis des champs à la ville.

b

Un sol détruit par la pollution industrielle.

Les surfaces artificialisées en Europe progressent bien plus vite que la population. Sur le territoire français, ce sont ainsi 100 000 hectares de sol qui chaque année sont irréversiblement détruits. Au rythme actuel de perte des terres agricoles, la France pourrait devenir franchement importatrice de denrées agricoles en 2050 et perdre son indépendance alimentaire. À l'échelle mondiale, on estime cette perte à 14 millions d'hectares chaque année !

c

Une disparition des terres agricoles qui pourrait être lourde de conséquences.

d Variations des différents types d'occupation du sol entre 1990 et 2000, en France métropolitaine.

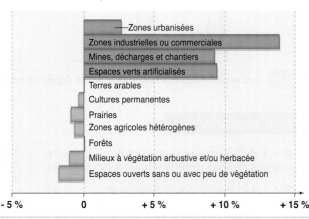

Zones urbanisées		
Zones industrielles ou commerciales		
Mines, décharges et chantiers		
Espaces verts artificialisés		
Terres arables		
Cultures permanentes		
Prairies		
Zones agricoles hétérogènes		
Forêts		
Milieux à végétation arbustive et/ou herbacée		
Espaces ouverts sans ou avec peu de végétation		

- 5 %   0   + 5 %   + 10 %   + 15 %

Doc. 1 **500 ans pour former 5 cm de sol... 5 minutes pour le détruire.**

B Une ressource fragile, soumise à de nombreuses dégradations

ACTIVITÉ EXPÉRIMENTALE

Lorsque la pluie frappe le sol, elle soulève les particules fines situées à sa surface et peut dans certains cas les entraîner : c'est l'**érosion** hydrique.

■ **PROTOCOLE EXPÉRIMENTAL**

– Arroser avec la même quantité d'eau des récipients inclinés contenant le même sol, soit sec, soit humide, soit nu, soit enherbé.
– Recueillir l'eau en bas de la pente.

■ **RÉSULTATS**

Sol nu très sec

Sol nu humide

Sol enherbé

Doc. 2 L'érosion hydrique.

En détruisant leurs terriers et en les blessant, les labours classiques, d'une profondeur de 30 cm, font diminuer certaines populations de lombrics (vers de terre). En culture maraîchère, ils sont aussi victimes des produits anti-limaces. Or, les lombrics jouent des rôles essentiels : mélange, aération, drainage du sol.

Doc. 3 La baisse de l'activité biologique.

Un tracteur moderne peut peser plus de 10 tonnes et donc provoquer la **compaction** de certains sols fragiles. Ce phénomène modifie leur **porosité** et leur **perméabilité**.

■ **PROTOCOLE EXPÉRIMENTAL**

Mesure de la porosité

Appuyer plus ou moins fort

– compaction différente
– même volume après compaction

boîte A vide (diamètre A < B)

A

B

boîte B remplie de terre humide et percée au fond

Mesure de la variation de porosité

Laisser l'eau de la burette graduée couler jusqu'à ce qu'elle stagne à la surface de la terre. La porosité correspond au rapport du volume d'eau écoulé sur le volume de terre dans la boîte B.

Mesure de la variation de perméabilité

Verser le même volume d'eau dans chaque boîte et mesurer le temps nécessaire à son infiltration complète.

■ **EXEMPLE DE RÉSULTATS**

	Pas de compaction	Compaction faible	Compaction forte
Porosité (en %)	50	42	35
Perméabilité (en mL·s⁻¹)	6	3	1

Doc. 4 La compaction et ses effets.

Pistes d'exploitation

1. Doc. 1 : Repérez sur la photographie **a**, doc. 1, les différents types d'occupation du sol. D'après le graphique, quelle est la principale cause de disparition des sols en France ?

2. Doc. 2 : Que montre cette expérience ?

3. Doc. 2 à 4 : Construisez un schéma mettant en relation les causes des dégradations présentées, leurs conséquences sur le sol, ainsi que les effets probables sur la croissance des plantes.

Vers une gestion durable des sols

Partout dans le monde les sols se dégradent. La surface de sols cultivables diminue année après année, cédant parfois la place au désert. *Mieux gérer les sols aujourd'hui est vital pour les générations à venir.*

A La désertification menace des régions entières

Le nord et l'ouest de la Chine sont depuis longtemps des régions arides. Mais depuis 60 ans, la surpopulation provoque une telle dégradation des sols et une telle diminution des ressources en eau que d'immenses étendues fertiles se transforment progressivement en steppe, puis en désert.

Les pâturages sont surexploités par le bétail, qui consomme l'herbe jusqu'aux racines. Le pompage excessif de l'eau assèche les rivières et les nappes souterraines. La déforestation massive permet au vent de soulever les sols nus et desséchés... Peu à peu, les particules fines, garantes de la fertilité du sol, sont emportées, forment des dunes menaçantes ou retombent sur les grandes villes de l'est, dans l'océan Pacifique et jusqu'au Canada !

**Quelques chiffres
pour comprendre la situation en Chine**
- **Population en 1950 :** 500 millions ; **en 2010 :** 1 300 millions.
- **Têtes de bétail en 1961 :** 170 millions ; **en 2010 :** 400 millions.
- **Progression du désert :** 250 000 ha par an.
- **Grandes tempêtes de sable :** 1950-1959 : 5 ;   2000-2009 : 100.
- **Personnes concernées par la désertification en 2010 :** 400 millions.

Doc. 1   **La Chine voit disparaître ses terres cultivables.**

La République Populaire de Chine met en œuvre, depuis 1996, un programme pluri-décennal très ambitieux de lutte contre la désertification. Voici les principales mesures :
– une « grande barrière verte », plantée de milliards d'arbres ;
– l'interdiction totale du pâturage dans les zones menacées et la promotion de l'élevage en stabulation fermée ;
– le déplacement de populations des zones les plus menacées vers des régions moins fragiles.

Ces mesures commencent à donner des résultats, mais la tâche est immense, les coûts financiers et humains énormes. La lutte contre la désertification est très loin d'être gagnée.

Doc. 2   **Des mesures de grande ampleur sont prises pour freiner la désertification.**

B Des usages plus ou moins respectueux des sols

Une expérimentation a été menée durant 4 ans* sur une parcelle de vigne dont les rangs sont plantés dans le sens de la légère pente (5 %). L'objectif était de comparer l'intensité de l'érosion provoquée par les pluies selon quatre modalités de gestion du sol des inter-rangs. Un dispositif permet de récupérer l'eau de ruissellement en bout de rang, ainsi que la terre qu'elle transporte.

* Chambre d'Agriculture de l'Hérault et INRA de Montpellier

Désherbage chimique total

7   35

Enherbement limité par un herbicide

3   20

Enherbement limité par un travail du sol superficiel

2   12

Enherbement obtenu par semis

1   17

érosion hydrique moyenne (en tonnes de terre par hectare et par an).

ruissellement moyen (en pourcentage des précipitations annuelles).

Doc. 3 Il est possible de lutter contre l'érosion des sols.

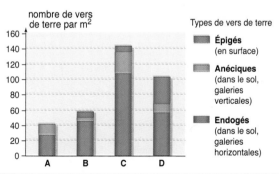

Il est possible de cultiver un même sol de façons différentes. Le *graphe ci-contre* compare les résultats d'une étude sur les populations de vers de terre menée par l'INRA. Quatre parcelles ont été comparées :

– **Parcelle A** : le sol est labouré avant chaque semis, on apporte des pesticides, des engrais, très peu de matières organiques.

– **Parcelle B** : les apports de pesticides et d'engrais sont plus limités, le travail du sol est superficiel.

– **Parcelle C** : grâce à un semoir spécial, le semis se fait directement sur les débris végétaux de la culture précédente : le sol n'est presque pas travaillé, il est recouvert en permanence d'une litière.

– **Parcelle D** : on n'utilise aucun pesticide chimique. De la matière organique est apportée. Le sol est cultivé avec labour pendant trois ans puis un semis direct d'engrais vert (de la luzerne) est effectué.

nombre de vers de terre par m²

Types de vers de terre

■ **Épigés** (en surface)

■ **Anéciques** (dans le sol, galeries verticales)

■ **Endogés** (dans le sol, galeries horizontales)

Doc. 4 Il est possible de préserver l'activité biologique du sol.

Pistes d'exploitation

1. Doc. 1 et 2 : Mettez en relation les mesures prises par la Chine pour lutter contre la désertification et les causes de ce phénomène.

2. Doc. 3 : Quelle modalité de gestion de l'inter-rang vous semble la meilleure ? Expliquez pourquoi.

3. Doc. 4 : Proposez des hypothèses pour rendre compte des différences d'abondance des vers de terre.

4. Doc. 4 : Expliquez l'absence des vers de terre épigés dans la parcelle A.

Lexique, p. 258

chapitre 4 Les sols, enveloppes vivantes et fragiles

1 Chaque sol résulte d'une longue histoire

a. Les facteurs de la formation d'un sol

Les sols forment une pellicule très fine (quelques mètres d'épaisseur tout au plus) à la surface des continents. Ils résultent des interactions entre les quatre « enveloppes terrestres » qui s'y mêlent (schéma ci-contre).

La nature de la **roche mère** détermine en partie les propriétés du sol et sa fertilité. Les sables donnent ainsi des sols plutôt pauvres, tandis que les régions volcaniques sont parmi les plus fertiles.

● Les transformations de la roche mère dépendent de la température et de la pluviométrie. À partir d'une même roche, les sols développés sous climat tropical, tempéré ou polaire seront ainsi très différents.

● Selon le type de **climat**, la roche mère, ou encore le **relief** et les **êtres vivants** qui colonisent le sol ne sont pas les mêmes. C'est pourquoi la quantité et la qualité de l'humus varient beaucoup d'un sol à l'autre, influençant largement la fertilité du sol.

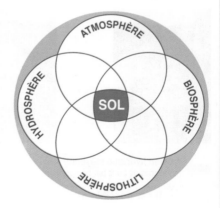

b. Les étapes de la formation d'un sol

Il faut des centaines d'années pour que se forme un sol à partir de la roche : c'est un patrimoine **non renouvelable** à l'échelle d'une vie humaine.

● La pluie, les variations de température et les êtres vivants pionniers provoquent la **fragmentation** de la roche mère et son **altération** chimique. Ainsi, des **argiles** se forment par hydrolyse de certains minéraux.

● La végétation se développe peu à peu. D'innombrables microorganismes décomposent les matières organiques en matières minérales et fabriquent l'**humus**. Argiles et humus forment en surface un **horizon** humifère, qui favorise à son tour le développement de la végétation.

● Le sol s'approfondit et évolue : ainsi, sous l'effet de l'altération mais aussi de déplacements verticaux ou horizontaux de matières, de nouveaux horizons peuvent se former, tandis que d'autres régressent ou se transforment.

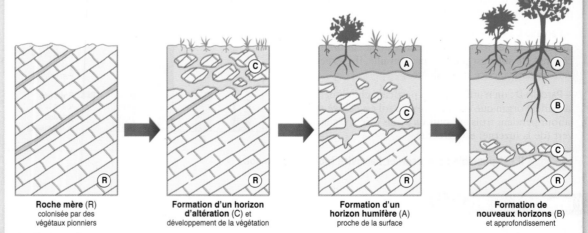

Roche mère (R)
colonisée par des
végétaux pionniers

Formation d'un horizon d'altération (C) et
développement de la végétation

Formation d'un horizon humifère (A)
proche de la surface

Formation de nouveaux horizons (B)
et approfondissement

À RETENIR

Les sols résultent d'une longue interaction entre les roches et la biosphère. Cette formation, très dépendante des conditions climatiques (eau, température), est lente : les sols sont des ressources non renouvelables.

2 La gestion des sols : un enjeu majeur pour l'humanité

a. Les sols, des ressources en forte régression

L'accroissement de la population mondiale fait peser d'importantes menaces sur les sols de la planète.

● L'augmentation de la production agricole au cours du XXe siècle s'est faite davantage par une exploitation plus **intensive** des sols déjà cultivés que par la mise en culture de nouveaux sols. L'intensification des pratiques (engrais, pesticides, irrigation...) et l'utilisation de machines agricoles puissantes peuvent abîmer les sols. Près de 50 % des sols cultivables sont déjà dégradés : **érosion**, baisse des taux de matières organiques, de l'activité biologique, de la biodiversité, de la porosité (compaction), etc. Cela provoque une diminution des récoltes, mais aussi de nombreux autres effets néfastes sur la biosphère, l'hydrosphère et l'atmosphère.

● L'humanité a aussi besoin de sols pour des **usages non agricoles** : habitat, zones commerciales, industrielles ou de loisir, carrières, routes, aéroports... C'est ainsi que chaque année dans le monde, une surface équivalente à 20 % du territoire de la France métropolitaine est détournée définitivement de ses fonctions biologiques. Cela constitue une menace supplémentaire pour la sécurité alimentaire des populations actuelles et futures.

b. Vers une gestion durable des sols

● La dégradation de certains sols est tellement rapide que de vastes régions sont en train de se transformer en **déserts** biologiques et humains. Ces situations extrêmes montrent qu'il est urgent de mieux gérer les sols de notre planète.

● Une bonne connaissance des sols, de leurs particularités, est primordiale : elle permet de tenir compte des qualités et défauts de chaque sol avant de décider de son mode d'utilisation. Elle permet aussi d'adapter les pratiques culturales qui assureront la qualité et la quantité des récoltes, tout en protégeant et en améliorant la « **ressource sol** » pour les générations à venir.

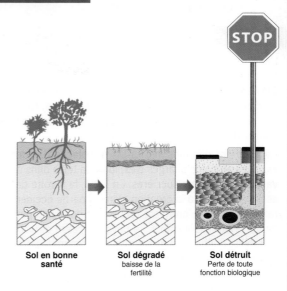

Sol en bonne santé

Sol dégradé baisse de la fertilité

Sol détruit Perte de toute fonction biologique

PRÉSERVONS LES SOLS

À RETENIR

Les sols sont fragiles, et déjà fortement dégradés à l'échelle planétaire. Certains ont été définitivement détournés de leurs fonctions biologiques. Une meilleure connaissance et prise en compte de leurs propriétés doit permettre de préserver et même d'améliorer les sols tout en continuant à les utiliser.

Mots-clés

● **Roche mère**
● **Altération**
● **Hydrolyse**
● **Horizon**
● **Humus**
● **Dégradation**
● **Gestion durable**

Capacités et attitudes

▶ Recenser et organiser des informations pour comprendre la formation d'un sol.

▶ Expérimenter pour établir le lien entre les propriétés d'un sol et la végétation, le climat, la nature de la roche mère.

▶ Comprendre la responsabilité humaine dans la protection et la préservation des sols.

Pauvreté et dégradation des sols : une spirale infernale

L'île d'Hispaniola se situe dans la mer des Caraïbes. Elle fait partie des toutes premières terres découvertes par **Christophe Colomb**, en 1492. Le paysage, montagneux, était alors couvert d'une **abondante végétation tropicale**. Plusieurs millions d'amérindiens y vivaient de la culture du manioc, du maïs, de l'igname...

Rapidement éliminés, ils furent remplacés par des esclaves africains chargés d'exploiter la terre dans de **vastes plantations sucrières**. En 1804, la révolte des esclaves aboutit à la création, dans la partie occidentale de l'île, de la première république noire indépendante : **Haïti**. Depuis lors, ce pays n'a cessé de subir instabilité politique et dictatures, maintenant la population dans une grande pauvreté.

Entre 1950 et 2010, la **population a plus que doublé** en Haïti, tandis que le pays s'enfonçait dans un sous-développement dramatique.

Le schéma ci-dessous montre comment pauvreté et dégradation des sols s'aggravent mutuellement :

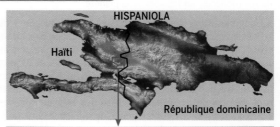

Haïti a perdu 99 % de ses forêts : aujourd'hui, les collines exposent leurs sols au soleil brûlant et aux violentes pluies tropicales, qui provoquent une intense érosion.

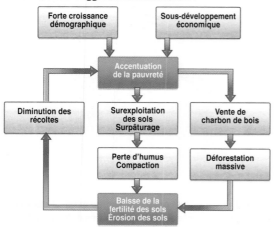

```
Forte croissance          Sous-développement
démographique             économique
        ↓                       ↓
        Accentuation
        de la pauvreté
   ↓          ↓           ↓
Diminution   Surexploitation   Vente de
des          des sols          charbon de bois
récoltes     Surpâturage
   ↑          ↓                 ↓
             Perte d'humus      Déforestation
             Compaction         massive
   ↑          ↓                 ↓
        Baisse de la
        fertilité des sols
        Érosion des sols
```

Cette spirale infernale entraîne une partie de la population de la pauvreté vers la plus grande **misère** : les plus démunis fuient vers les villes où se forment d'énormes **bidonvilles**, comme Cité Soleil (300 000 habitants) dans la capitale Port-au-Prince.

Après le terrible séisme du 12 janvier 2010, on assiste à la fuite des habitants des villes vers les campagnes, ce qui risque d'accentuer encore les problèmes. Comment sortir de telles difficultés, sinon en se saisissant de façon coordonnée de leurs dimensions économiques, sociales et environnementales, dans une logique de **développement durable** ?

Enfants de Cité Soleil. Plus de 80 % des haïtiens vivent dans une extrême pauvreté.

Les plats que fabrique cette femme avec de l'argile et de l'eau ne servent pas à contenir des aliments : ce **sont** des aliments ! Avec moins d'un dollar par jour, même l'achat de la nourriture devient impossible : petits et grands sont contraints de manger ces « gâteaux de boue », qui coupent la faim mais ne nourrissent pas (on y ajoute au mieux un peu de sel et de matière grasse).

... découvrir des métiers et des formations

Les métiers de l'agriculture

Vous aimez

- Être au contact du milieu rural et de la nature
- Pratiquer les sciences expérimentales
- Résoudre des problèmes complexes
- Concevoir et mettre en œuvre des projets
- Travailler avec de multiples partenaires

Les domaines d'activité potentiels

Dans le secteur public, les chambres d'agriculture recrutent des conseillers agricoles. Les ingénieurs de recherche prennent place au sein des équipes de l'Institut National de la Recherche Agronomique (INRA), de l'Institut de Recherche pour le Développement (IRD), etc.
Dans le secteur privé, les conseillers agricoles travaillent dans les instituts techniques, les centres de gestion et associations agricoles, etc. Les ingénieurs de recherche sont surtout recrutés par les grosses coopératives agricoles ou l'industrie agroalimentaire.

Pour y parvenir

Ces cursus sont ouverts aux bacheliers scientifiques.
Le niveau minimum requis pour être conseiller agricole est celui du BTSA ou du DUT, préparés en deux ans. Mais le recrutement se fait aussi à un niveau bac + 5 (diplôme d'ingénieur). Les ingénieurs de recherche sont tous bac + 5. L'accès à l'école d'ingénieur se fait sur concours, après le bac ou à l'issue d'une classe préparatoire de deux ans. La voie universitaire est aussi possible (master dans le domaine des sciences et technologies).

Conseiller agricole
c'est aider les agriculteurs à réaliser leurs projets, au niveau technique, économique, juridique.

Ingénieur de recherche
c'est concevoir et mettre en œuvre des expérimentations pour faire progresser l'agriculture.

Les débouchés

Les conseillers agricoles débutants (à bac + 2) retiennent particulièrement l'attention des employeurs privés comme publics.
Les ingénieurs de recherche sont moins nombreux mais les places sont aussi plus rares, que ce soit dans le secteur public ou privé. La recherche d'emploi est donc souvent plus difficile.

... mieux comprendre l'histoire des sciences

Le fondateur de la pédologie, ou science du sol

Professeur à l'Université de St-Petersbourg, en Russie, Vassili Vassilievitch Dokoutchaiev étudie les conséquences désastreuses provoquées sur l'agriculture par les sécheresses des années 1873 et 1875 (on dit qu'il a parcouru pour cette étude plus de 10 000 km à pied). Il accumule ainsi une expérience inégalée à l'époque sur les sols et la cartographie. Il crée en 1894 la toute première chaire universitaire de pédologie (science du sol).

L'apport de Dokoutchaiev est considérable. Il est à l'origine de la plupart des techniques de la prospection pédologique (observation de coupes de sols en place, reconnaissance des horizons, prélèvement et analyse de ceux-ci, cartographie des sols...). Grâce à ses observations de terrain, Dokoutchaiev a compris, le premier, que le sol est le résultat de l'interaction de cinq facteurs : le climat, la roche mère, la flore et la faune, le relief, le temps.

**V. V. Dokoutchaiev
(1846-1903)**

Tester ses connaissances

1 Définissez les mots ou expressions

Roche mère, horizon, humus, érosion, désertification, gestion durable.

2 Questions à choix multiple

Choisissez la ou les bonnes réponses.

1. La formation d'un sol :
a. est un processus lent ;
b. est indépendante de la roche sur laquelle il se développe ;
c. fait intervenir des êtres vivants.

2. Les sols :
a. peuvent être considérés comme des ressources renouvelables ;
b. sont fragiles et doivent être protégés ;
c. sont une ressource en régression.

3. La porosité d'un sol :
a. est une qualité importante pour l'agriculture ;
b. augmente sous l'effet de la compaction ;
c. dépend de la nature de la roche mère.

4. L'érosion des sols :
a. est favorisée par la présence d'un couvert végétal ;
b. dépend du relief ;
c. est un problème majeur pour le XXIe siècle.

3 Questions à réponses courtes

a. Comment se forme l'humus ?
b. Quels facteurs influencent la formation d'un sol ?
c. Quelles sont les causes principales de la dégradation des sols ?
d. Pourquoi les vers de terre sont-ils bénéfiques ?

4 Vrai ou faux ?

Repérez les affirmations exactes et corrigez celles qui sont inexactes.

a. L'argile d'un sol provient de l'altération de certains minéraux de la roche mère.
b. L'humus diminue la capacité d'un sol à retenir l'eau.
c. Dans le sol, les microorganismes protègent la matière organique de la décomposition.
d. Il faut plusieurs milliers d'années pour qu'un sol mince se développe à partir d'une roche.
e. Un sol peut-être irréversiblement détruit en quelques minutes.
f. Les pratiques agricoles intensives ont tendance à protéger la ressource sol.
g. Les êtres vivants du sol nuisent aux cultures et doivent donc être détruits pour améliorer les rendements.

Utiliser ses compétences

5 La terre des villes et la terre des champs

Être conscient de sa responsabilité face à l'environnement

Tous les matins, M. Baan cultive ses légumes, herbes aromatiques et fruits, dans le jardin situé sur le toit de l'immeuble dans lequel il vit, au milieu de l'immense ville de Bangkok (Thaïlande).

Choisissez, parmi les différentes propositions, celles qui vous semblent correctes.

1. L'image ci-contre illustre :
a. une situation classique des relations ville-campagne en 2010 ;
b. un cas original mais sans rapport avec la protection de l'environnement ;
c. l'action d'un pionnier de l'agriculture urbaine ;
d. le problème de la diminution progressive des territoires urbains au profit des territoires agricoles.

2. Ce type de réalisation permet de :
a. compenser la destruction des sols liée à l'urbanisation en cultivant sur les toits ;
b. réduire la dépendance alimentaire des campagnes vis-à-vis des villes ;
c. limiter la mise en culture d'espaces naturels ;
d. valoriser l'eau de pluie qui tombe sur les villes.

6 EXERCICE GUIDÉ
Dans le désert, un sol particulier

Observer, formuler des hypothèses

« *Regs caillouteux et bas-fonds ensablés dans le Sahara (Niger). Les versants sont recouverts d'une mince pellicule de cailloux sous laquelle il y a un sol de quelques dizaines de centimètres d'épaisseur. Le sol est constitué d'un horizon S, brun rouge, et d'un horizon C, brun clair, résultant de l'altération de la roche. Ce sol est pratiquement dépourvu de matières organiques.* »

D'après A. Ruellan, pédologue.

Quelques données climatiques
- Pluviométrie : < 150 mm·an^{-1}
- Saison des pluies : 1 mois
- Températures extrêmes : 3 à 46 °C
- Vents violents fréquents

Proposez des hypothèses permettant d'expliquer les caractéristiques de ce sol.

Aide à la résolution

1. Rappelez les facteurs environnementaux qui interviennent habituellement dans la formation des sols.

2. Recherchez leurs particularités dans le cas présenté ici.

3. Établissez des relations entre ces particularités et les caractéristiques du sol présenté ici.

7 Des transferts de matières se produisent dans les sols

Communiquer sous forme graphique

Les podzols sont des sols qui se forment dans les régions tempérées humides. Leur formation exige une roche mère très perméable (sableuse). Dans ce type d'environnement, la végétation (pins, bouleaux, bruyères...) produit une litière défavorable au développement des microorganismes. De plus, l'humus qui en résulte est très acide. Les eaux d'infiltration entraînent vers le bas cet humus associé à divers ions (potassium, fer, aluminium...).

Il se forme alors sous l'horizon de surface un horizon lessivé, très clair car très appauvri. Plus bas encore, les produits lessivés précipitent et s'accumulent, formant entre l'horizon lessivé et la roche mère altérée un horizon d'accumulation sombre.

Un tel sol, très différencié, correspond à une évolution qui s'étale sur plusieurs milliers d'années.

Réalisez un schéma de ce podzol ; représentez les transferts de matière qui se produisent entre les différents horizons.

8 Les sols et le changement climatique

Manifester de l'intérêt pour les grands enjeux de société

Les sols contiennent du carbone, sous forme de matières organiques. À l'échelle mondiale, ce sont ainsi 1 500 milliards de tonnes de carbone qui sont stockés dans les sols, soit deux fois plus que dans l'atmosphère !

Ce stock évolue en permanence : grâce à la photosynthèse, les plantes prélèvent du CO_2 dans l'atmosphère et enrichissent le sol en matières organiques. Mais celles-ci peuvent aussi être détruites, minéralisées et redonner du CO_2 qui retourne alors vers l'atmosphère.

Or, le CO_2 est l'un des principaux gaz à effet de serre. Du fait des activités humaines, le taux atmosphérique de CO_2 a augmenté de 36 % depuis 250 ans, provoquant un réchauffement global de 0,6 °C. Si rien n'est fait, le climat mondial pourrait être profondément modifié dans les décennies à venir.

Pour limiter ces changements, de nombreuses solutions sont envisagées, dont l'augmentation du stock de matière organique dans les sols.

1. Repérez sur la carte deux départements dont les sols évoluent très différemment quant à leur teneur en carbone. Quelles peuvent-être les conséquences de ces évolutions locales des teneurs en carbone sur le climat mondial ?

2. À l'aide des graphiques ci-dessous, indiquez quelles actions concrètes pourraient être mises en œuvre pour que les sols français contribuent à la lutte contre le changement climatique.

Variations de la teneur en carbone des sols français entre 1990 et 2004

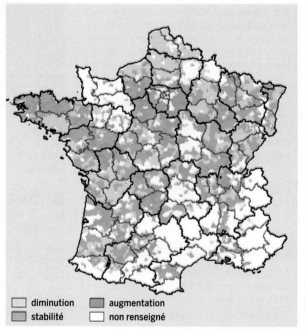

- diminution
- stabilité
- augmentation
- non renseigné

http://acklins.orleans.inra.fr/geosol/index.php
Copyright©2010, INRA, Tous droits réservés

Évolutions du stock de carbone dans le sol associées aux changements d'usage des terres (données INRA)

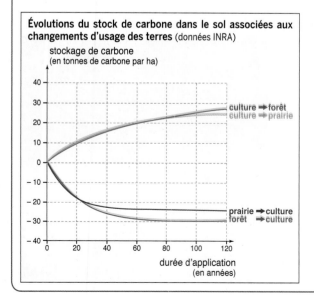

Effet du labour classique et de l'absence de labour sur la teneur en matière organique dans le sol (données FAO)

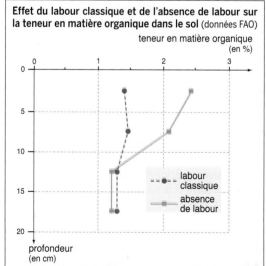

9 Comparer les arthropodes de différents sols

Manipuler, observer à la loupe et au microscope

■ Problème à résoudre

Un sol en bonne santé est caractérisé par une densité et une diversité d'organismes vivants largement supérieures à celles des autres milieux de vie. Un mètre carré de sol forestier peut ainsi contenir entre 500 000 et 1 million d'arthropodes (insectes et arachnides). Ces animaux participent à la décomposition des matières organiques et à la fabrication de l'humus.

Existe-t-il des différences d'abondance et de diversité des arthropodes selon les types de sol ?

■ Matériel disponible

– Appareils de Berlèse, boîtes de Petri, loupe binoculaire, microscope, lames à concavité, lames de Malassez, aiguille montée, pinces fines, clé de détermination.
– Échantillons de sol (prélevés dans les 20 premiers centimètres) provenant de divers milieux (forêt de résineux, chênaie, champ labouré, prairie...).

■ Protocole expérimental

– Placez un échantillon de chaque sol sur la grille d'un appareil de Berlèse et mettez en route le chauffage.
– Après une durée d'extraction adaptée, versez le contenu du flacon dans une boîte de Petri.
– Observez les animaux à l'aide de la loupe binoculaire. Pour les plus petits d'entre eux (invisibles à l'œil nu), utilisez le microscope.
– Procédez à leur détermination et à une estimation de leur abondance dans chaque type de sol.

■ Exploitation des résultats

– Comparez les résultats quantitatifs obtenus dans les différents sols sous forme de graphique ou de tableau.
– Proposez des hypothèses pour expliquer les différences constatées.
– Envisagez les conséquences de ces différences sur la fertilité des sols étudiés.

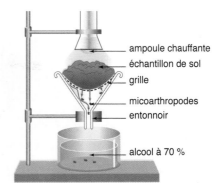

ampoule chauffante
échantillon de sol
grille
micoarthropodes
entonnoir
alcool à 70 %

L'appareil de Berlèse permet la récolte des microarthropodes du sol. La lumière et la chaleur produites par la lampe provoquent la fuite des animaux qui tombent dans l'entonnoir puis dans le récipient où ils sont recueillis.

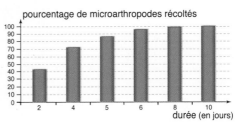

pourcentage de microarthropodes récoltés

durée (en jours)

Pourcentage de microarthropodes récoltés avec l'appareil de Berlèse en fonction de la durée de l'extraction (en jours).

Pseudoscorpion — 2 mm

Acariens — 0,5 mm

Collembole — 0,5 mm

Pour utiliser des clés de détermination des animaux du sol :

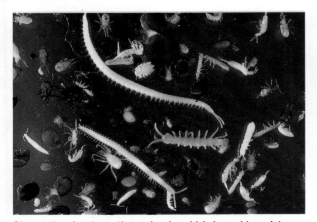

Observation de microarthropodes du sol à la loupe binoculaire

Partie **3**

Corps humain
et santé

L'énergie nécessaire au fonctionnement des organes

● Le fonctionnement des organes nécessite des échanges permanents avec le sang. Les organes ont besoin de **nutriments**, provenant de la **digestion** des aliments, et de **dioxygène**, provenant de la **respiration**. Ce fonctionnement produit des déchets qui doivent être éliminés.

● L'**énergie** nécessaire au fonctionnement des organes (contraction musculaire par exemple) provient d'une **réaction chimique** entre les nutriments et le dioxygène.

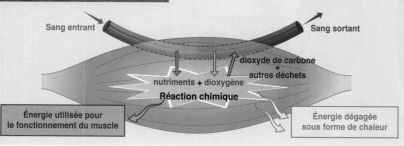

Sang entrant — Sang sortant

dioxyde de carbone + autres déchets

nutriments + dioxygène
Réaction chimique

Énergie utilisée pour le fonctionnement du muscle

Énergie dégagée sous forme de chaleur

Les échanges gazeux au niveau des poumons

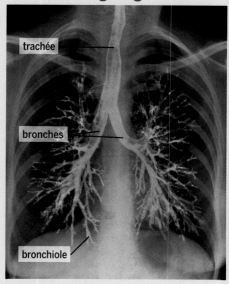

trachée

bronches

bronchiole

Radiographie des voies respiratoires

À l'extrémité des bronchioles, des millions d'alvéoles

bronchioles

alvéoles

× 50

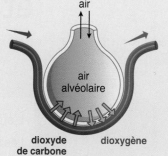

air

air alvéolaire

dioxyde de carbone   dioxygène

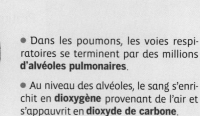

● Dans les poumons, les voies respiratoires se terminent par des millions **d'alvéoles pulmonaires**.

● Au niveau des alvéoles, le sang s'enrichit en **dioxygène** provenant de l'air et s'appauvrit en **dioxyde de carbone**.

La circulation du sang dans l'organisme

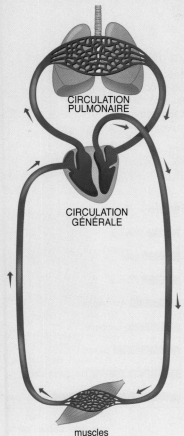

CIRCULATION
PULMONAIRE

CIRCULATION
GÉNÉRALE

muscles

Relâchement   **Contraction**

● Le sang circule à sens unique dans un système clos de **vaisseaux**.

● Le sang est mis en mouvement par les contractions rythmiques du **cœur** qui fonctionne comme une pompe.

● Il existe une **double circulation** du sang : le sang circule dans les poumons puis dans les divers organes, muscles par exemple.

L'irrigation d'un organe

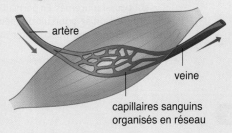

artère

veine

capillaires sanguins
organisés en réseau

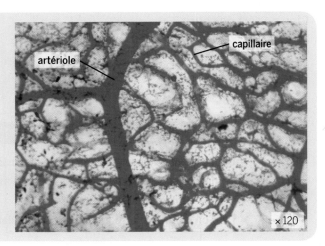

artériole

capillaire

×120

● Il existe trois types de vaisseaux sanguins :
– les **artères** acheminent le sang du cœur vers un organe ;
– les **veines** transportent le sang d'un organe vers le cœur ;
– dans un organe, le sang circule dans un réseau très fin de **capillaires**.

Des DOCUMENTS pour se poser des questions

Les limites de l'organisme

Ce sportif, spécialiste du 3 000 mètres steeple (course d'obstacles), s'effondre d'épuisement après "avoir tout donné" lors d'une compétition.

JE ME DEMANDE LEQUEL A DÉPENSÉ LE PLUS DE CALORIES...

ARRIVEE

Rien ne sert de courir ?

Le sport, c'est bon pour la santé ! Au cours d'un effort physique, l'organisme utilise ses réserves nutritives pour se procurer l'énergie nécessaire.

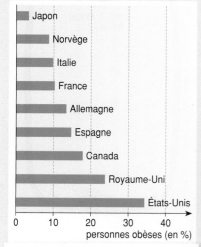

Japon
Norvège
Italie
France
Allemagne
Espagne
Canada
Royaume-Uni
États-Unis

0   10   20   30   40

personnes obèses (en %)

L'obésité, fléau des pays riches

Si les américains du Nord sont les champions de l'obésité, beaucoup d'autres pays sont aussi concernés. En particulier, si la progression se poursuit au même rythme, la France pourrait compter 20 % d'obèses en 2020.

LES PROBLÉMATIQUES DU CHAPITRE

- Quelle quantité d'énergie l'organisme dépense-t-il au cours d'un effort ?
- Comment les besoins énergétiques sont-ils assurés ?
- Quelles sont les limites à l'effort ?
- Peut-on lutter, par le sport, contre l'accumulation des graisses ?

chapitre 1

Kayakiste en plein effort.

L'effort physique
nécessite de l'énergie

La dépense énergétique associée à l'effort

Au cours d'un effort, le fonctionnement des organes, en particulier des muscles, peut nécessiter jusqu'à vingt fois plus d'énergie qu'au repos. *Pratiquer un effort sans risque pour la santé commence donc par une estimation de la dépense énergétique nécessaire.*

A Dépenses énergétiques et réserves disponibles

Les besoins énergétiques quotidiens d'un sujet correspondent :
– au **métabolisme de base** (énergie nécessaire au fonctionnement vital du cœur, des muscles respiratoires, du cerveau, des reins), etc. ;
– aux diverses dépenses variables, notamment celles imputables aux activités physiques.
La dépense énergétique s'évalue en **kJ** (kilojoules) ou en **kcal** (kilocalories ou Calories).

Les besoins énergétiques d'une journée
(moyennes en kJ)

travail musculaire **2 500**

travail digestif **650**

lutte contre le froid ou le chaud **1 050**

métabolisme de base **6 700**

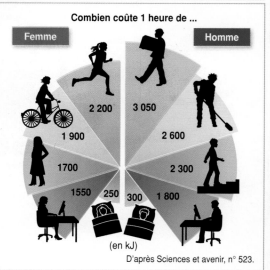

Combien coûte 1 heure de ...

Femme · Homme

2 200 · 3 050
1 900 · 2 600
1700 · 2 300
1550 · 250 · 300 · 1 800

(en kJ)

D'après Sciences et avenir, n° 523.

Doc. 1 Des dépenses énergétiques sont incompressibles, d'autres sont variables.

		Masse (en kg)	kJ par 24 h
enfants	1-4 ans	13,5	5 700
	4-7 ans	20,0	7 600
	7-10 ans	28,0	9 200
filles	10-13 ans	38,0	9 800
	13-16 ans	50,0	10 400
	19-20 ans	54,0	9 700
garçons	10-13 ans	37,0	10 900
	13-16 ans	51,0	12 100
	19-20 ans	63,0	12 900
homme adulte (activité modérée)		75,0	12 000
femme adulte (activité modérée)		60,0	9 200

Doc. 2 Dépense énergétique journalière en fonction de l'âge et du sexe.

Ce tableau indique les réserves énergétiques disponibles chez un homme de 70 kg après un repas.

	Masse (matière sèche)	Énergie (en kJ)
Lipides	10,5 kg	338 500
Protéines	6 kg	78 250
Glucose sanguin	23 g	420
Glycogène stocké dans le foie	100 g	1 700
Glycogène stocké dans les muscles	500 g	8 500

Le **glycogène** est la forme de stockage des glucides dans l'organisme (voir p. 36).

Doc. 3 Des réserves énergétiques disponibles.

B Une estimation de la dépense énergétique

■ Une estimation du travail effectué et de la puissance d'un effort

Lorsqu'un sujet effectue une flexion de ses jambes puis se relève (ces deux mouvements seront assimilés à une « flexion » par la suite), il soulève la masse de son corps contre la pesanteur sur une hauteur d'environ le tiers de sa taille.

Le travail qu'il réalise peut être facilement estimé :

travail (joules) = masse (kg) × 1/3 taille (m) x g (m·s⁻²)

(g : accélération de la pesanteur)

Pour un sujet de 72 kg et mesurant 1,80 m, le travail réalisé au cours de la flexion correspond donc à :

$$72 \times 0,6 \times 9,81 = 424 \text{ J.}$$

Si le même sujet réalise une série de 10 flexions son travail sera donc de 4 240 J (ou 4,24 kJ).

On peut également calculer la **puissance** de cet effort :

puissance (watts) = travail (J) / temps (s)

Si les 10 flexions sont effectuées en 1 minute (60 secondes), la puissance de l'effort est donc 4 240 / 60 = 70 W, environ.

■ Construire une feuille de calcul automatisé du coût énergétique de flexions répétées

– Ouvrir un fichier vierge avec un logiciel « tableur ».

– Utiliser l'image d'écran ci-contre pour remplir les cellules B1, C1, D1, C4, B7, D7 (intitulés des divers paramètres et des résultats).

– Entrer les formules de calcul suivantes :

C5 : =B2*C2/3*9,8*D2

(c'est-à-dire : masse × 1/3 taille × g × nombre de flexions)

D8 : =C5/B8

(c'est-à-dire : travail / durée de l'effort).

Il suffit alors d'inscrire les valeurs des différents paramètres (en B2, C2, D2 et B8) pour obtenir automatiquement le travail et la puissance de l'effort.

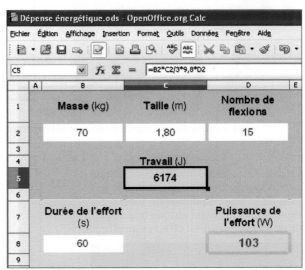

Doc. 4 Calculer le travail et la puissance d'une série de flexions.

Pour télécharger cette feuille de calcul :

www.bordas-svtlycee.fr

Pistes d'exploitation

1. Doc. 1 et 2 : Quels facteurs entraînent des variations de la dépense énergétique ?

2. Doc. 3 : En considérant les besoins énergétiques quotidiens, calculez combien de jours d'activité la totalité des réserves de l'organisme permet de couvrir théoriquement.

3. Doc. 4 : Estimez le travail et la puissance de l'exercice avec vos paramètres personnels. Que se passe-il si l'on double le rythme des flexions ?

4. Doc. 4 : À l'aide de la feuille de calcul automatisé, déterminez votre fréquence de flexions à réaliser pour un effort de 150 W.

Lexique, p. 258

La couverture des besoins énergétiques pendant l'effort

Pour des exercices longs ou modérés, la couverture des besoins énergétiques liés à l'effort physique est assurée par une réaction chimique entre dioxygène et nutriments. *Ce métabolisme énergétique peut être mis en évidence expérimentalement et il est également possible de le quantifier.*

A Consommation de dioxygène et production de chaleur

ACTIVITÉ EXPÉRIMENTALE

À l'aide d'un dispositif d'**ExAO** (ici, matériel Jeulin), on mesure le volume d'air expiré et le taux moyen de dioxygène dans cet air : le logiciel calcule alors automatiquement la quantité de dioxygène consommé au cours du temps.

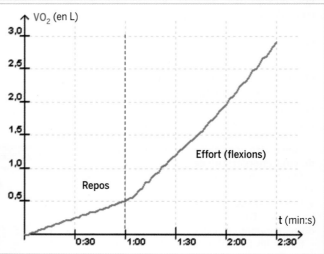

Doc. 1 Une mesure de la consommation de dioxygène au repos et à l'effort.

Le matériel d'ExAO utilisé ici (Sordalab) permet de mesurer la température à la surface de la peau, au-dessus du biceps. Un capteur est installé sur chaque bras. À partir de 45 s, le bras droit effectue un effort.

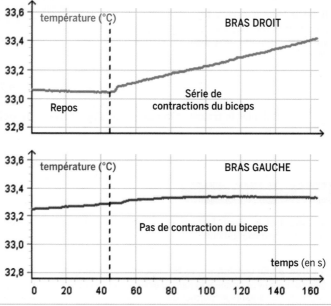

Doc. 2 Une mesure de la production de chaleur au cours d'un effort.

B L'utilisation de nutriments et de dioxygène par les muscles

La respiration cellulaire est une oxydation des nutriments disponibles : cette réaction chimique entre nutriments et dioxygène produit de l'énergie utilisable par les muscles.

Ainsi, la dégradation respiratoire d'une mole de glucose (180 grammes) libère environ 2 900 kJ, selon l'équation chimique simplifiée suivante :

$$C_6H_{12}O_6 + 6\ O_2 \rightarrow 6\ CO_2 + 6\ H_2O + 2\ 900\ kJ$$
(glucose)

On considère que la dégradation de 1 gramme de glucides libère environ 17 kJ d'énergie utilisable par le muscle.

De la même façon, l'utilisation de 1 gramme de protéines libère 17 kJ et celle de 1 gramme de lipides, 38 kJ.

Variations du taux sanguin de glucose (glycémie) dans le sang entrant et sortant des muscles. Le sujet effectue un effort croissant des membres inférieurs pendant 25 minutes.

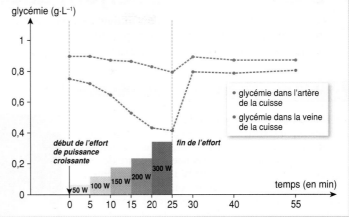

Doc. 3 **La respiration : une utilisation des nutriments grâce au dioxygène.**

Puissance de l'effort (en W)	Glucose utilisé (en g·min⁻¹)	Dioxygène consommé (en L·min⁻¹)	Énergie libérée (en kJ)	Travail réalisé (en kJ)
50	1,09	0,88	17,50	4,25
100	1,88	1,50	30,00	7,25
150	2,66	2,13	42,50	10,25
200	3,44	2,75	55,00	13,25
250	4,22	3,38	67,50	16,25

L'effort s'ajoute au métabolisme de base.

Relations entre différents paramètres métaboliques lors d'un effort, en supposant que le glucose est le seul nutriment utilisé.

L'équation présentée par le document 3 établit la relation entre le volume de dioxygène consommé et la quantité d'énergie disponible à la suite des réactions respiratoires.

Les physiologistes calculent que, dans les conditions de température et de pression du corps humain, la consommation de 1 litre de dioxygène se traduit par une libération de 20 kJ dans l'organisme.

Exemple de bilan métabolique sur une minute

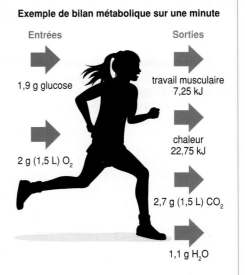

Doc. 4 **Estimation des « entrées et sorties » lors d'efforts de différentes puissances.**

Pistes d'exploitation

1. Doc. 1 et 2 : Comparez les enregistrements au repos et lors de l'effort. Que peut-on en conclure ?

2. Doc. 3 : Exploitez le graphique pour mettre en évidence le prélèvement de glucose par les muscles. Quel nutriment est le plus énergétique ?

3. Doc. 2 et 4 : Comparez les valeurs du travail réalisé à celles de l'énergie libérée. Comment expliquer ce résultat ?

4. Doc. 1 à 4 : Construisez un schéma bilan du métabolisme réalisé par les muscles au cours d'un effort.

Lexique, p. 258

Des limites à la performance

Les performances sportives d'un individu dépendent de multiples paramètres : âge, sexe, taille, masse, entraînement, etc.). *Une façon de connaître les limites de ces performances est de déterminer la consommation maximale de dioxygène ou* $\dot{V}O_2$ *max.*

A La consommation maximale de dioxygène

● **Le principe de l'épreuve d'effort**

L'épreuve d'effort, obligatoirement pratiquée sous contrôle médical, consiste à mesurer divers paramètres au cours d'exercices de puissance croissante (ici, on augmente la puissance de 20 W toutes les minutes). Les paramètres mesurés sont notamment le volume de dioxygène consommé, le volume de dioxyde de carbone rejeté, la fréquence cardiaque, la ventilation pulmonaire.

L'épreuve est arrêtée quand on considère que le volume de dioxygène consommé ainsi que la fréquence cardiaque n'augmentent plus significativement malgré l'augmentation de puissance (le sujet est épuisé).

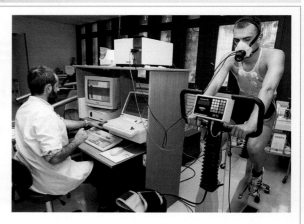

● **La détermination de la** $\dot{V}O_2$ **max et de la PMA**

La $\dot{V}O_2$ max est la consommation maximale de dioxygène, c'est-à-dire le volume maximal de dioxygène que l'organisme peut délivrer aux muscles en un temps donné. Elle renseigne sur la capacité maximale des muscles à utiliser les mécanismes respiratoires pour subvenir à leurs besoins énergétiques. La $\dot{V}O_2$ max s'exprime en mL d'O_2 consommé par kg et par minute ou en mL (ou en L) d'O_2 consommé par minute.

Au-delà de cette limite ($\dot{V}O_2$ max), l'augmentation des besoins peut être couverte pour une durée limitée par d'autres mécanismes producteurs d'énergie comme la fermentation lactique.

Remarque : La $\dot{V}O_2$ max est en réalité un débit mais, par commodité, on garde le terme de « volume ».

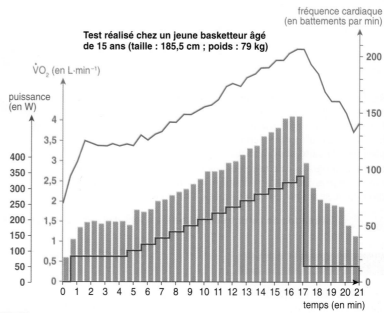

Test réalisé chez un jeune basketteur âgé de 15 ans (taille : 185,5 cm ; poids : 79 kg)

$\dot{V}O_2$ (en L·min⁻¹)

fréquence cardiaque (en battements par min)

puissance (en W)

temps (en min)

La PMA est la puissance maximale aérobie correspondant à cette consommation maximale de dioxygène. C'est donc la performance maximale du sujet. Elle est mesurée en watts.

Doc. 1 **L'épreuve d'effort permet de connaître les limites d'un organisme.**

B Une estimation indirecte de la $\dot{V}O_2$ max

Il est possible d'estimer la $\dot{V}O_2$ max d'un sujet sans que celui-ci accomplisse un effort maximal.

■ PROTOCOLE

– À l'aide d'un dispositif d'ExAO, on mesure la consommation de dioxygène au cours d'efforts de puissance croissante mais restant modérés. Par exemple, le sujet reste au repos pendant une minute puis effectue une série de 10 flexions pendant une minute, puis 20 flexions en une minute, puis 30 flexions en une minute (avec, à la fin, une minute de récupération).

– Simultanément, on mesure la fréquence cardiaque à l'aide d'un cardiofréquence-mètre portatif (capteur sur la poitrine, affichage sur un « récepteur-montre » au poignet).

Remarque : pour simplifier l'expérience, il est aussi possible de mesurer la fréquence cardiaque en prenant tout simplement le « pouls » à la fin de chaque période.

■ RÉSULTATS (consommation de dioxygène)
Résultats obtenus chez un sujet âgé de 16 ans

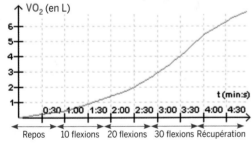

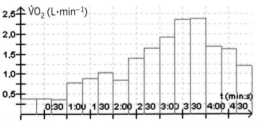

■ PRINCIPE DU CALCUL
On établit la relation entre consommation de dioxygène et fréquence cardiaque, en prenant en compte les résultats mesurés à la fin de chaque période *(tableau ci-dessous).*

	Fréquence cardiaque (en battements par min)	O_2 consommé (en $L \cdot min^{-1}$)
Repos	70	0,37
Effort 1	105	1,00
Effort 2	138	1,70
Effort 3	163	2,30

Sachant que la fréquence cardiaque maximale que le sujet aurait pu atteindre est de (220 – l'âge du sujet), on peut estimer graphiquement, par extrapolation, la consommation de dioxygène que le sujet aurait atteinte s'il avait fait un effort maximal : c'est sa $\dot{V}O_2$ max.

Doc. 2 Déterminer la $\dot{V}O_2$ max sans atteindre l'effort maximal.

Pistes d'exploitation

1. Doc. 1 : Expliquez pourquoi la valeur de $\dot{V}O_2$ max renseigne sur les performances physiques d'un sujet.

2. Doc. 1 : Exploitez le graphique pour déterminer la $\dot{V}O_2$ max de ce sportif ainsi que sa puissance maximale aérobie.

3. Doc. 2 : À votre avis, pourquoi prend-on en compte les mesures à la fin de chaque période ?

4. Doc. 2 : Faites un graphique présentant la $\dot{V}O_2$ en fonction de la fréquence cardiaque. Estimez alors graphiquement la $\dot{V}O_2$ max.

Lexique, p. 258

Des moyens pour éviter le surpoids

L'utilisation des nutriments par nos cellules permet de couvrir nos besoins énergétiques mais un équilibre doit être trouvé entre apports et dépenses. *L'objectif est ici de comprendre qu'une activité physique appropriée doit permettre d'éviter l'accumulation de masses graisseuses.*

A Connaître les nutriments utilisés au cours d'efforts de longue durée

Plus un effort est long, plus la dépense énergétique augmente et plus la quantité de **nutriments** oxydés est importante. Ces nutriments sont puisés soit directement dans les réserves des muscles eux-mêmes, soit à plus long terme dans le sang. Pour des raisons de disponibilité, la nature des nutriments utilisés évolue avec la durée de l'exercice (*graphe ci-dessous*).

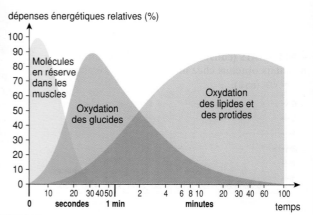

Doc. 1 Un marathon nécessite l'utilisation de diverses réserves de nutriments.

● Dans un centre de médecine du sport, on a mesuré simultanément la consommation de dioxygène et le rejet de dioxyde de carbone au repos ou au cours d'exercices d'intensité différente. Dans des exercices courants, l'énergie est tirée principalement de l'oxydation des glucides et des lipides. L'oxydation des protéines entre en jeu quand les autres nutriments ne sont plus disponibles (jeûne extrême).

	O_2 consommé (mL·min⁻¹)	CO_2 rejeté (mL·min⁻¹)
Sujet couché	243	204
Travail physique d'intensité moyenne	1 843	1 780
Travail physique de forte intensité	3 265	3 227

● Le rapport entre le volume de CO_2 rejeté et le volume d'O_2 consommé (appelé **quotient respiratoire** ou QR) renseigne sur la nature des nutriments utilisés.

L'équation chimique de l'oxydation du glucose :

$C_6H_{12}O_6 + 6\,O_2 \rightarrow 6\,CO_2 + 6\,H_2O + 2\,900$ kJ (doc. 3, p. 187)

montre que dans ce cas le QR est égal à 1 (autant de CO_2 produit que d'O_2 consommé).

Pour l'oxydation des lipides et des protides, il y a davantage de molécules d'O_2 consommées que de molécules de CO_2 libérées.

Nutriments oxydés	Quotient respiratoire
glucides	1,0
lipides	0,7
protides	0,8

Doc. 2 Une méthode pour connaître la nature des nutriments utilisés.

B « Fondre ses graisses » et maîtriser sa masse corporelle

Lors de tests spécialisés, dont l'objectif est de déterminer une **puissance** d'effort optimale pour la régression des masses graisseuses, on cherche à préciser les conditions nécessaires à la plus grande consommation possible de lipides.

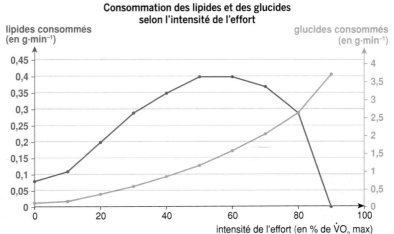

Consommation des lipides et des glucides selon l'intensité de l'effort

Doc. 3 **Proportions des nutriments utilisés selon l'intensité d'un exercice.**

La consommation maximale de lipides au cours d'un exercice physique est appelée LIPOX max. Elle permet de définir la puissance de l'effort la plus adaptée à la perte de poids, recommandée aux patients **obèses**. La valeur du LIPOX max est scientifiquement déterminée lors d'une épreuve d'effort avec recueil des gaz expirés ; elle dépend du niveau d'entraînement. Pour les sujets obèses sédentaires, la valeur du LIPOX max se situe habituellement à un niveau d'intensité plus faible que chez les personnes non obèses.

Plus simplement et par souci d'autonomie et de responsabilisation de la personne, on préconise généralement une activité qui correspond au seuil de début d'essoufflement. L'exercice ne doit pas être ressenti comme trop léger ou trop difficile. Il doit être régulier et répété souvent.

Doc. 4 **La notion de LIPOX max, ou comment connaître la puissance d'un exercice physique propice à la perte de masse graisseuse.**

Pistes d'exploitation

1. **Doc. 1 :** Décrivez l'évolution de la nature des nutriments oxydés au cours d'un effort de longue durée comme un marathon.

2. **Doc. 2 :** Déterminez quels sont les nutriments utilisés au cours de ces trois exercices.

3. **Doc. 3 et 4 :** Estimez le LIPOX max et l'intensité de l'effort correspondante. Expliquez comment on peut utiliser ces informations pour définir l'intensité de l'exercice la plus favorable à la perte de masse graisseuse.

Lexique, p. 258

1 La dépense énergétique

● L'organisme dépense en permanence de l'**énergie**. Le **métabolisme de base** correspond aux dépenses « incompressibles » de l'organisme au repos, à jeun, placé à une température de neutralité thermique. À cette dépense minimale s'ajoutent les dépenses liées aux différentes activités journalières, en particulier aux activités physiques.

● Les apports énergétiques sont représentés par les **molécules organiques** des aliments. La dégradation des glucides, lipides, protides libère l'énergie ensuite utilisée par l'organisme.

● Dépenses et réserves énergétiques sont exprimées en joules (ou kilojoules) ou en calories (ou kilocalories, avec 1 kcal = 4,18 kJ).

● Le coût énergétique d'une activité physique dépend :
– de paramètres personnels tels que la masse, la taille, l'âge, le sexe, l'état physiologique… ;
– du type d'activité effectuée ;
– de la durée de l'effort.

● L'estimation du travail et de la **puissance** sont de bons indicateurs de ce coût.

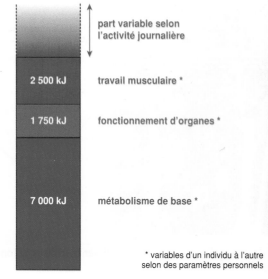

part variable selon l'activité journalière

2 500 kJ — travail musculaire *

1 750 kJ — fonctionnement d'organes *

7 000 kJ — métabolisme de base *

* variables d'un individu à l'autre selon des paramètres personnels

À RETENIR

Un effort physique entraîne une dépense d'énergie ; ce sont les molécules organiques des aliments qui constituent les apports énergétiques. Pour éviter la prise de poids, il faut un équilibre entre apports alimentaires et dépenses énergétiques (accentuées par la pratique d'une activité physique).

2 Le métabolisme énergétique à l'effort

● Au cours d'un exercice physique, on observe une augmentation de la consommation en dioxygène, de la température et des prélèvements en glucose sanguin par les muscles. Ceux-ci utilisent du **dioxygène** et des nutriments pour produire un **travail** et de la **chaleur**.

● L'énergie est « extraite » des nutriments par la **respiration**. Les réactions respiratoires correspondent à une oxydation des nutriments, ce qui libère de l'énergie et produit des déchets. Une partie seulement de l'énergie libérée est utilisée pour le fonctionnement des muscles, le reste étant dissipé sous forme de chaleur. Le **rendement énergétique** est d'environ 25 %.

● L'augmentation de consommation du dioxygène par les muscles a une limite ; celle-ci dépend de paramètres personnels (âge, sexe, entraînement, masse…). On définit ainsi une **$\dot{V}O_2$ max** (volume max de dioxygène consommé par unité de temps). Au-delà, la respiration ne peut plus assurer la fourniture supplémentaire en énergie.

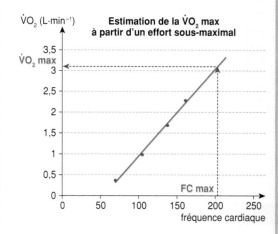

$\dot{V}O_2$ (L·min^{-1})

Estimation de la $\dot{V}O_2$ max à partir d'un effort sous-maximal

fréquence cardiaque

À RETENIR

La respiration est un mécanisme de dégradation des nutriments en présence de dioxygène ; ce mécanisme libère de l'énergie. Plus l'activité musculaire est intense, plus la consommation de dioxygène est importante, et cela jusqu'à une valeur limite, la $\dot{V}O_2$ max.

La lutte contre le surpoids et l'obésité

a. Exercice physique et utilisation des nutriments

● En cas d'alimentation équilibrée, les apports énergétiques compensent les dépenses. En revanche, si les apports sont trop importants, un stockage de nutriments sous forme de graisses (lipides) intervient et l'individu risque, à terme, de présenter un **surpoids**.

● L'exercice physique pratiqué dans certaines conditions (augmentation des dépenses), associé à une hygiène alimentaire (contrôle des apports), peut permettre de lutter contre l'obésité.

b. Trouver la puissance de l'effort la plus propice à la perte de masse graisseuse

● Les **nutriments** (glucides, lipides, protides) n'ont pas la même **valeur énergétique**. Le calcul du **quotient respiratoire** (volume de CO_2 produit / volume d'O_2 consommé) est un indicateur du type de nutriments utilisés lors d'un effort.

● La correction de l'obésité suppose une utilisation des réserves de graisses (essentiellement située dans des cellules spécialisées, les adipocytes). Lors d'activités physiques très intenses, ce sont les glucides qui sont utilisés préférentiellement. Lors d'un effort prolongé, les réserves de lipides sont utilisées en dernier recours après les réserves du muscle et les glucides rapidement mobilisables de l'organisme. Donc, l'utilisation des réserves graisseuses dépend à la fois de la durée de l'exercice et de son intensité.

● La détermination de la **LIPOX max** permet d'estimer la quantité maximale de lipides consommés par unité de temps en fonction de l'effort fourni et d'optimiser ainsi la perte de masse du sujet. Cette estimation dépend, là aussi, de paramètres personnels. Mais, dans tous les cas, elle indique qu'une **activité d'intensité modérée et répétée** constitue la meilleure stratégie pour lutter contre l'obésité, à condition d'être accompagnée d'une hygiène de vie appropriée.

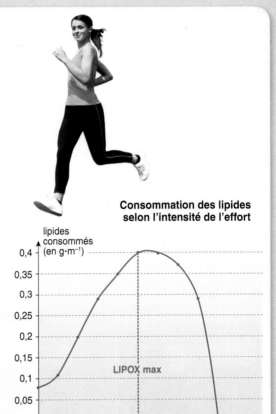

Consommation des lipides selon l'intensité de l'effort

(Graphique : lipides consommés (en $g \cdot m^{-1}$) en ordonnée, de 0 à 0,4 ; intensité de l'effort (en % de $\dot{V}O_2$ max) en abscisse, de 0 à 100. La courbe atteint son maximum (LIPOX max) autour de 50 %.)

À RETENIR

L'activité physique, associée à une surveillance de l'alimentation, peut permettre de lutter contre l'obésité du simple fait qu'elle augmente nettement les dépenses énergétiques. Par ailleurs, les nutriments consommés par la respiration dépendent du type d'effort fourni : un exercice d'intensité modérée mais prolongé (pendant 30 minutes environ) et répété privilégie l'utilisation des lipides.

Mots-clés

● Dépense énergétique
● Consommation en dioxygène
● Chaleur
● Nutriments
● Respiration
● $\dot{V}O_2$ max
● Obésité

Capacités et attitudes

▶ Extraire des informations de graphiques pour estimer des dépenses énergétiques.
▶ Mettre en œuvre des protocoles expérimentaux (ExAO) pour mettre en évidence différents aspects du métabolisme énergétique.
▶ Utiliser un tableur grapheur pour modéliser différents aspects de la production d'énergie lors d'un effort.
▶ Comparer des données différentes pour déterminer les nutriments consommés lors d'un effort.
▶ Être responsable en matière de santé.

Les représentations du sport et du mouvement

Le classicisme...

Le Discobole est une des plus célèbres statues de l'Antiquité. Attribuée au sculpteur athénien Myron et datée du Vᵉ siècle avant J.-C., elle représente un athlète en train de lancer le disque.

L'original en bronze a cependant été perdu : seules demeurent des copies en marbre. La plus célèbre d'entre elles est le Discobole Lancellotti, datée du IIᵉ siècle après J.-C. et considérée comme la reproduction la plus fidèle de l'original.

Cette statue révèle une grande maîtrise de l'anatomie et de la pose, l'athlète étant figé dans l'instant de son geste.

Aux limites de l'abstraction...

Séduit par un match de football France-Suède au Parc des Princes en 1952, le peintre **Nicolas de Staël** a peint pas moins de 25 tableaux dont les taches géométriques colorées évoquent la fulgurance : « ...une tonne de muscles voltige en plein oubli de soi... ».

Art contemporain

Le mouvement continue de passionner les artistes, qu'ils soient **peintres**, **sculpteurs** ou réalisateurs de **bandes dessinées**. Leurs études portent aussi bien sur le mouvement bloqué que sur le mouvement dynamique.

Certains n'hésitent pas à exercer leurs talents jusqu'aux abords des stades.

... découvrir des métiers et des formations

Les métiers du sport

Vous aimez
- Organiser des activités
- Vous dépenser
- Comprendre le fonctionnement du corps humain
- Donner des conseils

Animateur de base de loisirs
c'est organiser les activités proposées, accueillir le public, surveiller et conseiller...

Les domaines d'activités potentiels

Les métiers du sport sont beaucoup plus nombreux qu'on ne l'imagine : professeur ou animateur mais aussi organisateur de manifestations sportives, entraîneur, arbitre, gestionnaire de club, d'installations sportives, de bases de loisirs, commerce et marketing ou encore athlète de haut niveau...

Pour y parvenir

Les exigences en matière de formation sont de plus en plus importantes. Si la pratique d'une ou deux disciplines sportives est nécessaire, c'est une condition largement insuffisante.

Décrocher un diplôme est nécessaire : Brevet d'état d'éducateur sportif (BEES du niveau bac à bac +3), Brevet professionnel, diplôme d'état (DEJEPS) pour organiser ou encadrer des activités sportives.

Les études universitaires STAPS mènent au professorat d'éducation physique mais ouvrent aussi la porte de bien d'autres métiers.

Dans tous les cas, les formations comprennent un enseignement scientifique et technique.

Professeur d'EPS ou éducateur sportif
c'est faire découvrir de multiples activités, préparer des cours, assurer le suivi des élèves...

Les débouchés

Le concours de recrutement des professeurs est très sélectif.

La diversification des débouchés facilite cependant l'insertion professionnelle dans ce secteur.

... mieux comprendre l'histoire des sciences

James Prescott Joule (1818-1889)

Dans son expérience historique, publiée en 1843, le physicien anglais J. Joule utilise un calorimètre (récipient bien isolé thermiquement de l'extérieur) rempli d'eau, dans lequel il fait tourner mécaniquement des palettes. Il constate alors que l'eau s'échauffe.

Dans cette expérience, on peut considérer que l'énergie mécanique se transforme totalement en chaleur. J. Joule parvient donc à l'idée que **travail** et **chaleur** sont deux formes d'**énergie** et que, globalement, **l'énergie se conserve**.

Aujourd'hui, ces résultats se retrouvent dans l'étude du métabolisme :
1 calorie (= 4,18 J) est l'unité d'énergie nécessaire pour élever la température d'1 gramme d'eau de 1 degré Celsius.

Exercices

1 Définissez les mots ou expressions
Respiration, dépense énergétique, métabolisme de base, $\dot{V}O_2$ max, obésité.

2 Questions à choix multiples
Choisissez la ou les bonnes réponses parmi les différentes propositions.

1. La dépense énergétique d'un individu :
a. dépend uniquement de son activité physique ;
b. est toujours égale à ses apports alimentaires ;
c. comprend différentes composantes dont le métabolisme de base et le travail musculaire.

2. L'énergie nécessaire à un exercice :
a. est fournie par la respiration ;
b. est produite par l'oxydation des nutriments ;
c. est produite par la chaleur libérée lors de l'effort.

3. L'effort physique :
a. est limité par la $\dot{V}O_2$ max de l'individu ;
b. augmente la production de dioxygène ;
c. augmente les besoins en énergie.

3 Vrai ou faux ?
Repérez les affirmations exactes et corrigez celles qui sont inexactes.
a. Les différents nutriments n'apportent pas la même quantité d'énergie à l'organisme.
b. Tous les individus ont la même dépense énergétique.
c. Plus l'effort est intense, plus la température et la consommation en dioxygène augmentent.
d. La mesure de la $\dot{V}O_2$ max est la mesure de la quantité de dioxygène consommé après un effort.

e. L'exercice physique est un des moyens qui permet de lutter contre l'obésité.
f. Quand on est à 90 % de sa $\dot{V}O_2$ max, on consomme surtout des lipides pour produire de l'énergie.

4 Questions à réponse courte
a. Dans quelles conditions la pratique d'une activité physique peut-elle lutter contre l'obésité ?
b. Comment les muscles peuvent-ils fonctionner lors d'un exercice ?

5 Exploiter un graphique
Décrivez la modification de l'utilisation des nutriments selon la durée de l'effort.

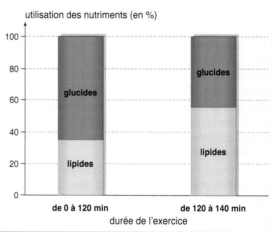

6 L'énergie apportée par deux rations
Exploiter des données quantitatives

Deux élèves consomment, avant leur cours d'EPS, une part de brioche de 90 g pour l'un (élève mesurant 1,80 m et pesant 65 kg), une barre chocolatée de 42 g pour l'autre (mesurant 1,71 m et pesant 60 kg).

Composition des deux aliments
(en grammes pour 100 grammes)

	Part de brioche	Barre chocolatée
Glucides	51,3	69,5
Protides	8,2	3,5
Lipides	21,0	18,1

On cherche à connaître l'apport énergétique correspondant.

1. Recherchez page 185 le mode de calcul du travail réalisé au cours de flexions, puis page 187 les valeurs énergétiques d'un gramme de chaque catégorie de nutriments.

2. Calculez les compositions en glucides, protides et lipides des deux rations.

3. Calculez l'apport énergétique de ces rations.

4. Combien de flexions ces rations permettraient-elles d'assurer chez ces deux élèves ?

7 Courir vite... ou longtemps ? Exploiter un graphique pour réaliser un calcul

1. À l'aide du graphique ci-contre, estimez la dépense énergétique que réalise un individu de 70 kg dans les deux situations suivantes :

– course de 8 km de long effectuée à une vitesse moyenne de 8 km·h⁻¹ ;

– course de 8 km de long effectuée à une vitesse moyenne de 16 km·h⁻¹.

2. Comparez les résultats obtenus. Dans les situations retenues, quel est le paramètre qui semble influer le plus sur la dépense énergétique : la vitesse de la course ou sa durée ?

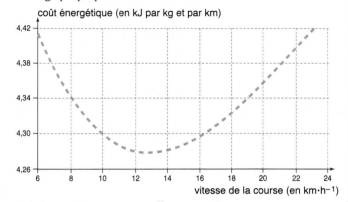

coût énergétique (en kJ par kg et par km)

vitesse de la course (en km·h⁻¹)

8 L'obésité en France Collecter des informations – Interpréter

L'obésité est devenue un important problème de santé publique dans de nombreux pays. L'IMC (Indice de Masse Corporelle, voir ci-dessous), dont la méthode de calcul est rappelée sur le graphique, permet d'évaluer la corpulence d'une personne :

– de 18 à 25 : corpulence normale ;

– de 25 à 30 : surpoids ;

– plus de 30 : obésité.

$$\text{IMC (en kg·m}^{-2}) = \text{poids (kg) / taille}^2 \text{ (m}^2)$$

1. Existe-t-il une relation simple entre masse grasse et indice de masse corporelle ?

2. Décrivez brièvement l'évolution de l'obésité en France.

3. Connaissez-vous quelques modifications récentes de notre mode de vie pouvant expliquer cette évolution ?

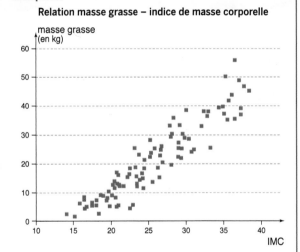

Relation masse grasse – indice de masse corporelle

masse grasse (en kg)

IMC

Évolution de l'obésité en France

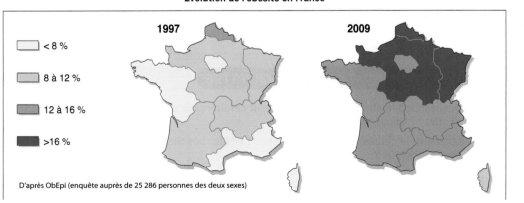

< 8 %

8 à 12 %

12 à 16 %

>16 %

1997

2009

D'après ObEpi (enquête auprès de 25 286 personnes des deux sexes)

Des DOCUMENTS pour se poser des questions

Enregistrement des réponses de l'organisme à l'effort

Nous savons depuis le Collège qu'un effort physique entraîne une augmentation de la consommation de dioxygène ainsi que des fréquences respiratoire et cardiaque. De telles variations sont régulièrement mesurées, chez les sportifs de haut niveau, dans des centres de médecine du sport.

Sport et fonctionnement cardio-respiratoire

La pratique d'un sport nécessite une bonne connaissance de ses capacités cardiorespiratoires. Cette pratique doit toujours être précédée d'une visite chez le médecin, seul habilité à délivrer un certificat d'aptitude à la pratique d'un sport.

LES PROBLÉMATIQUES DU CHAPITRE

- Quelles modifications du fonctionnement cardio-respiratoire peut-on observer à l'effort ? Comment les enregistrer ?
- Comment la circulation sanguine assure-t-elle les besoins accrus du muscle pendant l'effort ?
- Pourquoi la pratique d'un sport nécessite-t-elle un bon état cardio-vasculaire et respiratoire ?

Un effort intense : le « 15 km hommes » du biathlon.

Les réponses de l'organisme
à l'effort physique

Effort physique et variations du débit ventilatoire

Au cours d'un effort physique, le rythme respiratoire augmente. L'activité de l'appareil respiratoire est donc modifiée et peut même conduire à l'essoufflement en cas d'effort prolongé. *Des mesures au lycée ou dans des centres spécialisés mettent en évidence une variation de la quantité d'air circulant dans les poumons.*

A | Un enregistrement du débit ventilatoire

ACTIVITÉ EXPÉRIMENTALE

À l'aide d'un dispositif d'ExAO (Atelier scientifique-Jeulin), on souhaite mesurer dans différentes conditions le **débit ventilatoire**, c'est-à-dire le volume d'air circulant dans les poumons par unité de temps : il se calcule en multipliant la fréquence respiratoire par le volume d'**air courant** (voir doc. 2, p. 201).

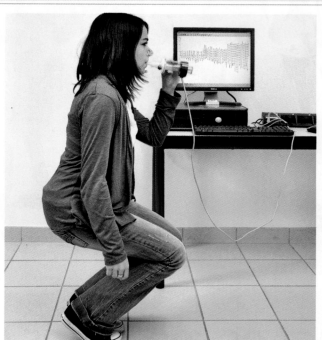

■ **PROTOCOLE**
– Mettre en place un pince-nez et respirer par la bouche.
– Placer l'embout stérile dans la bouche puis commencer à inspirer et à expirer.
– Réaliser un enregistrement du débit ventilatoire au cours de trois étapes successives et en continu :
• **repos** pendant 1 minute ;
• **effort modéré** pendant 1 minute à raison de 8 flexions par période de 20 secondes ;
• **effort intense** pendant 1 minute à raison de 16 flexions par période de 20 secondes.

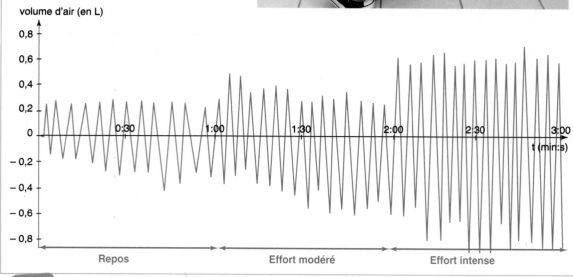

Doc. 1 Les variations du débit ventilatoire dues à l'effort physique.

B Une analyse plus précise des variations du débit ventilatoire

On appelle **mouvement respiratoire** une inspiration suivie d'une expiration.

Les variations de volume de la cage thoracique, qui entraînent passivement les variations de volume des poumons, sont dues :
– en **inspiration**, à un soulèvement des côtes (**1**) et un abaissement du **diaphragme** (**2**) ;
– en **expiration**, à un abaissement des côtes (**1**) et à une remontée du diaphragme (**2**).

● Inspiration au repos

● Expiration au repos

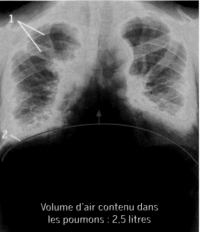

Volume d'air contenu dans les poumons : 3 litres

Volume d'air contenu dans les poumons : 2,5 litres

Doc. 2 **L'air courant correspond à un renouvellement partiel de l'air dans les poumons.**

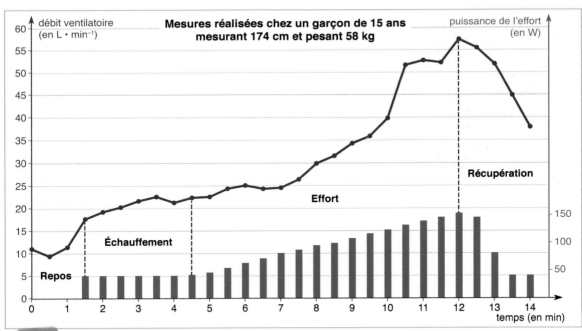

Doc. 3 **Des mesures réalisées dans un centre de médecine du sport.**

Pistes d'exploitation

1. Doc. 1 et 2 : Estimez graphiquement, au repos et au cours des deux efforts physiques d'une part, le volume d'air courant et, d'autre part, la fréquence respiratoire. Calculez ensuite le débit ventilatoire dans les trois cas.

2. Doc. 3 : Comment varie le débit ventilatoire en fonction de la puissance de l'effort ?

Lexique, p. 258

Effort physique et variations du débit cardiaque

Au cours d'un effort physique, la fréquence cardiaque (nombre de battements par minute) augmente. *L'objectif est ici de mettre en relation cette augmentation de la fréquence avec les variations du débit cardiaque, c'est-à-dire la quantité de sang propulsée par le cœur par unité de temps.*

A Des enregistrements de la fréquence cardiaque

ACTIVITÉ EXPÉRIMENTALE

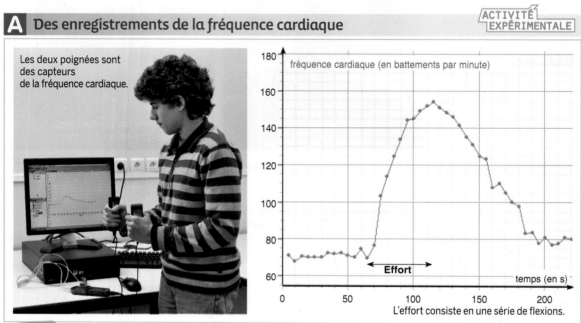

Les deux poignées sont des capteurs de la fréquence cardiaque.

L'effort consiste en une série de flexions.

Doc. 1 Un enregistrement de la fréquence cardiaque à l'aide d'un dispositif d'ExAO.

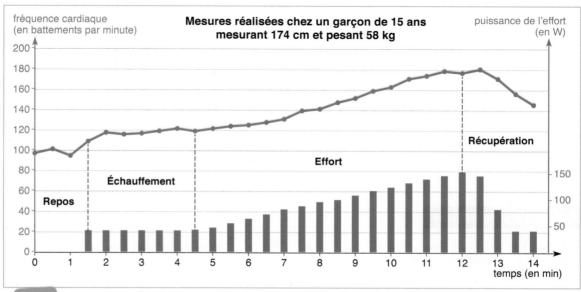

Doc. 2 Des mesures réalisées dans un centre de médecine du sport.

B Les variations du débit cardiaque

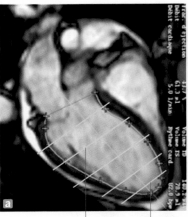
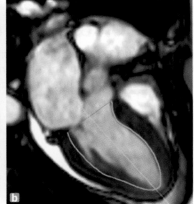

Les *clichés ci-contre* sont obtenus par la technique d'IRM (Image par Résonance Magnétique). Ces clichés permettent de mesurer le volume d'éjection systolique.

La zone délimitée par le trait vert correspond au ventricule gauche en coupe longitudinale, en fin de diastole (remplissage maximal : *cliché* **a**) et en fin de systole (remplissage minimal : *cliché* **b**).

L'appareil réalise automatiquement une série de coupes transversales équidistantes du ventricule (deux exemples de coupes en **c** et **d**). Connaissant ainsi la hauteur du ventricule et son diamètre à différents niveaux, l'appareil calcule le volume de sang contenu dans le ventricule en fin de diastole (*cliché* **a**) et en fin de systole (*cliché* **b**).

La différence de volume de la cavité entre ces deux instants correspond au volume de sang éjecté dans l'aorte pendant la systole, ou Volume d'Éjection Systolique.

Dans cet exemple : VES = 140,2 mL − 70,9 mL = 69,3 mL.

Doc. 3 Pour calculer le **débit cardiaque**, il faut mesurer le **Volume d'Éjection Systolique (VES)**.

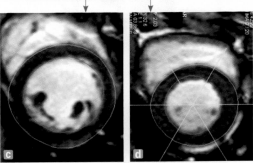

Débit cardiaque = FC x VES

FC : fréquence cardiaque
VES : volume d'éjection systolique

- position debout
- jogging (8 km · h⁻¹)
- course (12 km · h⁻¹)

Doc. 4 Variations du débit cardiaque dans trois situations différentes.

Pistes d'exploitation

1. Doc. 1 et 2 : Montrez que la fréquence cardiaque s'adapte à l'effort physique mais que cette adaptation présente des limites.

2. Doc. 3 et 4 : Calculez le débit cardiaque dans les trois situations du document 4 puis comparez-les.

3. Doc. 1 et 4 : Comment varie le débit cardiaque en fonction de l'effort physique ?

Lexique, p. 258

Le cœur et la propulsion du sang dans les vaisseaux

Nous savons depuis le Collège que le cœur est une double pompe dans laquelle le sang circule des veines qui arrivent au cœur vers les artères qui en partent. *Il nous reste à découvrir les structures anatomiques responsables de cette circulation à sens unique du sang dans le cœur.*

A Des observations sur le cœur de mouton

ACTIVITÉ EXPÉRIMENTALE

■ ANALYSE D'EXPÉRIENCES DE PERFUSION

● Première expérience
À l'aide de seringues, on injecte dans le cœur deux liquides colorés : l'un (orange) dans la veine cave, l'autre (vert) dans une veine pulmonaire.

● Deuxième expérience
Si l'on injecte ces liquides colorés dans les artères, ils ne ressortent pas par les veines.

Les flèches colorées indiquent les entrées et sorties des liquides ; ces derniers ne se mélangent jamais à l'intérieur du cœur.

Une séquence vidéo est proposée sur le manuel numérique.

artère aorte

artères pulmonaires

oreillette droite

veines pulmonaires

oreillette gauche

veine cave

ventricule droit

ventricule gauche

Doc. 1 Deux expériences simples qui permettent de tirer une conclusion importante.

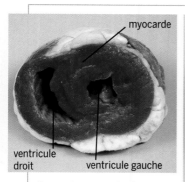

myocarde

ventricule droit

ventricule gauche

Coupe transversale du cœur au niveau des ventricules.

Coupe verticale ▶ du cœur gauche.

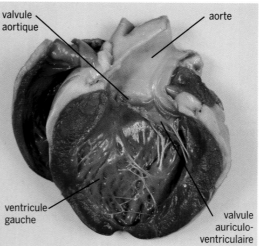

valvule aortique

aorte

ventricule gauche

valvule auriculo-ventriculaire

Coupe verticale du cœur passant par les quatres cavités

1 —
2
3
4
5
6

Doc. 2 L'organisation interne du cœur.

B Le rôle des valvules cardiaques

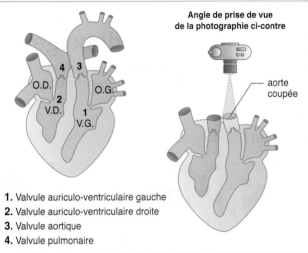

Angle de prise de vue de la photographie ci-contre

aorte coupée

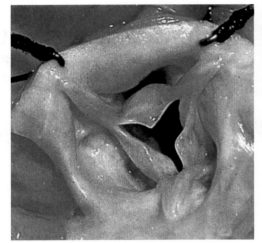

1. Valvule auriculo-ventriculaire gauche
2. Valvule auriculo-ventriculaire droite
3. Valvule aortique
4. Valvule pulmonaire

Doc. 3 Observation de la **valvule aortique**.

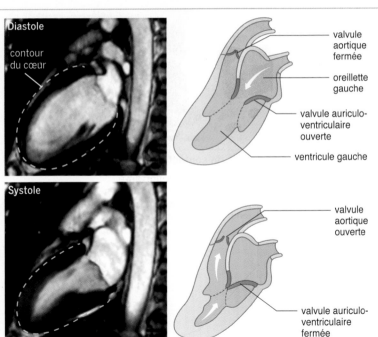

Diastole

contour du cœur

valvule aortique fermée

oreillette gauche

valvule auriculo-ventriculaire ouverte

ventricule gauche

Systole

valvule aortique ouverte

valvule auriculo-ventriculaire fermée

- Les **valvules auriculo-ventriculaires** s'ouvrent quand la pression sanguine à l'intérieur de l'oreillette est supérieure à la pression sanguine dans le ventricule.

En revanche, quand le ventricule se contracte, l'augmentation de pression intraventriculaire a tendance à refouler le sang vers les oreillettes : les valvules auriculo-ventriculaires se ferment alors pour empêcher ce reflux.

- Le fonctionnement des **valvules artérielles** (aortique ou pulmonaire) est commandé de la même façon par des différences de pression entre artères et ventricules.

Doc. 4 Fonctionnement des **valvules cardiaques** : l'exemple du cœur gauche. Le cœur droit fonctionne de la même manière et de façon synchrone.

Pistes d'exploitation

1. Doc. 1 à 4 : Utilisez l'ensemble des documents pour montrer que le cœur est une double pompe dans laquelle le sang circule à sens unique. Précisez clairement le rôle des valvules.

2. Doc. 1 à 4 : Reproduisez le dessin du document 2, légendez-le puis matérialisez par des flèches la circulation du sang dans le cœur.

Lexique, p. 258

L'approvisionnement des muscles en dioxygène

Au cours d'un effort physique, les muscles consomment davantage de dioxygène et de nutriments qu'au repos. *Il faut maintenant comprendre comment la circulation sanguine permet de faire face à ces besoins accrus des muscles.*

A La recharge du sang en dioxygène au niveau des poumons

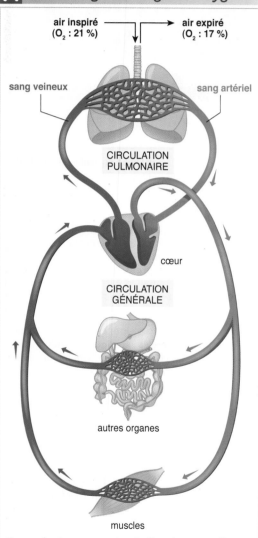

air inspiré (O$_2$: 21 %) → air expiré (O$_2$: 17 %)

sang veineux — sang artériel

CIRCULATION PULMONAIRE

cœur

CIRCULATION GÉNÉRALE

autres organes

muscles

Par analogie avec un circuit électrique, on dit que la circulation pulmonaire et la circulation générale sont disposées « en série », alors que l'irrigation des différents organes est dite « en parallèle ».

Doc. 1 Circulation générale et circulation pulmonaire.

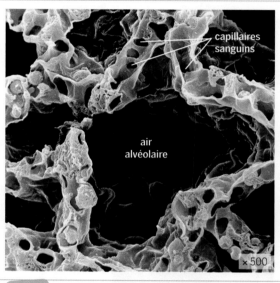

capillaires sanguins

air alvéolaire

×500

Doc. 2 Un contact étroit entre l'air et le sang.

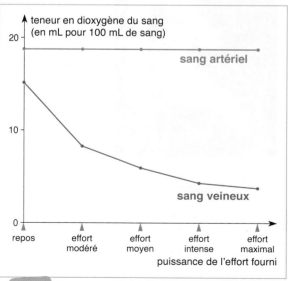

teneur en dioxygène du sang (en mL pour 100 mL de sang)

sang artériel

sang veineux

repos — effort modéré — effort moyen — effort intense — effort maximal

puissance de l'effort fourni

Doc. 3 Teneurs en dioxygène du sang veineux et du sang artériel pour des efforts croissants.

206

B Un apport privilégié aux muscles pendant l'effort

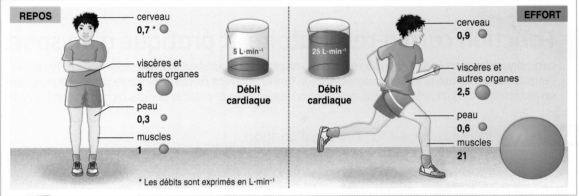

REPOS

cerveau
0,7 *

viscères et
autres organes
3

peau
0,3

muscles
1

5 L·min⁻¹
**Débit
cardiaque**

25 L·min⁻¹
**Débit
cardiaque**

EFFORT

cerveau
0,9

viscères et
autres organes
2,5

peau
0,6

muscles
21

* Les débits sont exprimés en L·min⁻¹

Doc. 4 **Variations du débit sanguin global et du débit au niveau de différents organes, au repos et au cours d'un effort physique intense.**

Lors d'un effort physique, les variations du débit sanguin au niveau des muscles sont dues à une modification de leur irrigation sanguine.

En effet, le muscle est un tissu très irrigué : 1 500 à 3 000 capillaires par mm^2 de coupe transversale. Pourtant, au repos, 10 % seulement de ces capillaires sont ouverts à la circulation ; les autres sont fermés par de petits muscles circulaires, les sphincters pré-capillaires.

Pendant l'effort, tous les sphincters s'ouvrent transformant ainsi le muscle en une véritable éponge gorgée de sang.

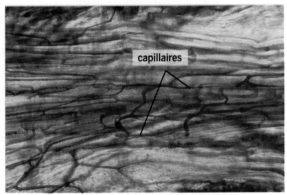

Irrigation sanguine d'un muscle

• **REPOS : les sphincters sont fermés**

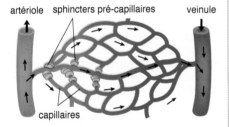

artériole   sphincters pré-capillaires   veinule

capillaires

• **EFFORT : les sphincters sont ouverts**

artériole   sphincters pré-capillaires   veinule

capillaires

Doc. 5 **L'irrigation sanguine des muscles varie en fonction de leur activité.**

Pistes d'exploitation

1. Doc. 1, 2 et 3 : Montrez que la disposition « en série » de la circulation pulmonaire et de la circulation générale permet la recharge en dioxygène de tout le volume sanguin quelle que soit l'augmentation du débit.

2. Doc. 1, 4 et 5 : En quoi l'irrigation « en parallèle » des différents organes permet-elle une adaptation à l'effort physique ?

3. Doc. 1 à 5 : Expliquez brièvement comment la circulation sanguine permet de satisfaire les besoins accrus en dioxygène du muscle au cours d'un effort physique.

Lexique, p. 258

Fonction cardio-respiratoire et pratique d'un sport

La pratique d'un sport nécessite un bon état cardio-respiratoire, d'où l'obligation d'un suivi médical. Par ailleurs, l'entraîneur sportif utilise les connaissances sur le fonctionnement cardio-respiratoire pour faire progresser ses athlètes. *Voici quelques informations, vous pourrez en trouver d'autres par des recherches personnelles.*

A Des contre-indications à la pratique d'un sport

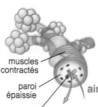

Les contre-indications à la pratique d'un sport de manière intensive sont nombreuses (problèmes osseux ou articulaires, problèmes cardio-respiratoires…). Ces contre-indications peuvent être définitives ou temporaires.

Doc. 1 **Une visite médicale obligatoire.**

● **Qu'est-ce qu'un « souffle au cœur ? »**

Le souffle au cœur est un bruit entendu par le médecin lors de l'auscultation, une sorte de « pschitt » qui est le résultat du passage du sang à l'intérieur d'un canal rétréci, comme lorsque l'on met son doigt devant un tuyau d'arrosage afin d'obtenir un jet plus puissant.

Le plus souvent, le souffle est dû à une anomalie des valvules (valvules auriculo-ventriculaires, ou bien valvules artérielles) qui ne se ferment pas hermétiquement laissant ainsi un peu de sang refluer du ventricule vers l'oreillette lors de la systole, ou bien de l'aorte vers le ventricule gauche lors de la diastole.

● **Que fait le médecin ?**

Quand il y a un tel bruit, il faut faire examiner le cœur par un spécialiste.

– La plupart du temps, le cœur est en bon état et, dans ce cas, il n'y a aucune contre-indication pour la pratique d'un sport. En effet, chez l'enfant et l'adolescent, il existe des souffles bénins qui ne sont pas liés à une malformation et disparaissent avec la croissance.

– Les souffles pathologiques, incompatibles avec une pratique du sport, sont beaucoup plus rares et nécessitent parfois une intervention chirurgicale. Après l'opération, le jeune mène une vie normale et peut pratiquer le sport de son choix.

Doc. 2 **Un exemple de contre-indication temporaire ou définitive : le souffle au cœur.**

● **L'origine des crises d'asthme**

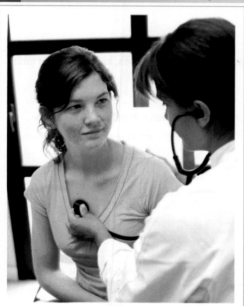

Bronche saine

Bronche durant une crise d'asthme

symptômes
* toux
* essoufflement
* respiration sifflante
* oppression
* sécrétion de mucus

muscles

muscles contractés

paroi épaissie

air

air

mucus

● **Asthme et pratique d'un sport**

– Seule la fédération française de plongée sous-marine interdit de façon absolue et définitive la pratique de la plongée avec bouteilles pour l'asthmatique. En effet, il est impossible techniquement d'inhaler un médicament au fond de l'eau.

– Tous les autres sports peuvent être pratiqués comme en témoignent de nombreux athlètes nationaux et internationaux qui ont de l'asthme.

La pratique d'un sport permet à l'asthmatique de constater qu'il peut vivre normalement en respectant un certain nombre de règles.

Doc. 3 **Une question que se posent beaucoup de jeunes : un asthmatique peut-il faire du sport ?**

B L'effet de l'entraînement sur la fonction cardio-respiratoire

Chez **un jeune** de 15-16 ans, sédentaire, la $\dot{V}O_2$ max se situe autour de 45 mL/min/kg pour les garçons et 35 mL/min/kg pour les filles. En revanche, chez des sportifs entraînés comme les jeunes élèves de l'Institut National de Formation du footballeur de Clairefontaine (tableau ci-dessous), elle peut dépasser 60 mL/min/kg après trois années d'entraînement intensif (cinq séances par semaine).

	$\dot{V}O_2$ max (mL/min/kg)
INF 1 (13-14 ans)	57,4
INF 2 (14-15 ans)	60,2
INF 3 (15-16 ans)	61,3

Doc. 4 **L'effet de l'entraînement sur la $\dot{V}O_2$ max de jeunes footballeurs à l'INF de Clairefontaine.**

À la fin de l'adolescence, même chez les athlètes de haut niveau qui poursuivent un entraînement intensif, la $\dot{V}O_2$ max atteint un palier qui semble ne pouvoir être dépassé que dans d'étroites limites.

Par ailleurs, la comparaison des $\dot{V}O_2$ max au sein d'une équipe de football professionnelle met en évidence, malgré un entraînement identique pour tous, des différences évidentes selon les individus et les postes qu'ils occupent sur le terrain *(graphique ci-contre)*. Ces différences sont à mettre en relation avec la distance parcourue durant un match : ce sont les milieux de terrain qui courent le plus. Ils possèderaient donc un avantage initial qui serait maintenu par la suite quel que soit l'entraînement.

Enfin, on a montré que de vrais jumeaux réagissent de la même manière au même entraînement, leurs gains en termes de $\dot{V}O_2$ max étant identiques.

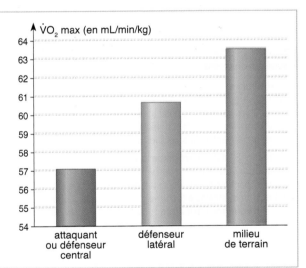

Doc. 5 **L'entraînement n'est pas le seul facteur influant sur la $\dot{V}O_2$ max.**

Pour rechercher des informations complémentaires :
www.bordas-svtlycee.fr

Pistes d'exploitation

1. **Doc. 1, 2 et 3 :** Recherchez des informations complémentaires sur Internet en utilisant la sélection d'adresses figurant sur le site ressources.

2. **Doc 4 :** En utilisant les données des activités précédentes sur le débit ventilatoire, le débit cardiaque et l'approvisionnement des muscles en dioxygène, indiquez ce qui doit être amélioré en priorité au cours d'un entraînement : le débit ventilatoire ou le débit cardiaque ?

3. **Doc 5 :** Quels facteurs influençant la $\dot{V}O_2$ max sont ici mis en évidence ?

Lexique, p. 258

chapitre 2 Les réponses de l'organisme à l'effort physique

1 Les modifications de la ventilation pulmonaire

● Au cours d'un effort physique, le **débit ventilatoire** augmente considérablement : il peut passer de 5 à 6 litres par minute à 120 litres par minute.
Le **débit ventilatoire** se calcule en multipliant le **volume d'air courant** (volume d'air circulant dans l'appareil respiratoire lors d'une inspiration ou d'une expiration) par la **fréquence respiratoire** (nombre de cycles inspiration-expiration par unité de temps, généralement une minute).

● Cette augmentation du débit ventilatoire résulte de :
– l'accélération de la **fréquence respiratoire** qui passe de 16 mouvements par minute environ au repos à 40 à 50 mouvements par minute pendant l'effort ;
– l'accroissement du **volume d'air courant** qui peut passer de 0,5 litre au repos à 3 litres au cours d'un effort intense et prolongé.

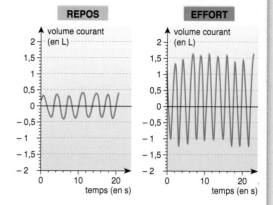

VARIATIONS DU DÉBIT VENTILATOIRE

À RETENIR

Au cours d'un effort physique, on observe une augmentation du débit ventilatoire qui est due à la fois à une augmentation du volume d'air courant et à une augmentation de la fréquence respiratoire.

2 Les modifications de l'activité cardiaque

● Le cœur est constitué par deux pompes accolées, le cœur droit et le cœur gauche, dans lesquelles un système de « clapets anti-retour », les valvules, impose un sens de circulation du sang : des veines vers les oreillettes, puis des oreillettes vers les ventricules et enfin des ventricules vers les artères.

● On appelle **débit cardiaque** le volume de sang éjecté dans les artères par l'un ou l'autre des ventricules par unité de temps (par minute, par exemple). Ce débit est égal au produit du **volume d'éjection systolique** (volume de sang éjecté à chaque systole) par la **fréquence cardiaque** (nombre de systoles par minute).

● Au cours d'un effort physique, le débit cardiaque augmente considérablement. Il peut passer de 5 litres par minute à 20 ou 30 litres par minute grâce à :
– une **accélération de la fréquence cardiaque** qui peut passer d'environ 70 battements par minute au repos à près de 200 battements par minute (sans pouvoir toutefois dépasser une valeur appelée fréquence cardiaque maximale) ;
– une **augmentation du volume d'éjection systolique** qui peut être doublé (voire davantage chez un sujet entraîné) au cours d'un effort intense.

VARIATIONS DU DÉBIT CARDIAQUE

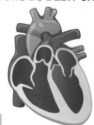

REPOS

FC : 70 pulsations par minute
VES : 70 mL

EFFORT

FC : 180 pulsations par minute
VES : 140 mL

5 L·min⁻¹

Débit cardiaque

25 L·min⁻¹

Débit cardiaque

À RETENIR

Au cours d'un effort physique, on observe une augmentation du débit cardiaque qui est due à la fois à une augmentation de la fréquence cardiaque et à une augmentation du volume d'éjection systolique.

3 Un approvisionnement privilégié des muscles pendant l'effort

Au cours d'un effort physique, les muscles consomment davantage de dioxygène. Plusieurs mécanismes permettent de satisfaire ces besoins accrus.

a. Le maintien d'une saturation en dioxygène du sang artériel

● Le sang envoyé aux poumons par le cœur droit est d'autant plus pauvre en dioxygène que l'effort physique est intense. Pourtant, lorsqu'il sort des poumons, il est toujours saturé en dioxygène. La disposition « **en série** » de la **circulation pulmonaire et de la circulation générale** permet donc de recharger en dioxygène la totalité du débit sanguin, quel que soit l'effort fourni.

● L'organisation interne du cœur empêche tout mélange entre le sang peu oxygéné et le sang riche en dioxygène. C'est donc un sang saturé en dioxygène qui est distribué à tous les organes par la **circulation générale**.

b. Une redistribution du débit sanguin au niveau des organes

● Outre l'augmentation du débit sanguin total, l'effort physique s'accompagne d'une nouvelle répartition du flux sanguin entre les différents organes. En effet, l'irrigation sanguine des organes est réalisée « **en parallèle** » : cela signifie que l'artère aorte, qui distribue le sang à l'ensemble des organes, se ramifie en nombreuses artères irriguant chacune un territoire précis de l'organisme. Cette disposition permet une redistribution des débits sanguins locaux.

● Au cours de l'effort, les organes n'intervenant pas dans cette activité physique (appareil digestif, reins...) voient leur débit sanguin relatif diminuer au profit de ceux qui sont actifs : les muscles et le cœur qui se contractent, la peau qui évacue la chaleur produite par le travail musculaire. Cette redistribution est rendue possible par l'ouverture, au niveau des organes très actifs, de nombreux réseaux de capillaires qui étaient fermés au repos.

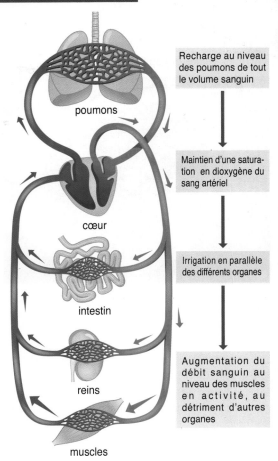

poumons

cœur

intestin

reins

muscles

Recharge au niveau des poumons de tout le volume sanguin

Maintien d'une saturation en dioxygène du sang artériel

Irrigation en parallèle des différents organes

Augmentation du débit sanguin au niveau des muscles en activité, au détriment d'autres organes

---

À RETENIR

Au cours d'un effort physique, les besoins du muscle en dioxygène augmentent.
La disposition en série des circulations pulmonaire et générale permet, au niveau des poumons, la recharge en dioxygène de l'ensemble du volume sanguin.
L'augmentation du débit ventilatoire permet de maintenir la saturation en dioxygène du sang artériel.
L'augmentation du débit cardiaque d'une part, la redistribution des flux sanguins grâce à l'irrigation en parallèle des différents organes d'autre part, permettent un apport préférentiel de dioxygène aux muscles en activité.

Mots-clés

● Débit ventilatoire
● Fréquence respiratoire
● Débit cardiaque
● Fréquence cardiaque
● Volume d'éjection systolique
● Circulation pulmonaire
● Circulation générale

Capacités et attitudes

▶ Mettre en œuvre un protocole expérimental pour montrer les variations des fonctions respiratoire et cardiaque au cours de l'effort.

▶ Disséquer, rechercher des informations et les organiser pour comprendre l'organisation et le fonctionnement des systèmes cardio-vasculaire et ventilatoire.

▶ Établir un lien entre la pratique d'un sport et le fonctionnement des systèmes cardio-vasculaire et ventilatoire.

Mieux connaître les vaisseaux sanguins

• **Artères, veines et capillaires**

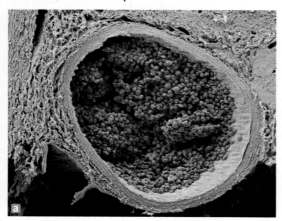

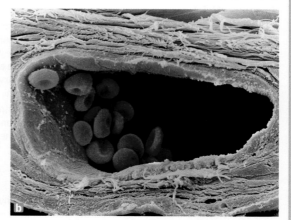

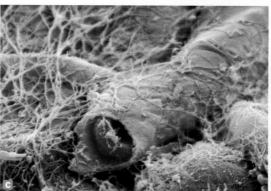

Les **artères** (**a**) possèdent une paroi fibreuse qui maintient l'artère béante même lorsqu'elle est vide de sang. L'élasticité de cette paroi amortit les élévations de la pression systolique.

Les **veines** (**b**) ont une paroi très souple ; la veine s'aplatit lorsqu'elle est vide de sang.

Les **capillaires** (**c**) sont les plus petits vaisseaux sanguins. Ils sont le siège des échanges entre le sang et les tissus.

Remarque : Les globules rouges, dont le diamètre est environ de 7 µm, donnent l'échelle des photographies.

• **Les artérioles, des vaisseaux « musclés »**

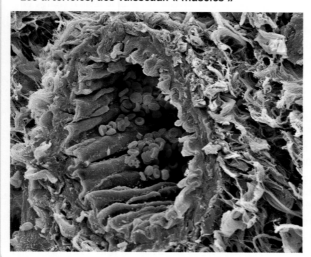

Les **artérioles**, qui assurent la liaison entre les grosses artères et les capillaires, possèdent dans leur paroi une couche de cellules musculaires.

En se contractant (mécanisme appelé vasoconstriction), ces cellules diminuent le rayon de l'artériole ce qui a pour conséquence de diminuer l'afflux de sang dans les capillaires.

Inversement, leur relâchement (appelé vasodilatation) va augmenter l'afflux de sang vers les capillaires.

Lors d'un exercice intense, la demande musculaire en oxygène augmente fortement. Les artérioles jouent un rôle essentiel pour satisfaire cette demande.

... découvrir des métiers et des formations

Travailler dans le domaine du sport

Vous aimez
- Le sport et l'effort physique
- Le contact avec les autres
- Faire partager votre passion

Les domaines d'activité potentiels

Le médecin sportif travaille dans le secteur public (centre médico-sportifs, INSEP...) ou dans des cliniques privées.

Le maître nageur est souvent employé par les mairies. Il peut aussi travailler dans les centres de loisirs ou de vacances, comme surveillant de baignade ou maître nageur sauveteur (MNS). Enfin, il peut exercer au sein de l'armée ou de la gendarmerie.

Pour y parvenir

Le médecin sportif est d'abord un médecin généraliste qui effectue une année de spécialisation pour obtenir un certificat de capacité en biologie et médecine du sport.

Devenir maître nageur demande de un à trois ans d'études pour décrocher le brevet d'État d'éducateur sportif des activités de natation (BEESAN) du 1er degré.

Les débouchés

Les débouchés en médecine du sport sont limités. En revanche, les offres d'emploi de maître nageur sont en hausse en raison d'une demande croissante pour les activités de loisirs.

Médecin du sport
c'est prévenir et soigner les accidents liés à la pratique d'un sport et la prise en charge spécifique des sportifs de haut niveau.

Maître nageur
c'est surveiller les baignades, secourir les noyés, enseigner la natation...

... mieux comprendre l'histoire des sciences

La découverte de l'anatomie du corps humain

Dans l'Antiquité, les croyances religieuses et philosophiques interdisent toute étude anatomique. Parmi les médecins de l'Antiquité, c'est Galien (médecin grec, 130 apr. J.-C.) qui décrit avec le plus de précision l'anatomie humaine mais uniquement à partir de dissections d'animaux. Le travail de Galien a été copié et commenté pendant dix siècles.

André Vésale (médecin flamand, 1514-1564) décrivit l'anatomie humaine, non plus à partir des traditions et dogmes de Galien, mais à partir de dissections humaines. Néanmoins, le nombre de dissections autorisées n'était que de deux par an, souvent sur des corps de criminels exécutés.

Au cours du XVIIe siècle, les dissections humaines se multiplient. Le tableau ci-contre, chef-d'œuvre de

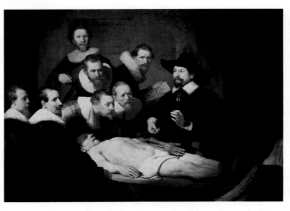
Rembrandt, représente le groupe de chirurgiens du Docteur Tulp (1593-1674) effectuant une dissection publique.

Exercices

1 Définissez les mots ou expressions

Fréquence respiratoire, débit ventilatoire, volume d'air courant, débit cardiaque, volume d'éjection systolique.

2 Questions à choix multiples

Choisissez la ou les bonnes réponses parmi les différentes propositions.

1. Au cours de l'effort physique :
a. le débit cardiaque augmente ;
b. le volume d'éjection systolique diminue ;
c. seule, la fréquence cardiaque augmente.

2. Au cours de l'effort physique :
a. le débit ventilatoire ne varie pas ;
b. le volume d'air courant augmente ;
c. la fréquence respiratoire diminue.

3. L'apport privilégié de sang aux muscles au cours de l'effort physique est dû :
a. à la disposition en parallèle des circulations générale et pulmonaire ;
b. à la disposition en série des circulations générale et pulmonaire ;
c. à l'ouverture de réseaux capillaires.

3 Questions à réponse courte

a. Quels sont les paramètres responsables de l'augmentation du débit cardiaque au cours de l'effort physique ?
b. Quel est l'intérêt de la disposition en série des circulations générale et pulmonaire ?

4 Vrai ou faux ?

Repérez les affirmations exactes et corrigez celles qui sont inexactes.

a. Le volume d'air courant représente la différence entre les volumes d'air inspiré et expiré lors d'un cycle respiratoire.
b. Lors de la respiration, l'inspiration d'air provoque une dilatation de la cage thoracique.
c. Si on multiplie le volume de sang éjecté à chaque systole par la fréquence cardiaque, on obtient la valeur du débit cardiaque.
d. Dans la circulation sanguine générale, le sang quitte le « cœur gauche » et revient au « cœur droit ».
e. Les valvules auriculo-ventriculaires s'opposent au reflux du sang des ventricules vers les oreillettes lors de la diastole.
f. Même si, lors d'un effort par exemple, le débit sanguin traversant les poumons est nettement augmenté, le sang qui sort des poumons est correctement oxygéné.

5 Observer une photographie

Observez la photo ci-contre. Sachant que la seringue a été introduite dans la veine cave, par quel vaisseau sort le liquide injecté et quelles cavités cardiaques ont été traversées ?
Quel serait le résultat observé si l'on inversait la position de la seringue et du tuyau d'évacuation ?

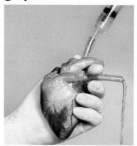

6 La circulation du sang dans le cœur Analyser une photographie, raisonner

On cherche à comprendre la circulation du sang et le rôle des valvules dans le cœur.

Choisissez, parmi les différentes propositions, celles qui vous paraissent exactes :
a. Le sang circule en sens inverse dans le cœur gauche et le cœur droit.
b. Le sang circule en sens unique dans le cœur.
c. Il n'y a pas de communication sanguine directe entre le cœur droit et le cœur gauche.
d. Les valvules permettent le passage du sang dans les deux sens.
e. Les valvules ne laissent passer le sang que dans un seul sens.
f. Sur l'échographie ci-contre, les ventricules sont en diastole.
g. Sur l'échographie ci-contre, les ventricules sont en systole.

valvules auriculo-ventriculaires

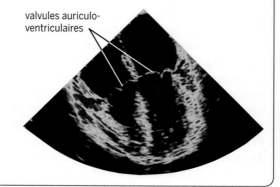

7 Effets de l'entraînement sur le fonctionnement cardio-respiratoire **Raisonner**

Des modifications du débit cardiaque, de la fréquence cardiaque et du volume d'éjection systolique sont mesurées chez des sujets entraînés ou non et effectuant un travail d'intensité variable.

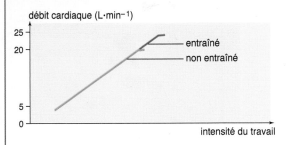

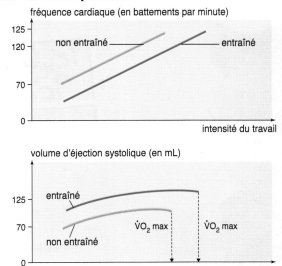

1. **Décrivez les modifications constatées entre un sujet non entraîné et un sujet entraîné.**

2. **Mettez en relation l'ensemble des modifications.**

Utiliser ses capacités expérimentales

ACTIVITÉ EXPÉRIMENTALE

8 Dissection du cœur de mouton **Suivre un protocole, manipuler, raisonner**

■ **Problème à résoudre**

On cherche à expliquer la circulation à sens unique du sang dans le cœur en réalisant la dissection d'un cœur.

■ **Matériel disponible**

Cœur de mouton, gants, matériel à dissection.

■ **Protocole de dissection du cœur**

– Ouverture du cœur droit

Après avoir identifié les différentes parties du cœur, ouvrez le cœur droit en pratiquant une incision de la paroi du ventricule droit (en suivant les pointillés noirs). Observez sa communication avec l'oreillette droite.

– Ouverture du cœur gauche

Disséquez le cœur gauche de la même manière en suivant les pointillés blancs. Attention : la paroi du ventricule gauche est très épaisse. Observez sa communication avec l'oreillette gauche.

Observez ensuite les communications entre les ventricules (droit et gauche) et les artères qui partent du cœur.

■ **Exploitation des résultats**

À partir des différentes observations réalisées, expliquez la circulation à sens unique du sang dans le cœur.

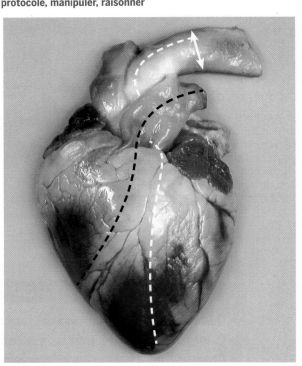

Des DOCUMENTS pour se poser des questions

Pression artérielle (en cm de Hg)
– avant la course : 12-8
– pendant la course : 18-8
– 3 minutes après la course : 12-8

La mesure de la pression artérielle

Des appareils, à affichage électronique, permettent de mesurer la pression artérielle. Le brassard placé autour du bras se gonfle et se dégonfle automatiquement. Deux valeurs de pression, exprimées en millimètres de mercure (mmHg), s'affichent : la pression maximale (ici, 121 mmHg) et la pression minimale (ici, 72 mmHg). La fréquence cardiaque s'affiche également (ici, 51 battements par minute).

Pression artérielle et effort physique

Des appareils enregistreurs portables permettent d'enregistrer les variations de la pression artérielle pendant l'effort.

Les dangers de l'hypertension

L'hypertension artérielle permanente augmente le risque de faire un accident vasculaire cérébral par rupture d'un vaisseau dans le cerveau. De nombreuses cellules nerveuses sont alors détruites avec de graves conséquences (paralysies, perte de la vue, de la parole...).

LES PROBLÉMATIQUES DU CHAPITRE

- Quel est le principe de la mesure de la pression artérielle ?
- Quelle relation existe-t-il entre la pression artérielle et la fréquence cardiaque ?
- Comment l'organisme maintient-il la pression artérielle à une valeur raisonnable ?

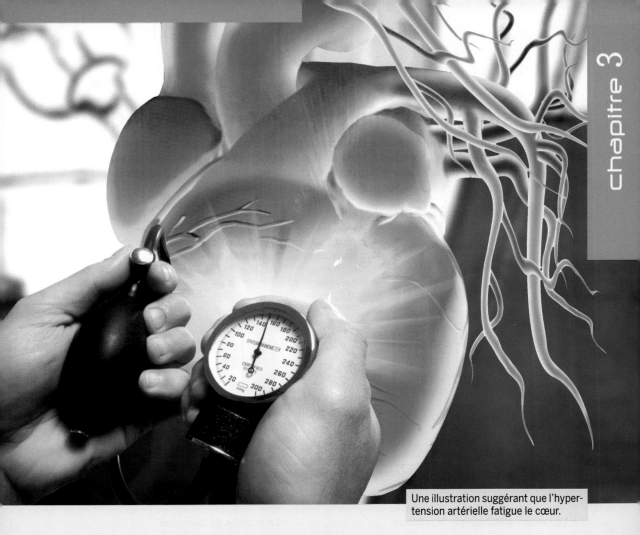

Une illustration suggérant que l'hypertension artérielle fatigue le cœur.

La régulation nerveuse
de la pression artérielle

Pression artérielle et fréquence cardiaque

La pression (ou tension) artérielle désigne la pression du sang qui s'exerce contre l'intérieur des parois artérielles. Pour le médecin, c'est un des paramètres qui le renseignent sur l'état de santé de son patient. *Cette activité vise à expliquer le principe de la mesure et à montrer une relation entre la pression artérielle et la fréquence cardiaque.*

A La mesure de la pression artérielle

◄ Un tuyau de cuivre, relié à un tube vertical en verre, fut introduit dans une artère d'un cheval, une compression de cette artère empêchant l'hémorragie au moment de l'incision. *« Lorsque l'artère fut libérée du garrot, le sang s'éleva dans le tube à 8 pieds et 3 pouces (environ 2,5 m) au-dessus du niveau du ventricule du cœur… ».*

Pression maximale
- pression exercée par le sang contre les parois artérielles suite à la contraction ventriculaire
- correspond à la **pression systolique**

sang

tube en verre —

Pression minimale
- pression exercée par le sang contre les parois des artères pendant le relâchement cardiaque
- correspond à la **pression diastolique**

Doc. 1 Une première mesure de **pression artérielle** réalisée par Stephen Hales en 1733.

● **La mesure effectuée par le médecin**

Le médecin mesure la pression dans l'artère du bras à l'aide d'un tensiomètre, constitué d'un brassard gonflable et d'un manomètre, et d'un stéthoscope placé sur cette artère. Le **stéthoscope** permet de repérer des bruits dus à l'écoulement du sang dans l'artère.

Le médecin annonce toujours deux valeurs, par exemple 12-8, qui correspondent à la pression maximale et à la pression minimale en centimètres de mercure (cmHg).

● **Le principe de la mesure**

Le brassard est gonflé jusqu'à ce que la compression de l'artère du bras interrompe le flux sanguin : aucun bruit n'est alors décelable au stéthoscope.

Le brassard est ensuite dégonflé progressivement permettant au sang de circuler à nouveau : le premier bruit audible correspond à la pression maximale et le dernier à la pression minimale.

Les valeurs normales de la pression artérielle varient de 11 à 14 cmHg pour la pression maximale et de 6 à 8 pour la pression minimale.

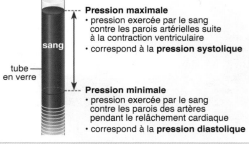

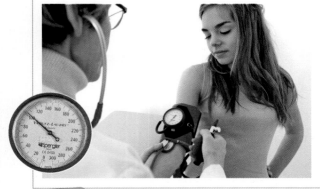

Doc. 2 La mesure de la pression artérielle à l'aide d'un **tensiomètre** médical.

B Une étude expérimentale à l'aide d'un dispositif d'ExAO

La pression artérielle dépend de plusieurs facteurs : volume du sang, débit cardiaque et résistance à l'écoulement du sang dans les artérioles périphériques.

Dans ce chapitre, nous aborderons seulement la relation entre la pression artérielle et le débit cardiaque, dont nous avons vu précédemment qu'il dépendait en grande partie de la fréquence cardiaque.

Le dispositif d'ExAO (*photographie*) est composé de capteurs situés dans le brassard et reliés à une interface qui permet d'afficher à l'écran les variations sous forme de graphiques.

Ce dispositif permet aux élèves de mesurer leur pression artérielle ainsi que leur fréquence cardiaque au repos et au cours d'un effort.

1. Mesure de la pression artérielle au repos

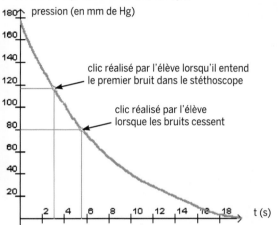

2. Mesure de la pression artérielle au repos et au cours d'un effort

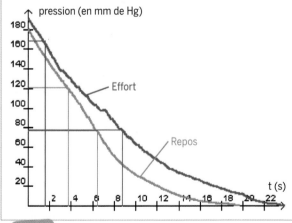

3. Variations de la pression artérielle et de la fréquence cardiaque au repos et au cours d'un effort

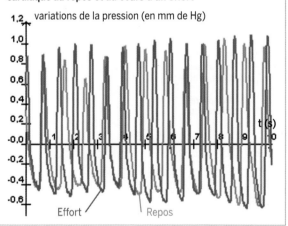

Doc. 3 L'utilisation d'un dispositif d'ExAO (matériel Jeulin) permet de mettre en évidence une relation entre pression artérielle et fréquence cardiaque.

Pistes d'exploitation

1. Doc. 1 : Quelle relation peut-on établir entre ces observations et le fonctionnement cardiaque ?

2. Doc. 2 : Décrivez le principe de la mesure et indiquez la signification des valeurs mesurées par le tensiomètre.

3. Doc. 3 : Quelles variations de la pression artérielle et de la fréquence cardiaque observe-t-on à l'effort ?

4. Doc. 1 à 3 : Expliquez en quoi la fréquence cardiaque est un paramètre qui agit sur la pression artérielle.

Lexique, p. 258

Une modulation nerveuse de la fréquence cardiaque

La pression artérielle est contrôlée par plusieurs paramètres, en particulier par la fréquence cardiaque. Cette fréquence peut varier, notamment à l'effort, et on sait aujourd'hui que ces variations sont contrôlées par des mécanismes nerveux. *Découvrons ce système de contrôle de la fréquence cardiaque.*

A Le cœur, un organe automatique sous contrôle nerveux

● Depuis décembre 1967, date de la première greffe cardiaque, les techniques mises en œuvre au cours de cette intervention ont évolué. Le donneur est un individu en état de mort cérébrale, mais dont le cœur fonctionne encore. Le chirurgien procède à la greffe chez un receveur dont le cœur a été enlevé et dont le sang circule de façon extracorporelle.

● Aucune connexion nerveuse ne peut techniquement être rétablie entre l'organisme du receveur et son « nouveau cœur ». Après la greffe, on constate que le rythme cardiaque au repos est relativement élevé (90 à 100 battements par minute). Au cours d'un effort, le rythme cardiaque s'élève peu : 120-130 battements par minute, au maximum.

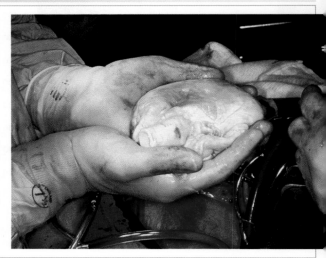

Doc. 1 **Le cœur est un organe automatique.**

Pour situer
le bulbe rachidien

hémisphère
cérébral droit

bulbe
rachidien

cervelet

moelle
épinière

**encéphale
(coupe sagittale)**

bulbe
rachidien

moelle
épinière

nerf X
(parasympathique)

nerf
sympathique

Le cœur reçoit des fibres nerveuses issues du bulbe rachidien et appartenant au **système nerveux autonome**, ainsi appelé car il est indépendant de la volonté. Ce système nerveux est constitué de deux sous-unités : le **système sympathique** et le **système parasympathique**.

Le cœur reçoit des fibres de ces deux systèmes :
– des fibres parasympathiques notamment les nerfs X (ou pneumogastriques) qui partent du bulbe rachidien et gagnent le cœur ;
– des fibres sympathiques issues du bulbe mais passant par la moelle épinière avant de gagner le cœur.

Doc. 2 **Plusieurs nerfs relient le cœur et le bulbe rachidien.**

B Le rôle des nerfs cardiaques

Les *enregistrements ci-contre* ont été obtenus en école vétérinaire sur un animal anesthésié : une canule (fin tube), introduite dans une artère de l'animal, est reliée à un capteur électronique de pression. Ce capteur est lui-même en liaison avec un dispositif permettant d'afficher sur un écran d'ordinateur les variations de pression dans l'artère.

– **L'enregistrement 1** correspond à l'enregistrement de la pression artérielle dans les conditions normales.

■ EXPÉRIENCES

Après avoir dégagé les nerfs qui se rendent au cœur, on stimule électriquement chacun d'eux : la stimulation est constituée par une série d'impulsions électriques très rapprochées dont le but est d'augmenter l'activité du nerf stimulé.

– **L'enregistrement 2** montre les variations de la pression artérielle lors d'une stimulation du nerf X (nerf parasympathique).

– **L'enregistrement 3** montre les variations de la pression artérielle lors d'une stimulation des fibres sympathiques cardiaques issues de la moelle épinière.

- **Enregistrement 1 : conditions normales**

On observe sur l'écran une série d'oscillations correspondant aux variations régulières de la pression entre une valeur maximale (la pression systolique) et une valeur minimale (la pression diastolique).

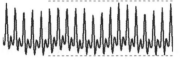

pression systolique

pression diastolique

- **Enregistrement 2 : stimulation du nerf X (parasympathique)**

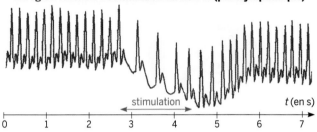

- **Enregistrement 3 : stimulation des fibres sympathiques**

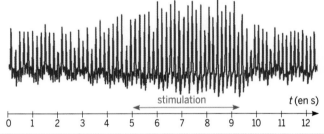

Doc. 3 **Une étude expérimentale du rôle des nerfs cardiaques.**

Le *tableau ci-contre* indique les variations de l'intensité des messages nerveux dans les nerfs sympathiques et parasympathiques qui parviennent au cœur, au repos et au cours d'un effort physique (une course par exemple).

L'intensité des messages est estimée par la fréquence des signaux électriques parcourant ces nerfs.

	Messages nerveux sympathiques	Messages nerveux parasympathiques
Au repos	intensité moyenne	intensité moyenne
Pendant la course	intensité augmentée	intensité diminuée

Doc. 4 **Chez l'Homme, l'activité des nerfs cardiaques varie au cours de l'effort physique.**

Pistes d'exploitation

1. Doc. 1 : En quoi la greffe cardiaque montre-t-elle que le système nerveux contrôle la fréquence cardiaque ?

2. Doc. 2 : Indiquez les organes du système nerveux en relation avec le cœur.

3. Doc. 3 et 4 : Que pouvez-vous déduire de ces documents concernant le rôle des nerfs sympathiques et parasympathiques sur la fréquence cardiaque ?

4. Doc. 1 à 4 : Expliquez l'action du système nerveux sur la fréquence cardiaque.

Lexique, p. 258

Un contrôle réflexe de la pression artérielle

La pression artérielle varie suite à un effort physique, mais elle est toujours ramenée à une valeur de référence. On dit que la pression artérielle est une grandeur régulée. *Nous allons découvrir ici un mécanisme réflexe intervenant dans cette régulation.*

A Des récepteurs sensibles aux variations de la pression artérielle

● **La localisation des barorécepteurs chez l'Homme**

nerf de Cyon

nerf de Hering

sinus carotidien

barorécepteurs du sinus carotidien

artères carotides

barorécepteurs de la crosse aortique

● **Les variations d'activité des barorécepteurs**

Les barorécepteurs sont des terminaisons nerveuses sensibles à la pression. Quand celle-ci varie, la fréquence des signaux électriques (les messages nerveux) émis par ces récepteurs varie également (*graphe ci-dessous*).

Ces barorécepteurs envoient des messages vers le **bulbe rachidien** par le nerf de Hering (pour les récepteurs carotidiens) ou le nerf de Cyon (pour les récepteurs aortiques).

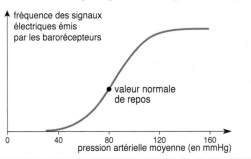

fréquence des signaux électriques émis par les barorécepteurs

valeur normale de repos

0   40   80   120   160
pression artérielle moyenne (en mmHg)

> **Doc. 1** Dans la paroi des artères, des récepteurs sensibles à la pression, les **barorécepteurs**.

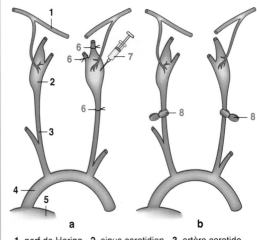

1. nerf de Hering - **2.** sinus carotidien - **3.** artère carotide
4. artère aorte - **5.** cœur
6. ligatures - **7.** liquide physiologique - **8.** pinces

Expériences anciennes réalisées chez un animal anesthésié

● **Expérience 1 :** un sinus carotidien est isolé par des ligatures (**6**) ; on y augmente la pression en injectant du liquide physiologique (**7**).

● **Expérience 2 :** les carotides droite et gauche sont pincées (**8**), ce qui crée une hypotension au niveau des sinus. En effet, dans cette artère, le sang circule du bas vers le haut.

● **Expérience 3 :** les nerfs de Hering sont sectionnés.

	Expérience 1	Expérience 2	Expérience 3
Pression dans le sinus carotidien	hypertension	hypotension	normale
Activité du nerf de Hering	augmentée	diminuée	nulle
Fréquence cardiaque	ralentissement	accélération	accélération
Pression artérielle générale	diminue	augmente	augmente

> **Doc. 2** Des expériences pour déterminer le rôle des barorécepteurs des **sinus carotidiens**.

B Une boucle réflexe de contrôle de la fréquence cardiaque

Le *tableau ci-contre* met en relation :
– des variations de la pression artérielle d'un mammifère ;
– les variations consécutives de l'activité de plusieurs nerfs : nerf de Hering, nerf parasympathique, nerf sympathique ;
– les variations simultanées de la fréquence cardiaque.

Ces enregistrements sont réalisés dans trois situations différentes de pression artérielle : hypotension, tension normale, hypertension.

	Pression artérielle		
	diminuée (hypotension)	normale	augmentée (hypertension)
Signaux électriques issus des sinus carotidiens et cheminant dans le nerf de Hering	diminués	normaux	augmentés
Signaux électriques cheminant dans le nerf X (nerf parasympathique)	diminués	normaux	augmentés
Signaux électriques cheminant dans le nerf sympathique cardiaque	augmentés	normaux	diminués
Fréquence cardiaque	accélérée	normale	ralentie

Doc. 3 **Des résultats expérimentaux.**

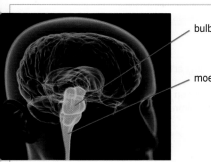

bulbe rachidien

moelle épinière

Qu'appelle-t-on boucle réflexe ?

● Un réflexe est une réponse automatique (involontaire) et rapide à un stimulus donné.

● La voie nerveuse impliquée dans cette réponse est appelée **boucle réflexe** : elle comprend un récepteur sensoriel, un nerf afférent, un centre intégrateur, un nerf efférent et un organe effecteur.

Le **bulbe rachidien** reçoit des informations en provenance des barorécepteurs des sinus carotidiens et de ceux de la crosse aortique par les nerfs de Hering et par les nerfs de Cyon.

● Dans **le cas d'une augmentation de la pression artérielle**, le bulbe intègre ces informations et il est capable d'envoyer des messages nerveux différents dans les nerfs sympathiques et parasympathiques : il stimule l'activité des nerfs X (parasympathiques) et il inhibe l'activité des nerfs sympathiques.

● Dans **le cas d'une baisse de la pression artérielle**, c'est le contraire.

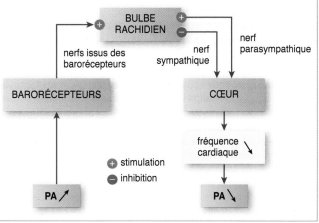

Doc. 4 **Une boucle réflexe avec un centre intégrateur.**

Pistes d'exploitation

1. Doc. 1 : Argumentez le fait que les barorécepteurs sont sensibles aux variations de la pression artérielle.

2. Doc. 2 : À partir des résultats des différentes expériences, expliquez le rôle des barorécepteurs des sinus carotidiens dans la régulation de la pression artérielle.

3. Doc. 3 et 4 : Quelle est la conséquence sur la fréquence cardiaque, et donc sur la pression artérielle générale, d'une augmentation de la pression au niveau des barorécepteurs ?

4. Doc. 1 à 4 : Expliquez pourquoi on parle d'une boucle réflexe de contrôle de la fréquence cardiaque, et donc indirectement, de la pression artérielle.

Lexique, p. 258

1 Un paramètre physiologique régulé, la pression artérielle

● Le sang circule sous pression dans les artères. En pratique médicale courante, la mesure de la pression (ou tension) artérielle consiste à estimer de façon indirecte la pression régnant dans l'artère du bras à l'aide d'un tensiomètre. Le médecin enregistre alors deux valeurs : une **pression maximale** ou **systolique** (liée à la contraction ventriculaire ou systole) et une **pression minimale** ou **diastolique** (liée au relâchement du muscle cardiaque ou diastole).

● Les valeurs normales, exprimées en cm de mercure (cmHg), sont pour un adulte de 11 à 14 pour la pression systolique et 6 à 8 pour la pression diastolique. Ces valeurs sont susceptibles de varier dans certaines limites : au cours d'un effort musculaire, la pression systolique peut s'élever jusqu'à 19-20 cmHg, la pression diastolique restant inchangée.

● Ces variations sont rapidement corrigées car une hypotension trop importante ou une hypertension chronique présentent des dangers pour l'organisme. On dit que la pression artérielle est **régulée** car des mécanismes physiologiques la maintiennent dans des limites acceptables pour l'organisme.

Les valeurs normales de la pression artérielle

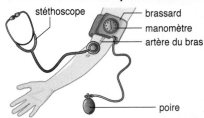

Pression artérielle (en cmHg)	Repos	Effort	Après l'effort
Pression systolique	12	18	12
Pression diastolique	8	8	8

À RETENIR

Le sang circule sous pression dans les artères : c'est la pression (ou tension) artérielle. Cette pression oscille en permanence entre deux valeurs liées à l'activité cardiaque : une pression maximale ou systolique et une pression minimale ou diastolique. La pression artérielle peut varier en fonction de différents facteurs (effort physique, stress...) mais elle est régulée afin de maintenir un bon état vasculaire et cardiaque.

2 Relation pression artérielle – fréquence cardiaque

● La pression artérielle dépend de plusieurs paramètres parmi lesquels le **débit cardiaque** joue un rôle fondamental. Or, ce débit dépend du **volume d'éjection systolique** et de la **fréquence cardiaque**. Ainsi, toute variation de la fréquence cardiaque va modifier la pression artérielle.

● Au cours d'un effort physique, la fréquence cardiaque augmente avec pour conséquence une augmentation du débit sanguin et donc de la pression artérielle.

● Le cœur est un **organe automatique**, c'est-à-dire qu'il possède en lui-même le système qui déclenche ses propres contractions (un cœur isolé de l'organisme continue à battre, mais il le fait à fréquence constante).

● Dans l'organisme, la fréquence cardiaque n'est pas constante, elle peut être modulée par voie nerveuse. Le cœur reçoit en effet des fibres nerveuses issues du bulbe rachidien :
– des **fibres parasympathiques** qui gagnent le cœur par le nerf X et ont un effet inhibiteur (freinateur) sur la fréquence cardiaque ;
– des **fibres sympathiques** qui passent par la moelle épinière avant de gagner le cœur et ont un effet accélérateur sur la fréquence cardiaque.
L'activité de ces nerfs influe sur la fréquence cardiaque et donc sur la pression artérielle.

● **L'innervation cardiaque**

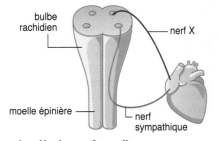

● **Le rôle des nerfs cardiaques**

Activité des nerfs cardiaques	Fréquence cardiaque	Pression artérielle
Nef X ↗ Nerf sympathique ↘	↘	↘
Nef X ↘ Nerf sympathique ↗	↗	↗

↗ : augmentation   ↘ : diminution

À RETENIR

La fréquence cardiaque est un des paramètres dont dépend la pression artérielle. La fréquence cardiaque est modulée par l'activité des nerfs sympathiques et parasympathiques en provenance du bulbe rachidien. Les messages parasympathiques ralentissent la fréquence cardiaque alors que les messages sympathiques l'accélèrent.

Une boucle nerveuse réflexe de régulation de la pression artérielle

La régulation de la pression artérielle est assurée principalement par les variations de la fréquence cardiaque.

● L'adaptation de ces variations à celles de la pression artérielle est assurée par une **boucle nerveuse réflexe**, c'est-à-dire un mécanisme involontaire et rapide faisant intervenir :
– des **capteurs** sensibles aux variations de la pression artérielle (ici, les **barorécepteurs** situés dans la paroi de certaines artères) ;
– un **centre nerveux intégrateur** (ici, le bulbe rachidien) ;
– un **effecteur** (ici, le cœur) ;
– des **voies nerveuses** reliant ces trois éléments.

● Quand la valeur de la pression artérielle s'écarte de la valeur normale, ce mécanisme est sollicité.
Dans le cas d'une **hypertension** par exemple, les barorécepteurs sont stimulés ce qui se traduit par une augmentation de la fréquence des signaux nerveux transmis au bulbe rachidien (messages afférents). Ce dernier élabore une réponse adaptée en augmentant l'activité des nerfs parasympathiques et en diminuant celle des nerfs sympathiques (messages efférents). En conséquence, la fréquence cardiaque diminue. Le débit cardiaque va donc lui aussi diminuer ce qui va abaisser la pression artérielle, la ramenant ainsi à sa **valeur normale, dite « de référence »**.

● Dans le cas d'une **hypotension**, on observe les mécanismes inverses.

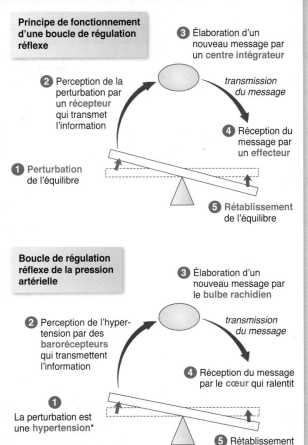

Principe de fonctionnement d'une boucle de régulation réflexe

❸ Élaboration d'un nouveau message par un centre intégrateur

transmission du message

❷ Perception de la perturbation par un récepteur qui transmet l'information

❹ Réception du message par un effecteur

❶ Perturbation de l'équilibre

❺ Rétablissement de l'équilibre

Boucle de régulation réflexe de la pression artérielle

❸ Élaboration d'un nouveau message par le bulbe rachidien

transmission du message

❷ Perception de l'hypertension par des barorécepteurs qui transmettent l'information

❹ Réception du message par le cœur qui ralentit

❶ La perturbation est une hypertension*

❺ Rétablissement d'une tension normale

* pour une hypotension, le mécanisme est inverse.

À RETENIR

Il existe une boucle réflexe de contrôle de la fréquence cardiaque dont la pression artérielle dépend en grande partie. Comme toute boucle réflexe de régulation, cette boucle comprend des capteurs (ici, barorécepteurs), des voies nerveuses afférentes et efférentes, un centre intégrateur (ici, le bulbe rachidien) et un organe effecteur (ici, le cœur).
La boucle de régulation contribue à maintenir la pression artérielle autour d'une valeur de référence.

Mots-clés

● **Pression artérielle**
● **Fréquence cardiaque**
● **Boucle réflexe de régulation**
● **Barorécepteur**
● **Centre intégrateur**
● **Bulbe rachidien**

Capacités et attitudes

▶ Rechercher des informations sur l'historique de la mesure de la pression artérielle.

▶ Utiliser un logiciel pour établir un lien entre la fréquence cardiaque et la pression artérielle.

▶ Exploiter des documents et des résultats d'expériences pour construire la boucle nerveuse réflexe de régulation de la pression artérielle.

▶ Élaborer un schéma fonctionnel de la boucle nerveuse réflexe de régulation de la pression artérielle.

Découvrir d'autres paramètres agissant sur la pression artérielle

Une boucle nerveuse partant des barorécepteurs intervient dans la régulation de la pression artérielle. D'autres boucles réflexes peuvent également intervenir. En effet, il existe dans l'organisme des récepteurs sensibles à différents stimulus : diminution du débit sanguin au niveau du cerveau, baisse de la concentration artérielle en dioxygène, augmentation de la concentration artérielle en dioxyde de carbone.

La pression artérielle est aussi modifiée par plusieurs activités de la vie quotidienne comme l'alimentation, l'activité physique, le sommeil.

De plus, l'humeur de l'individu intervient dans la valeur de la pression artérielle. Un état anxieux augmente la pression artérielle à l'inverse d'une sensation de bien-être.

Certaines situations peuvent nous soumettre à un stress (*tension* en anglais). On parle d'une « décharge d'adrénaline » pour exprimer cet état particulier.
Le stress est un ensemble de réactions qui peuvent modifier certains paramètres indispensables au bon fonctionnement de l'organisme.

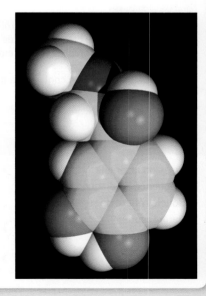

L'adrénaline (modèle moléculaire *ci-contre*) est une hormone sécrétée par les glandes médullosurrénales situées près des reins.
Le déclenchement de la sécrétion d'adrénaline est très rapide. Il résulte d'une stimulation nerveuse assurée par le système sympathique.

L'adrénaline a plusieurs effets sur l'organisme : augmentation du rythme cardiaque, vasoconstriction, hyperglycémie. L'adrénaline est donc hypertensive et permet de mobiliser rapidement les ressources de l'organisme. Ainsi, en cas d'urgence, c'est une « décharge d'adrénaline » qui prépare l'organisme à affronter une situation délicate.

... découvrir des métiers et des formations

Les métiers liés à des études médicales

Vous aimez
- La biologie humaine
- Soigner les autres
- La communication avec les autres
- Travailler en équipe

Cardiologue
c'est soigner des patients atteints de maladies du cœur et des vaisseaux.

Les domaines d'activité potentiels

Un cardiologue travaille dans un hôpital, une clinique ou exerce en activité libérale. Il peut aussi travailler en recherche médicale. Un(e) infirmier(e) travaille dans un hôpital, une clinique, un établissement scolaire, en entreprise, dans le cadre de l'armée ou en activité libérale.

Pour y parvenir

Un bac scientifique est fortement conseillé mais ces métiers sont aussi accessibles à des bacheliers d'autres séries. Devenir cardiologue nécessite 10 ans d'études, avec 6 ans en faculté de médecine (non rémunérés) et 4 ans d'internat rémunérés. Devenir infirmier(e) nécessite 3 ans d'études après le bac dans un institut de formation en soins infirmiers (IFSI) pour préparer le diplôme d'état. L'entrée en institut se fait sur concours.

Infirmier(e)
c'est assister le médecin et réaliser des soins auprès des malades.

Les débouchés

À l'issue de la 1re année de médecine, le nombre de postes au concours est défini par un « numerus clausus ».

Celui-ci augmente depuis les années 2000 mais tend à se stabiliser.
Quant aux infirmiers(ères), le nombre de postes à l'entrée des IFSI est variable selon les années.

... comprendre l'histoire des sciences

Des premiers appareils aux tensiomètres actuels

- Vers 1850, l'Allemand Karl von Vierordt met au point la première méthode de mesure indirecte de la pression sanguine fondée sur la compression de l'artère du poignet.

- En 1896, le médecin italien Scipione Riva-Rocci met au point le prototype de l'appareil actuel (image *ci-contre*). Pour construire son prototype, il utilise des objets usuels : encrier, mercure, tube en cuivre et une chambre à air de vélo.

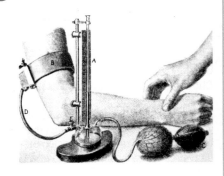

- C'est le Russe Nikolaï Korotkoff qui, en 1905, améliore la méthode de mesure par l'utilisation du stéthoscope : il identifie des modifications de bruits au niveau de l'artère lorsque la pression sanguine diminue. Cette méthode de mesure est encore utilisée de nos jours.

- En 1962, l'Américain Hinman et ses collaborateurs mettent au point un appareil portatif permettant d'enregistrer les variations de la pression artérielle sur une durée de 24 heures.

Exercices

Tester ses connaissances

1 Définissez les mots ou expressions

Pression artérielle, pression systolique, pression diastolique, fréquence cardiaque, barorécepteurs, boucle réflexe nerveuse.

2 Questions à choix multiples

Choisissez la ou les bonnes réponses parmi les différentes propositions.

1. La pression artérielle :
a. doit être maintenue entre un minimum et un maximum ;
b. est indépendante de l'activité cardiaque ;
c. varie au cours d'une activité physique.

2. Le système nerveux :
a. n'agit pas sur la fréquence cardiaque ;
b. peut ralentir le cœur ;
c. peut accélérer le cœur.

3. L'activité des barorécepteurs :
a. est influencée par le bulbe rachidien ;
b. influence l'activité du bulbe rachidien ;
c. dépend de la pression artérielle.

3 Questions à réponse courte

a. Expliquez l'intérêt du stéthoscope dans la mesure de la pression artérielle.
b. Pourquoi qualifie-t-on le cœur d'organe automatique ?

4 Vrai ou faux ?

Repérez les affirmations exactes et corrigez celles qui sont inexactes.

a. La pression sanguine oscille dans les artères entre une valeur maximale (pression systolique) et une valeur minimale (pression diastolique).
b. La pression artérielle est dépendante de la fréquence cardiaque.
c. Le cœur s'arrête de battre si tous les nerfs le reliant aux centres nerveux sont sectionnés.
d. Les nerfs sympathiques et parasympathiques augmentent la fréquence cardiaque.
e. Le bulbe rachidien a une action inhibitrice sur les nerfs cardiaques.
f. Le contrôle nerveux de la pression artérielle fait intervenir des circuits réflexes.

5 Complétez les éléments d'une boucle de régulation nerveuse

Placez sur le schéma les mots suivants : *centre intégrateur, nerf efférent, effecteur, récepteur, nerf afférent.*

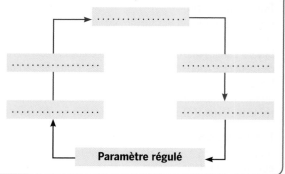

Utiliser ses compétences

6 Une étude expérimentale Exploiter un graphique et utiliser ses connaissances

On enregistre les variations d'activité d'un groupe de fibres du nerf de Hering (nerf issu des sinus carotidien) lorsqu'on modifie expérimentalement la pression à l'intérieur du sinus carotidien. Le graphique présente les résultats obtenus.

Choisissez, parmi les différentes propositions, celles qui vous paraissent exactes :
a. Plus la pression dans le sinus augmente, plus l'activité des fibres du nerf de Hering augmente.
b. Dans le cas d'une hypertension artérielle, l'activité des fibres du nerf de Hering ne varie pas.
c. Des barorécepteurs situés dans le sinus carotidien sont reliés aux fibres du nerf de Hering.
d. Les fibres du nerf de Hering envoient des informations au cœur, auquel elles sont directement reliées.

7 EXERCICE GUIDÉ

Pression artérielle et exercice physique — Extraire et organiser des informations

On mesure chez un individu plusieurs paramètres physiologiques au repos, puis au cours d'un exercice physique modéré.

Les graphiques ci-contre résument l'ensemble des modifications mesurées au cours de l'exercice.

1. Décrivez les variations associées à l'exercice.

2. À l'aide de vos connaissances, établissez un lien entre les différents paramètres mesurés.

Aide à la résolution

1. Pour chacun des paramètres qui varie au cours de l'exercice, indiquez précisément les unités, les valeurs et calculez les différences entre repos et exercice lorsqu'il y en a.

2. Établissez un lien entre le débit cardiaque, la fréquence cardiaque et le volume d'éjection systolique.
– Indiquez les calculs possibles.
– Établissez un lien entre l'augmentation du débit cardiaque et l'augmentation du débit sanguin.
– Établissez une relation entre l'augmentation de la fréquence cardiaque et l'augmentation de la pression artérielle systolique.
– Enfin, expliquez le maintien de la pression artérielle diastolique.

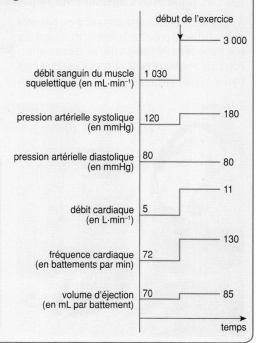

début de l'exercice

débit sanguin du muscle squelettique (en mL·min⁻¹) : 1 030 → 3 000

pression artérielle systolique (en mmHg) : 120 → 180

pression artérielle diastolique (en mmHg) : 80 → 80

débit cardiaque (en L·min⁻¹) : 5 → 11

fréquence cardiaque (en battements par min) : 72 → 130

volume d'éjection (en mL par battement) : 70 → 85

temps

---

8 Influence de la position du corps sur la pression artérielle — Raisonner

La force de gravité qui s'exerce sur la masse de sang a peu d'influence sur la pression artérielle dans les différentes parties du corps lorsque le sujet est couché. En revanche, chez le sujet debout la pression due à cette force s'additionne à la pression artérielle mesurée au niveau du cœur pour les parties du corps situées au-dessous du cœur, ou se soustrait pour les parties du corps situées au-dessus.

1. À l'aide du schéma ci-dessous et sachant que la pression due à la force de gravité équivaut environ à 75 mm de Hg par mètre de dénivellation, calculez la pression artérielle systolique effective au niveau de la tête et des pieds du personnage en position debout.

2. Quelle doit-être, chez la girafe, la pression artérielle systolique au niveau du cœur pour entretenir celle indiquée au niveau de la tête ?

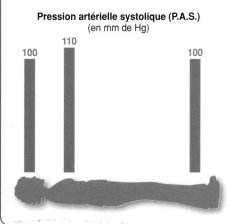

Pression artérielle systolique (P.A.S.)
(en mm de Hg)

100   110   100

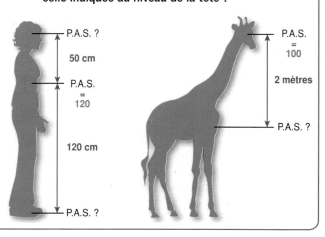

P.A.S. ?

50 cm

P.A.S. = 120

120 cm

P.A.S. ?

P.A.S. = 100

2 mètres

P.A.S. ?

9 Des paramètres agissant sur la pression artérielle — Extraire et organiser des informations

À l'aide d'un tensiomètre portatif, il est possible d'enregistrer la pression artérielle d'un sujet sur une période de 24 heures (les mesures s'effectuent automatiquement à intervalles réguliers). L'enregistrement terminé, les mesures sont exploitées. On peut, par exemple, les traduire sous forme d'un graphique *(voir ci-dessous)*. Ce graphique indique les variations des pressions artérielles systolique et diastolique, sur une période de 24 heures.

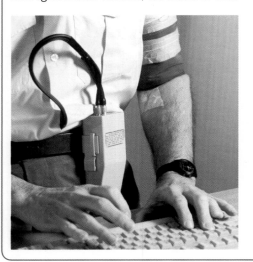

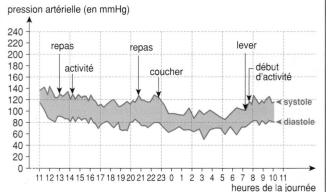

À partir de l'exploitation du graphique, montrez que la pression artérielle d'un individu dépend de différents paramètres de la vie quotidienne.

10 La double innervation cardiaque — Exploiter des résultats expérimentaux

Ces expériences anciennes ont été réalisées en école vétérinaire : chez un chien anesthésié, des mesures du rythme cardiaque sont faites avant et après avoir sectionné les nerfs cardiaques.

1. Quel est l'effet d'une section des nerfs X ; d'une section des nerfs sympathiques ?

2. Que peut-on en déduire concernant le rôle des nerfs X et des nerfs sympathiques sur l'activité cardiaque ?

Sections pratiquées	Rythme cardiaque (en battements par minute)
– aucune (chien normal)	80 - 90
– section des nerfs X	135 - 150
– section des nerfs X et des nerfs sympathiques	120 - 130

11 Des nerfs participant à la régulation de la pression artérielle
Exploiter des résultats expérimentaux, raisonner

La région de la crosse aortique est en relation avec le bulbe rachidien par l'intermédiaire des nerfs de Cyon.
La stimulation d'un nerf de Cyon se traduit par la modification de la pression artérielle générale enregistrée ci-contre.

À l'aide de vos connaissances, montrez que les nerfs de Cyon participent à la boucle de régulation nerveuse de la pression artérielle.

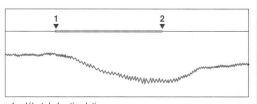

1 début de la stimulation
2 fin de la stimulation
—— pression artérielle générale

Utiliser ses capacités expérimentales

ACTIVITÉ EXPÉRIMENTALE

12 La régulation nerveuse de la pression artérielle

Utiliser un logiciel scientifique, communiquer, raisonner

■ Problème à résoudre

Au niveau anatomique, on sait que le cœur et le sinus caro-tidien sont reliés au système nerveux central par l'intermé-diaire de plusieurs nerfs.

On sait que le système nerveux influence le rythme car-diaque et par conséquent intervient dans la régulation de la pression artérielle.

Quel est le rôle de chaque nerf sur le rythme cardiaque ?
Quels sont les mécanismes nerveux mis en jeu dans la régu-lation de la pression artérielle ?

■ Matériel disponible

Logiciel « Régulation nerveuse du rythme cardiaque et de la pression artérielle » (auteur : Philippe Consentino).

Pour accéder au logiciel :

www.bordas-svtlycee.fr

■ Utilisation des potentialités du logiciel

Le logiciel permet de simuler différentes expé-riences : clamper* le sinus carotidien, section-ner les nerfs, stimuler les nerfs à l'aide d'élec-trodes. Les conséquences de ces expériences sur le rythme cardiaque et la pression artérielle géné-rale sont visibles.

* Clamper : terme médical qui signifie l'action de pincer une artère afin d'interrompre la circulation sanguine.

■ Exploitation des résultats

– Indiquez, dans un tableau, les conséquences de chaque expérience sur le rythme cardiaque et la pression artérielle générale.
– À partir de l'ensemble des résultats expérimen-taux, construisez un schéma de la boucle de régu-lation nerveuse de la pression artérielle en indi-quant les structures anatomiques impliquées.

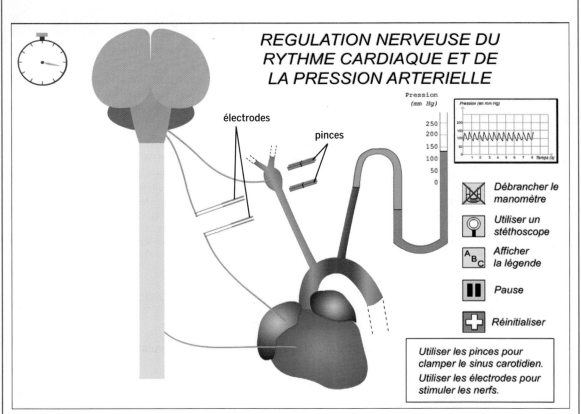

Modèle des structures anatomiques représentées dans le logiciel.

Guide pratique, p. 245

Des DOCUMENTS pour se poser des questions

Des traumatismes graves

De nombreux sportifs de haut niveau sont victimes de traumatismes des muscles ou des tendons : déchirures ou claquages musculaires, rupture des ligaments du genou ou encore, comme ici, rupture du tendon d'Achille pour David Beckam en mars 2010.

Un échauffement indispensable

Pour être immédiatement opérationnels, ces remplaçants s'échauffent avant d'entrer en jeu lors d'un match de rugby.

DOPÉ? MOI?

Le dopage, un fléau moderne

Certaines performances physiques, « trop belles pour être vraies », posent clairement le problème du dopage. De nombreuses molécules, utilisées pour la plupart comme médicaments, sont détournées de leur fonction première et utilisées pour améliorer les performances des athlètes.

LES PROBLÉMATIQUES DU CHAPITRE

- Quelles sont les relations entre muscles striés squelettiques, articulations et mouvements ?
- À quoi correspondent les accidents des muscles ou des articulations ?
- En quoi le système musculo-articulaire est-il fragile ?
- Quelles peuvent être les conséquences de pratiques sportives inadaptées ou dangereuses ?

Le ski de bosses, des genoux soumis à rude épreuve.

Pratiquer une activité
physique en préservant sa santé

Un exemple d'articulation fragile : le genou

Une articulation permet un déplacement relatif des os qui la constituent. Ce mouvement est dirigé et limité dans l'espace. *En cas de franchissement de ces limites, des traumatismes importants peuvent survenir : ceci est particulièrement vrai dans le cas du genou.*

A ▌ Le genou, une articulation complexe

ACTIVITÉ EXPÉRIMENTALE

■ PROTOCOLE

– Avec des ciseaux très fins et éventuellement un scalpel, ôter soigneusement les masses musculaires qui gênent l'observation de l'articulation (en coupant les tendons).

– Dégager l'ensemble jusqu'à pouvoir observer les ligaments qui entourent les os du genou.

– Forcer un peu sur l'articulation pour observer les ligaments croisés.

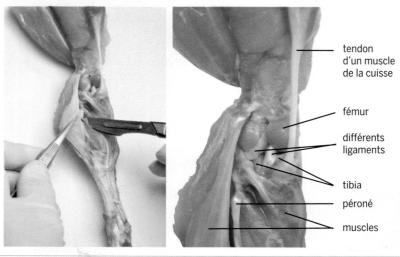

tendon d'un muscle de la cuisse

fémur

différents ligaments

tibia

péroné

muscles

Doc. 1 ▌ **La dissection d'un genou de lapin.**

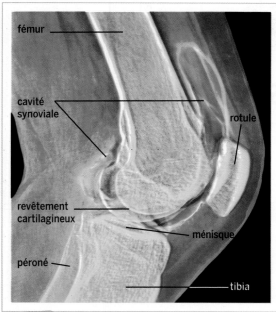

fémur

cavité synoviale

rotule

revêtement cartilagineux

ménisque

péroné

tibia

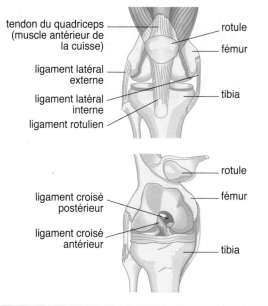

tendon du quadriceps (muscle antérieur de la cuisse)

rotule

fémur

ligament latéral externe

tibia

ligament latéral interne

ligament rotulien

rotule

ligament croisé postérieur

fémur

ligament croisé antérieur

tibia

Doc. 2 ▌ **Os, cavités et ligaments du genou humain : une organisation précise et complexe.**

B Le genou, une articulation fragile

Contrainte conduisant à une torsion.
Risque de rupture des ligaments croisés et des ligaments latéraux externe et interne.

Contrainte conduisant à une hyper extension.
Risque de rupture des ligaments croisés et de la capsule ligamentaire de la face dorsale du genou.

Doc. 3 **Certaines agressions du genou provoquent des ruptures ligamentaires.**

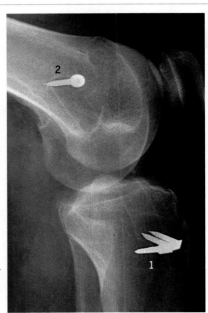

« *La rupture du ligament croisé antérieur du genou (qui conduit le plus souvent à une intervention chirurgicale) a été particulièrement décrite en sports collectifs (football : 0,1 rupture pour 1 000 heures de jeu ; hand-ball : 9,7 ruptures pour 1 000 heures de jeu) et lors de la pratique du ski alpin (et ceci quel que soit le niveau technique). Pour ce dernier, le nombre de ruptures annuelles a été estimé à 16 000 en France, pour 55 millions de skieurs-jours. Ce risque est en moyenne trois fois plus élevé chez les femmes, comparativement aux hommes, quel que soit le sport étudié.*

... Enfin, la prévention de ces blessures peut être envisagée au travers de la modification des programmes d'entraînement. Il a été ainsi montré que le risque de rupture du ligament croisé du genou chez la femme peut être divisé par 3 ou 4 en appliquant des programmes de musculation dynamique en volley-ball et football. Il serait souhaitable que les mêmes études concernent d'autres sports à risque comme le judo et le ski. »

D'après « Activité physique. Contextes et effets sur la santé ». INSERM.

Réparation d'un ligament latéral interne du genou gauche. ▶
Des fibres tendineuses (provenant du tendon rotulien par exemple), ou ligamentaires (provenant d'autres ligaments de la jambe), ou synthétiques, sont tendues et fixées par des vis entre le tibia (**1**) et le fémur (**2**).

Doc. 4 **La fragilité des ligaments du genou.**

Pistes d'exploitation

1. Doc. 1 et 2 : Recherchez les rôles des différentes structures impliquées dans le mouvement de l'articulation du genou.

2. Doc. 3 : Expliquez les traumatismes subis par les sportifs (direction du choc, forces exercées sur les ligaments, cause de la rupture).

3. Doc. 3 : Recherchez des traumatismes, autres que la rupture ligamentaire, affectant l'articulation du genou.

4. Doc. 4 : Quels moyens de protection et de réparation de l'articulation un sportif a t-il à sa disposition ?

Lexique, p. 258

Muscles et tendons mobilisent les articulations

Les muscles, par l'intermédiaire de leurs tendons rattachés aux os, ont pour fonction de mettre en mouvement les articulations. *Dans certains cas, des tensions considérables peuvent s'exercer sur les muscles et leurs tendons et engendrer des accidents.*

A Des observations sur l'organisation et le rôle des muscles

ACTIVITÉ EXPÉRIMENTALE

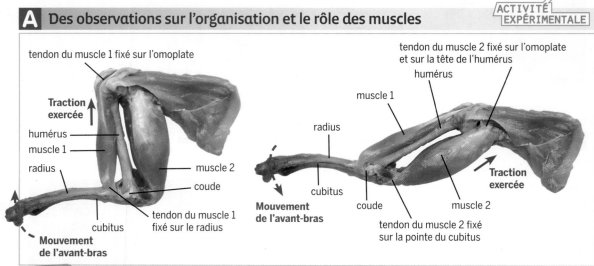

Doc. 1 Le rôle des muscles antagonistes au niveau d'une articulation (patte antérieure de lapin).

On souhaite observer au microscope des fibres musculaires dissociées.

■ **PROTOCOLE**

– À l'aide d'outils à dissection, dilacérer un morceau de muscle bouilli (poulet ou lapin) pour isoler des filaments minces comme des cheveux et longs de quelques centimètres : ce sont des fibres musculaires.

– Monter ces fibres entre lame et lamelle dans une goutte de bleu de méthylène dilué puis observer.

Observation au fort grossissement

Observation au faible grossissement

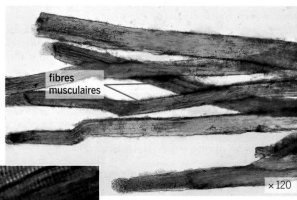

Lors de la contraction musculaire, c'est le raccourcissement simultané de nombreuses fibres qui a pour conséquence le raccourcissement global du muscle.

Doc. 2 Les fibres musculaires, éléments contractiles du muscle.

B Le fonctionnement du système musculo-articulaire

Selon le type d'activité, un muscle travaille en isométrique, en concentrique ou en excentrique.

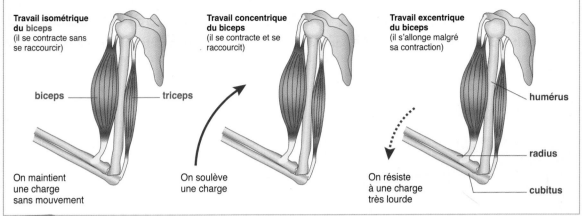

Travail isométrique du biceps (il se contracte sans se raccourcir)

biceps — triceps

On maintient une charge sans mouvement

Travail concentrique du biceps (il se contracte et se raccourcit)

On soulève une charge

Travail excentrique du biceps (il s'allonge malgré sa contraction)

humérus

radius

cubitus

On résiste à une charge très lourde

Doc. 3 **La contraction musculaire n'est pas obligatoirement suivie d'un raccourcissement.**

ACTIVITÉ EXPÉRIMENTALE

Quand on maintient un objet en luttant contre la gravité, le biceps ▶ doit résister au poids $\vec{P}$ de cet objet. Le biceps exerce pour cela une force $\vec{F}$ sur une région de l'avant-bras très proche du coude (centre de rotation).

Grâce à un matériel simple, on peut modéliser la situation précédente et se faire une idée assez précise des tensions qui s'exercent sur le biceps et ses tendons, notamment quand la charge maintenue est très élevée. ▶

d = environ 3 cm
D = environ 30 cm

La résistance du tendon d'Achille

Le tendon d'Achille est le plus gros tendon du corps ; c'est une lame tendineuse large de 15 mm et très épaisse (6 à 8 mm), insérée à l'arrière du pied. Lors d'une course, ce tendon transmet au pied la force de propulsion des muscles du mollet. Alors que sa section n'est que d'un peu plus de 1 cm², la force transmise par chaque tendon d'Achille peut atteindre 7 kN.
Malgré sa résistance exceptionnelle, ce tendon peut se rompre (par exemple chez des athlètes, voir p. 232).

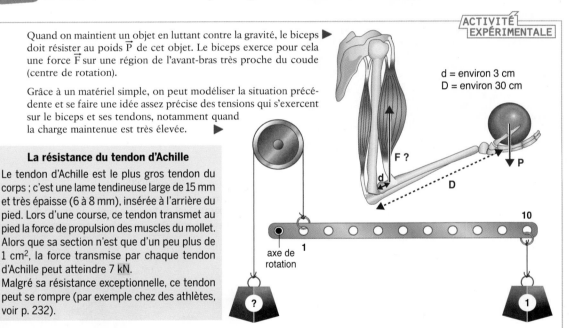

axe de rotation

Doc. 4 **Des muscles et des tendons soumis à rude épreuve.**

Pistes d'exploitation

1. Doc. 1 : Faites fonctionner l'articulation pour repérer les muscles (fléchisseur et extenseur), les tendons et les ligaments.

2. Doc. 2 : Comment l'organisation d'un muscle permet-elle son raccourcissement ?

3. Doc. 3 : Précisez le type de travail réalisé par le biceps et le triceps lors d'un exercice de « pompes ».

4. Doc. 4 : Replacez sur le modèle, les distances (D et d), les forces exercées (P et F) ainsi que leurs valeurs. Expliquez pourquoi les muscles et les tendons peuvent se déchirer.

Lexique, p. 258

Des comportements à maîtriser pour préserver sa santé

L'activité sportive est recommandée par le corps médical à condition d'être maîtrisée et adaptée à nos capacités. *Les risques liés à la pratique d'un sport ou à l'usage de certaines substances doivent être connus pour être minimisés.*

A « Le sport, c'est la santé » !

- La pratique régulière d'une activité physique et sportive aide au contrôle du poids corporel chez l'adulte et l'enfant.
- L'activité physique permet de prévenir l'apparition du diabète de type 2 chez 60 % des sujets présentant une intolérance au glucose.
- Les femmes qui marchent au moins 4 heures par semaine ont un risque de fracture du col du fémur diminué de 40 % par rapport aux femmes sédentaires marchant moins d'une heure par semaine.
- La pratique régulière d'une activité physique et sportive est associée à une amélioration de la santé mentale (anxiété, dépression).
- Chez les patients présentant une hypertension artérielle chronique, un programme structuré d'activité physique réduit la pression artérielle systolique de 11 mm de Hg et de 8 mm de Hg pour la pression diastolique.

Doc. 1 Quelques constats du corps médical.

Nous savons que pour éviter des blessures à froid (accidents musculaires et articulaires), il est nécessaire de s'échauffer : plus l'activité va être intense et solliciter les muscles, les articulations et le système cardio-pulmonaire, plus il faut s'échauffer (au moins un quart d'heure).

La phase d'échauffement doit comporter deux parties :

1. Un échauffement d'ordre général avec un objectif triple
– Augmenter la fréquence cardiaque et la température corporelle par des exercices de faible intensité tels que footing, bicyclette ergométrique… En effet, les muscles et les tendons ainsi que le système nerveux qui commande les contractions ont un rendement maximum à la température de 39 °C.
– Augmenter la souplesse de la colonne vertébrale et des différentes articulations (flexions/extensions, rotations…).
– Échauffer les muscles (étirements, contractions en concentrique ou en excentrique…) pour accroître leur irrigation sanguine.

2. Un échauffement d'ordre spécifique au sport pratiqué (insistant tout particulièrement sur les muscles et les articulations sollicités dans ce sport).

Un exemple : l'échauffement des muscles de la cuisse qui permettent de fléchir la jambe au niveau du genou.

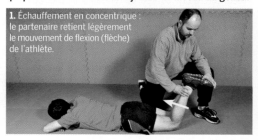

1. Échauffement en concentrique : le partenaire retient légèrement le mouvement de flexion (flèche) de l'athlète.

2. Échauffement des mêmes muscles en excentrique : le partenaire imprime un mouvement (flèche) que l'athlète freine.

Doc. 2 Un échauffement raisonné pour prévenir les blessures.

B Risques du sport et comportements à risques

Proportions de différents types d'accidents selon le sport pratiqué (en %)

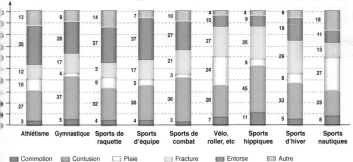

	Athlétisme	Gymnastique	Sports de raquette	Sports d'équipe	Sports de combat	Vélo, roller, etc	Sports hippiques	Sports d'hiver	Sports nautiques
Commotion	13	9	14	7	10	4 / 10	4 / 9	6 / 19	18
Contusion	35	28	37	37	27	27	25	11 / 13	11
Plaie	17	17	3	21	3	24	29	8	27
Fracture	12 / 10	4	9 / 5	17 / 5			8 / 45		
Entorse	27	37	32	30	36	28		33	23
Autre	3	5	5	4	3 / 7	11		5	8

« L'entraînement de haut niveau provoque une usure et la structure anatomique peut céder. Cela claque le plus souvent au niveau des membres inférieurs : le tendon d'Achille reçoit la moitié des blessures, suivi des muscles de l'arrière de la cuisse. Chaque épreuve a ses lésions spécifiques. Les sauts en hauteur et en longueur sollicitent les tendons rotuliens et, plus généralement, ils provoquent des problèmes de dos. En sprint, on se déchire les muscles et les tendons trinquent. En javelot, c'est plutôt l'épaule ou le coude. »

D'après Éric Bouvat, médecin de l'équipe de France d'athlétisme aux jeux Olympiques d'Atlanta (1996).

Doc. 3 Le sport et les blessures.

La testostérone est une hormone stéroïde (dérivée du cholestérol) produite par les testicules. Elle participe activement au développement et au maintien des organes génitaux et des caractères sexuels secondaires masculins. Elle favorise également l'augmentation de la masse musculaire et osseuse, la production de cellules sanguines. Depuis plus de 50 ans, ces propriétés conduisent l'industrie pharmaceutique à produire des substances mimétiques de la testostérone dans un but thérapeutique. Certains sportifs ont détourné l'usage médical de ces substances pour améliorer leurs performances sportives.

Molécules de synthèse (exemples)	Utilisations médicales	Effets secondaires médicalement décrits
Metribolone THG Nandrolone	– soigner des anémies dues à certaines leucémies ou à une insuffisance rénale – prévenir l'atrophie musculaire chez les patients immobilisés après une intervention chirurgicale – soigner les retards de croissance – soigner les retards de puberté masculine	– hypertension artérielle – modifications du taux sanguin de cholestérol – fragilité musculaire et tendineuse – atrophie testiculaire et infertilité – lésions du foie – modifications du ventricule gauche du cœur – acné prononcée – problèmes neurologiques

Aux J.O. d'été de Sydney, en 2000, Marion Jones remporte le 100 m féminin. En octobre 2007, cette athlète reconnaît s'être dopée aux stéroïdes anabolisants avant les J.O. de Sydney et rend ses cinq médailles (trois d'or et deux de bronze).

Doc. 4 Le dopage : l'exemple des stéroïdes anabolisants.

Pistes d'exploitation

1. Doc. 1 : Proposez d'autres recommandations pour compléter ces affirmations.

2. Doc. 2 : Proposez un exemple d'échauffement avant un sprint ou un lancer de poids. Vous préciserez vos objectifs.

3. Doc. 3 : Quelles sont les origines possibles des blessures lors d'une activité sportive ?

4. Doc. 4 : Quels peuvent être l'intérêt et les risques pour un sportif de se doper avec des stéroïdes ?

Lexique, p. 258

chapitre 4 Pratiquer une activité physique en préservant sa santé

1 Les articulations, siège des mouvements

- L'activité physique mobilise un certain nombre d'**articulations**, notamment au niveau des membres. Chaque articulation assure la liaison entre deux ou plusieurs os grâce à des **ligaments**. Ce sont des bandes de tissu conjonctif pouvant résister à de fortes **tensions** ; ils maintiennent les os et permettent leurs déplacements relatifs, les mouvements possibles dépendant de la forme des surfaces articulaires.

- Par ailleurs, les pièces osseuses articulées sont mobilisées par des **muscles squelettiques** rattachés aux os par des **tendons**, cordons fibreux résistants.

- À l'occasion de contraintes excessives, ce système peut subir des lésions : muscles déchirés, tendons et ligaments rompus... Le diagnostic médical sera confirmé par l'échographie et parfois l'IRM. Lors de la pratique d'un sport, il est important de comprendre la nécessité de se protéger pour éviter ces **accidents musculo-articulaires**.

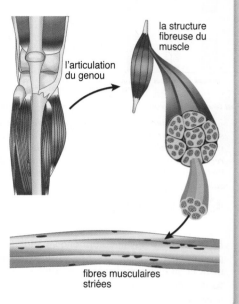

l'articulation du genou

la structure fibreuse du muscle

fibres musculaires striées

À RETENIR

Dans une articulation, les os, solidarisés par des ligaments, sont mis en mouvement par des muscles squelettiques reliés aux os par des tendons.
L'activité physique doit préserver l'intégrité de ces structures.

2 Muscles striés et mouvements

- Le **muscle strié squelettique** est constitué de fibres liées entre elles par du tissu conjonctif. Chaque fibre ou cellule musculaire présente un aspect strié au microscope d'où le nom de muscle strié.

- Un mouvement est couramment causé par la **contraction** d'un muscle strié squelettique : par l'intermédiaire de son tendon, le muscle qui se raccourcit exerce une **traction** sur l'os auquel il est attaché. Ainsi, la flexion de l'avant-bras est causée par la contraction du biceps. Dans le même temps, le triceps, **muscle antagoniste**, se relâche.

- Notons que l'activité du muscle ne s'accompagne pas nécessairement de son raccourcissement. Si la force de contraction du muscle est inférieure à la force de résistance à laquelle elle est opposée, le muscle subit un étirement (**contraction excentrique**) ; dans le cas inverse, le muscle se raccourcit effectivement (**contraction concentrique**). Enfin, si les forces s'équilibrent, la contraction est dite **isométrique** (pas de mouvement).

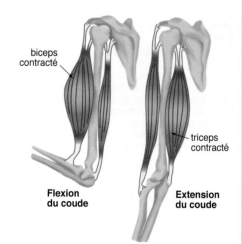

biceps contracté

triceps contracté

Flexion du coude

Extension du coude

À RETENIR

Le muscle est formé de fibres striées contractiles. En se contractant, les muscles produisent une force transmise aux os par les tendons, ce qui tend à mobiliser l'articulation correspondante. La contraction musculaire peut être concentrique (raccourcissement du muscle), excentrique (étirement du muscle) ou isométrique (pas de déplacement des os).

3 Préserver sa santé lors d'une pratique sportive

● La pratique d'activités sportives présente des bénéfices variés : lutte contre le vieillissement musculaire, prévention du diabète, effets positifs sur la minéralisation osseuse pendant la croissance, prévention des maladies cardiovasculaires...
Elle augmente les capacités physiques mais aussi la qualité de vie.

● La pratique sportive présente aussi des risques : traumatismes affectant le système musculo-articulaire mais aussi accidents divers (crise cardiaque, choc thermique, déshydratation...).
Il est évidemment intéressant de limiter ces risques, d'où la nécessité d'adapter son activité à ses possibilités et d'obtenir un certificat médical.

La **prévention des traumatismes** suppose une pratique raisonnée du sport, un encadrement compétent, l'utilisation d'un matériel adapté et enfin le respect des règlements.

● Pour améliorer leurs performances, certains sportifs détournent certaines molécules (stéroïdes, hormone de croissance, érythropoïétine...) de leurs usages thérapeutiques : c'est le **dopage**.
Par exemple, une prise 100 à 1 000 fois plus élevée que l'usage thérapeutique de **stéroïdes androgènes anabolisants** stimule la croissance musculaire et osseuse ce qui augmente la résistance, les performances et réduit le temps de récupération.
Il existe cependant des **effets secondaires** conséquents tels que des traumatismes musculaires et tendineux, des accidents cardiaques et circulatoires, des insuffisances rénales et hépatiques, des cancers, l'impuissance, la stérilité... ainsi que des troubles psychiques.

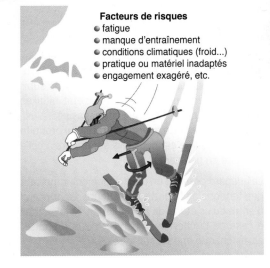

Facteurs de risques
● fatigue
● manque d'entraînement
● conditions climatiques (froid...)
● pratique ou matériel inadaptés
● engagement exagéré, etc.

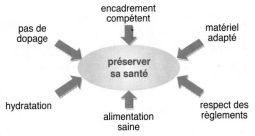

pas de dopage — encadrement compétent — matériel adapté — hydratation — **préserver sa santé** — alimentation saine — respect des règlements

---

À RETENIR

La pratique d'une activité physique est fortement recommandée surtout si le sujet a un mode de vie sédentaire. Cependant, si cette pratique est réalisée de façon inadaptée, elle peut présenter des risques, notamment pour le système musculo-articulaire.
L'utilisation de produits dopants, si elle peut améliorer artificiellement les performances sportives, est loin d'être sans danger. Elle est par ailleurs en contradiction avec l'éthique sportive.

Mots-clés

● **Muscle strié squelettique**
● **Articulation**
● **Tendons**
● **Ligaments**
● **Tension**
● **Mouvement**
● **Dopage**

Capacités et attitudes

▶ Extraire des informations de documents d'imagerie médicale pour identifier des accidents musculo-articulaires.
▶ Mettre en œuvre des protocoles de dissection pour repérer les acteurs du mouvement.
▶ Modéliser le système musculo-articulaire lors d'un mouvement.
▶ Exploiter des informations pour comprendre ce qui peut être fait pour préserver sa santé.
▶ Être responsable en matière de santé.

Des prothèses élastiques pour des performances olympiques

Les muscles sont les moteurs du mouvement des articulations. Muscles et tendons ont aussi des **propriétés élastiques** qui leurs permettent de subir un allongement puis de revenir à leur état initial en restituant en partie l'énergie emmagasinée. Ainsi, on calcule que cette énergie « gratuite » produite lors de la course est deux fois supérieure à celle produite en pédalant.

Le guépard possède un développement important des tendons de la patte postérieure. Le principal d'entre eux s'étend de l'articulation de la hanche à celle de la cheville et permet de le propulser après chaque impact sur le sol.

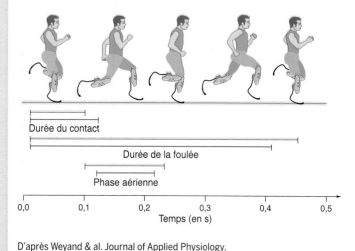

La forme en C de la patte du guépard inspira Van Phillips qui, amputé d'une jambe, cherchait en 1983 à remplacer les prothèses rigides en balsa utilisées jusqu'alors.
Il conçut des **prothèses flexibles** en fibre de carbone dont l'élasticité reproduit celle des tendons.
Aujourd'hui, des sprinters amputés des membres inférieurs atteignent des performances équivalentes à celles des spécialistes valides de la discipline.

◀ **Sur la photographie ci-contre, Oscar Pistorius dont le record personnel sur 100 m est de 10,91 secondes.**

Avec des prothèses, la mécanique de la course est un peu différente de celle d'un coureur valide, la majeure partie du travail musculaire s'effectuant au niveau des hanches. La durée du **contact avec le sol** est plus importante, tandis que la phase aérienne est réduite ainsi que la foulée dans son ensemble. À l'heure actuelle, les experts débattent encore pour savoir si ces prothèses confèrent un avantage déloyal à leurs utilisateurs dans le cadre de compétitions avec des athlètes valides.

├─────┤ phases pour un coureur valide
├─────┤ phases pour un coureur équipé de prothèses

D'après Weyand & al. Journal of Applied Physiology.

... découvrir des métiers et des formations

Des métiers du domaine paramédical

Vous aimez
- Étudier l'anatomie et le fonctionnement du corps
- Être en contact avec des patients
- Réaliser un travail de précision

Manipulateur en électroradiologie
c'est réaliser des radiographies, entretenir le matériel, traiter des patients par radiothérapie...

Les domaines d'activités potentiels

Le **manipulateur en électroradiologie** travaille sous la responsabilité d'un médecin radiologue, dans un cabinet, une clinique ou un hôpital. Les **kinésithérapeutes** exercent en libéral ou dans une structure hospitalière. Leur activité peut aller du traitement sur prescription médicale, à l'entretien sportif ou esthétique.

Pour y parvenir

Des études scientifiques au lycée sont indispensables. Après le baccalauréat, le Diplôme de Technicien Supérieur (**DTS**) en imagerie médicale se prépare en trois ans dans certains lycées publics ou dans des écoles privées. La formation au **Diplôme d'État** de masseur kinésithérapeute est accessible sur concours après une première année de médecine en université ou par l'intermédiaire d'écoles privées.

Masseur kinésithérapeute
c'est soigner, rééduquer, ou mettre en condition des articulations par des massages, des mouvements ou des techniques variées.

Les débouchés

Les débouchés sont importants dans ces professions, avec cependant de grandes inégalités géographiques.

... mieux connaître l'histoire des arts

Montrer l'invisible

Voir la réalité qui se cache sous la surface accessible à l'œil est une recherche partagée par certains scientifiques et artistes.

Depuis 2000 av. J.-C., les artistes aborigènes du nord de l'Australie, peignant dans le style « x-ray », font une représentation symbolique de la forme du corps mais aussi du squelette et des muscles.

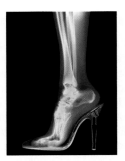

Peinture rupestre dans les grottes de Nourlangie rock, Parc national de Kakadu en Australie.

Plusieurs artistes contemporains utilisent les techniques d'imagerie médicale, et en particulier les rayons X pour composer des œuvres interrogeant la réalité cachée de notre quotidien.

Ci-dessus, une radioscopie retraitée par Hugh Turvey opposant une mode vestimentaire à la contrainte biologique qu'elle impose.

Exercices

1 **Définissez les mots ou expressions**

Accident musculo-articulaire, tendons, ligaments, dopage, fibres musculaires.

2 **Questions à choix multiples**

Choisissez la ou les bonnes réponses parmi les différentes propositions.

1. Le rôle d'une articulation est de :
a. protéger le muscle ;
b. relier les muscles entre eux ;
c. permettre le déplacement des os dans des directions privilégiées.

2. Le muscle est :
a. composé uniquement de cellules contractiles ;
b. constitué de cellules contractiles et de vaisseaux sanguins ;
c. une seule cellule organisée en fibres.

3. Le dopage est :
a. conseillé lors de problèmes de santé comme le diabète ou l'hypertension ;
b. une technique courante qui permet d'améliorer ses performances ;
c. une pratique dangereuse et interdite.

3 **Questions à réponse courte**

a. Quel est le rôle de l'échauffement avant la pratique d'un sport ?
b. Quelle différence faites-vous entre un ligament et un tendon ?

4 **Vrai ou faux ?**

Repérez les affirmations exactes et corrigez celles qui sont inexactes.

a. Les produits dopants sont souvent des substances détournées de leur usage thérapeutique.
b. Les accidents musculaires s'expliquent uniquement par des ruptures tendineuses.
c. Le mouvement est la cause de la force exercée sur les tendons.
d. La pratique intense d'un sport peut augmenter la fragilité du système musculo-articulaire.

5 **Placer des légendes**

Légendez le dessin ci-dessous à l'aide des mots suivants : *humérus, omoplate, radius, biceps, cubitus, triceps.*

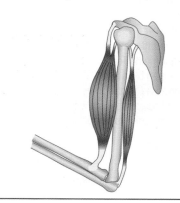

6 **Éviter les lésions musculaires** Analyser une expérience, raisonner

Huit étudiants (moyenne d'âge de 24 ans) ont effectué des exercices de contraction excentrique des deux bras en utilisant des poids de masse maximale. L'un des bras a subi 24 contractions lors de la première séance (24MAX), puis deux semaines plus tard, 70 contractions (70MAX2). L'autre bras a subi 70 contractions uniquement lors de la première séance (70MAX).

La créatine kinase est un indicateur de la présence de lésions cellulaires. Son taux sanguin est mesuré avant et après chaque exercice. Les valeurs moyennes pour les huit sujets testés sont présentées dans ce graphique.

1. Comparez les dommages musculaires dus à chacun de ces exercices.

2. Quelle est la pratique de prévention mise en valeur par cette expérience ?

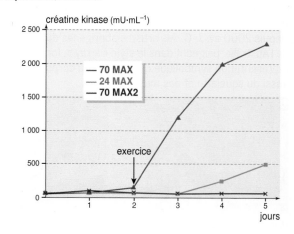

Guide pratique

Qu'est-ce qu'un SIG ?

Un SIG est un **système informatique** qui combine différentes **données scientifiques géoréférencées** (c'est-à-dire situées très précisément en latitude, longitude et altitude) ; les données sont présentées visuellement, en général sous forme de cartes ou de graphes. Un SIG fonctionne sous forme de « couches », chacune contenant une série d'informations.

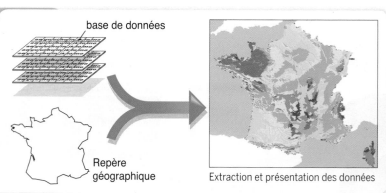

base de données

Repère géographique

Extraction et présentation des données

Google Earth, Google Moon, Google Mars...

• Google Earth n'est pas seulement un logiciel d'exploration des paysages de la planète. Utilisant des **images satellitales** ou des photographies aériennes, il permet une investigation relativement précise de la géographie d'un lieu.

• Différents outils permettent de rechercher un lieu, de proposer des vues 3D, de faire des mesures. Mais surtout, Google Earth permet d'afficher de très nombreuses informations complémentaires, issues de différentes **bases de données** :
– cartes géologiques ;
– données sismiques ;
– données environnementales, etc.

Une visualisation de l'âge des coulées de laves sur les volcans de l'île de La Réunion.

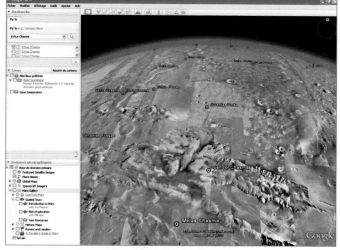

Une exploration de la planète Mars.

> ### Qu'est-ce qu'un fichier « kmz » ?
>
> Un fichier « kmz » est un fichier compressé qui contient une série d'**informations complémentaires** (cartes, photos, repères, données chiffrées, etc .) ajoutées par un utilisateur au logiciel Google Earth.
> À l'ouverture du fichier kmz, ces informations viennent s'ajouter aux données de base déjà présentes avec Google Earth. Il est alors possible de sélectionner les différentes données à afficher.

InfoTerre, le SIG du BRGM

Développé par le **Bureau de Recherches Géologiques et Minières** (BRGM), InfoTerre permet l'affichage de multiples couches et l'accès à de nombreuses données correspondantes :
– cartes topographiques, géologiques (à toutes les échelles) ;
– forages ;
– données sur l'eau ;
– sols (pollution) ;
– espaces protégés ;
– ressources minérales ;
– risques naturels, etc.

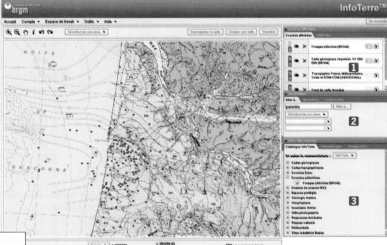

Description technique	
Archivage BEPH	12-1298-
Archivage BRGM	08738X0006
Nom du forage	PARENTIS
Abbreviation	PS 9
Type défini à l'origine	Extension
Dates d'exécution	Date de début : **January 16, 1955** Date de fin : **March 25, 1955**
Opérateur	ESSOREP
Profondeur atteinte	2363
Niveau géologique atteint	JURASSIQUE
Résultat pétrolier	Producteur d'huile
Etat actuel	Producteur d'huile
Plus d'information	http://www.beph.net

Exemple : affichage de la topographie, de la carte géologique et des forages pétroliers dans la Région Aquitaine.

1 Gestion des couches
2 Pour rechercher un lieu
3 Choix des données

Ci-contre : affichage des informations concernant l'un des forages (pétrole de Parentis).

D'autres Systèmes d'Information Géoscientifique

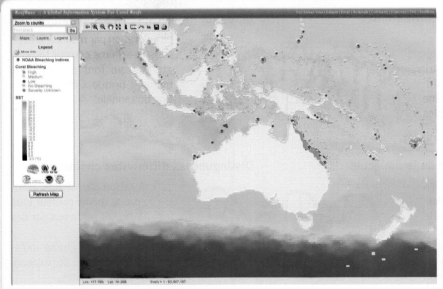

Exemple du SIG ReefGis : étude du blanchissement des coraux en lien avec la température de surface de la mer.

D'après M.J. Broussaud – Eduterre Usages – Acces-INRP

Il existe de nombreux SIG, utilisables soit après téléchargement d'un logiciel, soit directement en ligne.
Beaucoup de grands organismes proposent désormais un accès aux banques de données sous la forme de SIG : MétéoFrance, FAO (Organisation des Nations Unies pour l'alimentation et l'agriculture), NASA, etc.
D'autres sont plus spécialisés, comme le **SIG ReefGis** *(ci-contre)* entièrement consacré à l'étude des coraux.

Visualiser des modèles moléculaires en 3D

Explorer un modèle moléculaire : une démarche d'investigation

Les molécules sont trop petites pour pouvoir être observées directement au microscope. Les chercheurs utilisent donc des méthodes indirectes pour construire des modèles représentant la position des atomes dans une molécule. Plusieurs logiciels permettent de manipuler ces modèles pour révéler leurs propriétés :

▶ Quelle est la forme de la molécule ?

▶ De quels atomes est-elle constituée ?

▶ Quelles structures forment ces atomes (nombre de chaînes, nombre de sous-unités) ?

▶ Quelles sont les relations entre les structures visibles dans le modèle moléculaire ?

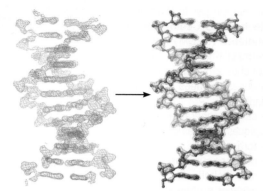

Un modèle moléculaire est construit à partir de données expérimentales.

Choisir les modes d'affichage et les colorations

Visualiser le volume occupé par les atomes

L'**affichage en sphères** montre le volume occupé par chaque atome et révèle la forme globale de la molécule.

Distinguer les différents types d'atomes

La **coloration par atomes** (également appelée **CPK**) utilise une couleur conventionnelle pour chaque élément chimique. Elle est utile pour déterminer la composition d'une molécule.

Visualiser les liaisons entre atomes

L'**affichage en boules et bâtonnets** permet de voir quels atomes sont liés entre eux de façon covalente. L'affichage des liaisons hydrogène montre des liens plus faibles entre atomes.

Distinguer les différentes sous-unités

La **coloration par résidu** regroupe sous une même couleur tous les atomes qui font partie d'une même « brique » de construction du modèle.

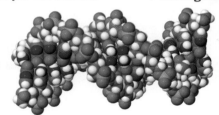

Visualiser le squelette de la molécule

Les **affichages en rubans, en squelette carboné ou en dessin** donnent une représentation simplifiée de la molécule : seules les liaisons principales sont affichées tandis que les atomes sont masqués. Cette visualisation fait apparaître l'architecture de la molécule.

Distinguer les différentes chaînes

La **coloration par chaîne** associe sous une même couleur tous les atomes liés entre eux par des liaisons covalentes.

Elle montre si une grosse molécule est l'association de plusieurs molécules plus petites.

Sélectionner une partie de la molécule

• Pour appliquer des commandes à des résidus bien spécifiques il faut, au préalable, les sélectionner. Pour cela, des sélections manuelles peuvent être écrites en utilisant les noms des chaînes ou des résidus recherchés.

SELECT *A
= sélectionne la chaîne A

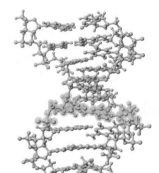

SELECT T13:A,A10:B
= sélectionne le nucléotide T en position 13 sur la chaîne A et le nucléotide A en position 10 sur la chaîne B.

• Remplacer la commande **SELECT** par **RESTRICT** effacera tous les atomes situés en dehors de la sélection.

Faire des mesures

Tous les logiciels permettent de mesurer des distances ou des angles entre atomes. Dans cet exemple, on mesure la distance entre 10 nucléotides d'une hélice de l'ADN.

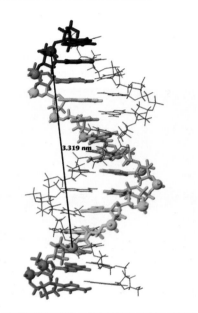

Explorer la structure d'un minéral

• Les minéraux sont formés d'atomes ordonnés dans une maille cristalline qui se répète dans toutes les directions de l'espace. Le logiciel « MinUSc » permet de visualiser ces mailles, de les multiplier et d'étudier l'agencement des atomes à l'intérieur de celles-ci.

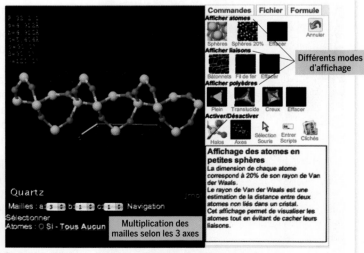

Exemple : affichage de trois mailles d'un modèle de quartz

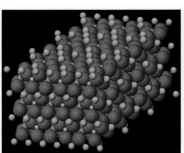

Ci-contre : affichage en sphères de 3 x 3 x 3 mailles d'un modèle d'olivine

Garder une trace des mesures ou prélèvements

● **Un repérage «géographique» indispensable**
Les mesures et observations réalisées sur le terrain doivent être localisées, soit sur une carte, soit avec une prise de coordonnées GPS (photo ci-dessous) :
▶ notez la nature du point identifié (mesure, espèce particulière, point d'observations…) ;
▶ effectuez la mesure et enregistrez-la ;
▶ au retour de la sortie, affichez les données sur une carte, par exemple avec Google Earth.

● **Prise de photographies**
On garde ainsi une image d'un animal avant de le relâcher, d'une mesure ou d'une plante rare ne pouvant être cueillie. Quelques règles à respecter :
▶ notez l'objet photographié et sa localisation ;
▶ placez à côté un crayon pour donner une idée de la taille de l'objet ;
▶ ne pas hésiter à prendre plusieurs photos en faisant varier angles et zoom.

Effectuer des relevés floristiques

1. Définir les strates de végétation présentes
▶ Strate arborée : arbres de plus de 8 m de haut.
▶ Strate arbustive : arbres de moins de 8 m de haut.
▶ Strate herbacée : herbes, fleurs, fougères.
▶ Strate muscinale : mousses et lichens.

2. Délimiter une zone d'observation
▶ Matérialisez un carré à l'aide de piquets et de ficelle (voir p. 70).
▶ Le carré doit avoir une flore homogène et contenir toutes les espèces représentatives du milieu.
▶ La taille du carré dépend du milieu : 1 m^2 pour des milieux étroits (murs, bords de rivières), 10 m^2 pour une prairie et 100 m^2 pour une forêt.

3. Déterminer les indices d'abondance
▶ Identifiez les espèces présentes dans chaque strate.
▶ Affectez à chaque espèce un indice : 1 pour abondante (recouvre plus de 10 % de la surface), 2 pour présente (moins de 10 % de la surface et R pour rare (un ou deux spécimens).

Sur la photo ci-contre, on repère trois espèces :
● Strate arbustive : Hêtre commun (○), noté 1.
● Strate herbacée : jacinthe des bois (○), notée 1 et stellaire holostée (○), notée 2.

Effectuer des relevés faunistiques

• Prélèvements

Pour des petits animaux (insectes, araignées), il est possible de réaliser des comptages sur une zone délimitée de quelques mètres carrés. L'identification des espèces peut poser des difficultés pour des animaux très mobiles. On pourra donc utiliser des boîtes artisanales comme celle de la photo ci-dessous pour les observer tranquillement.

Des espèces aquatiques pêchées avec une épuisette seront observées dans un bécher contenant de l'eau.

Ne pas oublier de laisser repartir les animaux observés sans leur faire de mal.

• Le cas particulier des oiseaux

Les oiseaux sont souvent difficiles à observer de près et donc à identifier. Les systèmes de comptages sont donc basés sur l'écoute des chants.

▶ Restez posté à proximité d'arbres sans faire de bruit.

▶ Quand les oiseaux recommencent à chanter, identifiez le nombre de chants différents qui donne le nombre d'espèces différentes. On peut aussi réaliser des enregistrements pour tenter d'identifier les espèces.

▶ Comptez le nombre d'individus ayant le même chant pour estimer l'abondance de chaque espèce.

▶ Changez de poste d'écoute.

Un traitement des données obtenues permet de calculer un indice d'abondance pour chaque espèce.

Réaliser des identifications

• Clés d'identification

Elles permettent l'identification d'un spécimen à partir de l'observation de ses caractéristiques. À chaque étape, une question est posée et la réponse doit être trouvée en observant le spécimen.

Le groupe des odonates comporte peu d'espèces en France. Une identification précise allant jusqu'à l'espèce est donc plus facile qu'avec d'autres groupes.

• Associations végétales

Un milieu est caractérisé par une association d'espèces de plantes caractéristiques. On compare donc le relevé floristique réalisé sur le terrain avec des listes correspondant aux différentes associations. Il est alors possible d'identifier celle rencontrée sur le terrain.

Pour utiliser des clés de détermination :

www.bordas-svtlycee.fr

Des outils pour les activités pratiques

• Vous recherchez un protocole pour réaliser une expérience ou utiliser un logiciel ?

• Vous souhaitez apprendre à mieux utiliser le microscope, à faire un dessin d'observation, à acquérir et exploiter une image numérique ?

• Vous voulez savoir sur quels critères votre travail est évalué ?

Le site « **Outils pour les activités pratiques** » propose :
– de nombreuses fiches-outils détaillées et téléchargeables,
– une présentation des critères de réussite et d'évaluation des activités pratiques.
Tous les documents sont validés par l'inspection générale de SVT.

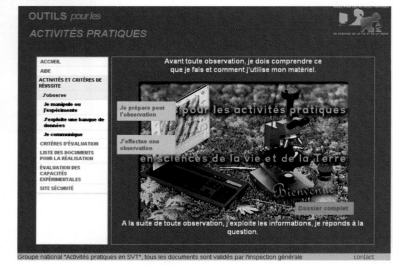

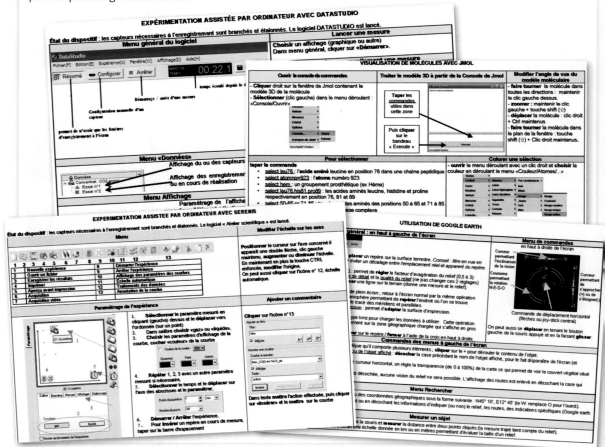

Le Forum National SVT : pour poser directement des questions

Le Forum National de SVT, hébergé par l'académie de Toulouse, est un espace pédagogique animé bénévolement par des personnels de l'Éducation Nationale : professeurs de SVT, techniciens de laboratoire.

Les élèves n'ont pas besoin de s'inscrire pour accéder à un espace qui leur est dédié.

C'est donc un excellent moyen pour **obtenir des réponses à des questions ou une aide apportées par des spécialistes**.

Ce forum est modéré et régi par une charte qui en garantit le bon fonctionnement.

Des banques de données : photos, dessins, modèles moléculaires...

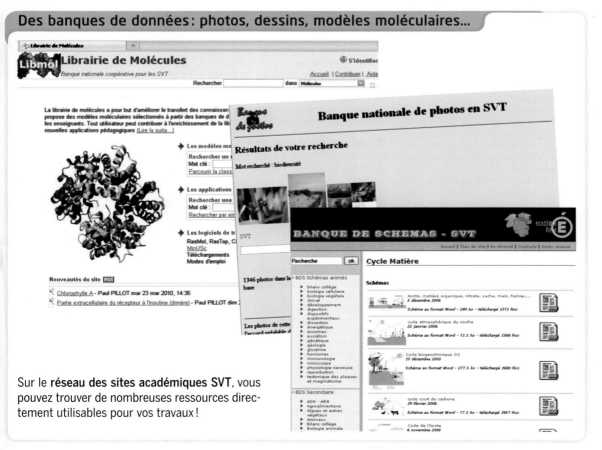

Sur le **réseau des sites académiques SVT**, vous pouvez trouver de nombreuses ressources directement utilisables pour vos travaux !

*Les corrections fournies dans ces pages concernent uniquement, pour chaque chapitre,
la partie « Tester ses connaissances ». Elles vous permettront de procéder à une auto-évaluation
et donc de contrôler vous-même le degré d'acquisition des connaissances.*

Partie 1

La Terre, la vie
et l'évolution du vivant

Chapitre 1, page 26

1 Définissez les mots ou expressions

Étoile : boule de gaz au cœur de laquelle se déroulent des réactions thermonucléaires libérant une quantité énorme d'énergie.

Planète rocheuse : planète principalement constituée de roches solides.

Planète gazeuse : planète de grande dimension principalement constituée d'une épaisse couche de gaz.

Zone d'habitabilité : région de l'espace où les conditions sont susceptibles d'être compatibles avec la vie.

Exoplanète : planète située en dehors du système solaire, orbitant autour d'une autre étoile que le Soleil.

2 Questions à choix multiples

Les bonnes réponses sont **1**-**b** ; **2**-**b**, **c** ; **3**-**a**, **b** et **c** ; **4**-**a**, **c** et **d**.

3 Questions à réponse courte

a. L'Homme n'ira probablement jamais poser le pied sur Jupiter, d'une part parce que cette planète est très éloignée, d'autre part parce que c'est une planète gazeuse sur laquelle il est impossible de se poser.

b. L'eau liquide est une condition nécessaire à la présence de vie parce que tous les êtres vivants sont constitués d'une grande quantité d'eau à l'état liquide, cet état permettant la mobilité des molécules nécessaire à la réalisation des réactions biochimiques.

c. L'eau est présente à l'état liquide dans des conditions bien déterminées de pression et de température.

d. La « bonne » distance pour trouver une planète habitable n'est pas forcément 1 UA car pour d'autres systèmes que le système solaire, l'étoile peut être plus grosse ou moins grosse que le Soleil : la zone d'habitabilité sera alors plus ou moins éloignée, en fonction de l'énergie émise par l'étoile.

Chapitre 2, page 46

1 Définissez les mots ou expressions

Organisme : être vivant organisé, c'est-à-dire formé d'un ensemble d'organes.

Organite : dans le cytoplasme d'une cellule, élément délimité par une membrane et accomplissant une fonction métabolique donnée.

Cellule : unité structurale et fonctionnelle d'un être vivant, délimitée par une membrane.

Eucaryote : organisme qui possède des cellules comportant divers organites délimités par une membrane, notamment un noyau.

Procaryote : organisme unicellulaire ne comportant pas d'organites délimités par une membrane et notamment pas de noyau. Les procaryotes sont les bactéries.

2 Questions à choix multiples

Les bonnes réponses sont **1**-**a** et **b** ; **2**-**a** ; **3**-**a** et **b**.

3 Vrai ou faux ?

a. Vrai.

b. Faux. Une cellule d'un eucaryote possède un noyau délimité par une membrane.

c. Vrai.

d. Vrai.

e. Faux. Les cellules eucaryotes contiennent de multiples organites ayant chacun une fonction précise.

f. Faux. Chez les bactéries, il n'y a pas de noyau mais il y a une information génétique.

4 Questions à réponse courte

a. Tous les êtres vivants partagent des similitudes du point de vue de leur composition chimique : abondance des éléments C, H et O, abondance de l'eau, molécules organiques telles que les glucides, lipides, protides. De telles similitudes témoignent d'une origine commune de tous les êtres vivants donc de leur parenté.

b. En se fondant sur l'étude des cellules, on peut distinguer chez les êtres vivants le groupe des procaryotes et le groupe des eucaryotes, ces derniers étant caractérisés par la présence d'organites et notamment du noyau. Au sein des eucaryotes, la présence de chloroplastes dans les cellules permet de fonder la « lignée verte ».

5 Légendez une photographie

1 : membrane cellulaire. **2 :** organites (mitochondries). **3 :** noyau. **4 :** cytoplasme.

Chapitre 3, page 64

1 Définissez les mots ou expressions

Transgénèse : technique qui consiste à introduire et faire s'exprimer dans un organisme un gène provenant d'un autre être vivant, d'une autre espèce ou de la même espèce.

Nucléotide : sous-unité constitutive de la molécule d'ADN.

Gène : fragment d'ADN qui porte une information codée et pouvant gouverner un aspect de l'activité d'une cellule.

Allèle : séquence d'ADN déterminant un caractère héréditaire, correspondant à l'une des différentes versions possibles d'un gène.

Mutation : modification aléatoire de la séquence des nucléotides de l'ADN.

2 Questions à choix multiples

Les bonnes réponses sont **1**-**a** et **c** ; **2**-**a**, **b**, **c** ; **3**-**b**.

3 Donnez le nom...

a. Nucléotides (A, T, C, G).

b. Transgénèse.

c. Allèles.

4 Vrai ou faux ?

a. Vrai.

b. Faux. Les OGM sont des organismes auxquels on a transféré un gène provenant d'un autre être vivant.

c. Faux. Une molécule d'ADN est constituée de deux chaînes de nucléotides complémentaires.

d. Faux. Une molécule d'ADN est constituée de nucléotides de quatre types différents (A, T, C, G).

e. Vrai.

5 Questions à réponse courte

a. Un nucléotide est une sous-unité constitutive de la molécule d'ADN. Une molécule d'ADN est formée de deux séquences de nucléotides.

b. C'est l'ordre dans lequel se succèdent les nucléotides de l'ADN qui constitue une information codée.

c. Les allèles d'un même gène ont une origine commune : ils se forment par mutation, c'est-à-dire par modification de la séquence des nucléotides d'un fragment d'ADN.

Chapitre 4, page 82

1 Définissez les mots ou expressions

Espèce : Ensemble d'individus (animaux ou végétaux) suffisamment proches génétiquement pour pouvoir se reproduire entre eux.

Biodiversité : Diversité remarquable du monde vivant, que ce soit au niveau de la planète, des écosystèmes, des espèces ou même au sein d'une espèce.

Écosystème : Ensemble formé par une communauté d'êtres vivants et par leur environnement avec toutes ses composantes : géologie, sol, hydrologie, climat, etc.

Vertébré : Groupe zoologique comprenant l'ensemble des animaux qui possèdent des vertèbres (et uniquement eux).

Parenté : Lien qui unit des individus entre eux et à leurs ascendants.

Polarité : Notion exprimant l'idée d'une différence, d'une dissymétrie, d'une orientation.

Symétrie : Caractérise deux structures (organes par exemple) qui sont l'image l'une de l'autre par rapport à un plan (ou un axe, voire un point).

2 Questions à choix multiples

Les bonnes réponses sont **1**-**a**, **b** et **c** ; **2**-**b** ; **3**-**a**.

3 Vrai ou faux ?

a. Vrai.

b. Faux. Ce caractère est présent dans bien d'autres groupes.

c. Vrai.

d. Faux. Si l'ancêtre commun que nous partageons avec les autres mammifères n'est pas l'ancêtre des oiseaux, en revanche, mammifères et oiseaux descendent d'un ancêtre commun plus ancien.

e. Faux. Même s'ils se ressemblent beaucoup, ils présentent des différences individuelles.

f. Vrai.

4 Argumentez une affirmation

a. La biodiversité peut aussi se constater au niveau des écosystèmes ou au sein même de chaque espèce.

b. L'intérêt écologique d'une zone peut être varié : zones présentant une biodiversité remarquable, zones abritant des espèces endémiques rares, zones représentant des milieux hostiles et cependant colonisés par la vie, etc.

c. Le nombre d'espèces vivantes non encore décrites est sans nul doute bien supérieur aux nombres d'espèces connues par les scientifiques.

d. Tous les vertébrés possèdent un certain nombre de caractères ; parmi ces derniers, certains ne sont possédés que par eux. C'est le cas de la présence d'une colonne vertébrale.

Chapitre 5, page 100

1 Définissez les mots ou expressions

Population : Ensemble d'individus appartenant à une même espèce et occupant un territoire donné.

Évolution : Transformation permanente du monde vivant ; à chaque période géologique, apparition d'espèces nouvelles et disparition de certaines des espèces existantes.

Dérive génétique : Modification aléatoire au cours du temps de la fréquence des allèles qui caractérise le patrimoine génétique d'une population.

Influence humaine : Du fait de son « explosion démographique » associée à un développement technologique remarquable, l'espèce humaine modifie de plus en plus son environnement.

Sélection naturelle : De façon sommaire, elle désigne le fait que les traits qui favorisent la survie et la reproduction voient leur fréquence s'accroître d'une génération à l'autre.

2 Questions à choix multiples

Les bonnes réponses sont **1**-**b** et **c** ; **2**-**a**, **b** et **c** ; **3**-**b** et **c**.

3 Vrai ou faux ?

a. Faux. C'est tout à fait possible.

b. Faux. La disparition d'espèces est un phénomène qui a toujours existé.

c. Faux. Il peut s'adapter partiellement à des conditions qui lui sont défavorables mais restera néanmoins désavantagé.

d. Faux. Dans une population, on constate une dérive génétique, c'est-à-dire une modification de la fréquence des allèles. Cette dérive est d'autant plus marquée que la taille de la population est faible.

4 Argumentez une affirmation

a. La biodiversité actuelle est le résultat d'une très longue évolution du monde vivant qui est progressivement devenu de plus en plus complexe et varié. Cette évolution se poursuit et

l'état actuel n'est donc qu'une étape de cette histoire.

b. La responsabilité de l'Homme du fait de la chasse, de la destruction d'habitats, des pollutions... est impliquée dans un grand nombre de disparitions récentes d'espèces. Il peut arriver que l'apparition de nouvelles espèces soit une conséquence d'une activité humaine.

c. La sélection naturelle est un « moteur » fondamental de l'évolution du monde vivant et donc de l'apparition de nouvelles espèces.

d. L'évolution d'une population étant définie comme une modification de la fréquence des allèles, cette dérive génétique est effectivement plus marquée dans une population de petite taille.

Partie 2

Enjeux planétaires contemporains

Chapitre 1, page 124

1 Définissez les mots ou expressions

Photosynthèse : Synthèse de molécules organiques par les plantes chlorophylliennes à partir de dioxyde de carbone, d'eau et de sels minéraux en exploitant l'énergie lumineuse solaire (*photo* = lumière).

Productivité primaire brute : C'est l'énergie totale assimilée par les plantes (producteurs primaires) par photosynthèse, c'est-à-dire la matière organique produite en convertissant l'énergie lumineuse en énergie chimique.

Productivité primaire nette : Les végétaux utilisent une partie de la matière organique produite par photosynthèse pour la libération d'énergie par la respiration cellulaire. Le reste, accumulé dans la biomasse végétale, constitue la productivité primaire nette.

Biomasse : Ensemble des matières organiques qui représentent une forme de stockage plus ou moins direct d'énergie solaire. La biomasse peut être utilisée comme source d'énergie renouvelable.

Gisement : Lieux où se concentrent un ou des éléments variés : minerais métalliques, hydrocarbures, fossiles...

Subsidence : Enfoncement progressif de certaines parties de la croûte terrestre.

2 Questions à choix multiples

Les bonnes réponses sont **1**-**a** et **c** ; **2**-**c** ; **3**-**b**.

3 Questions à réponse courte

a. Pour réaliser les synthèses de molécules organiques, les végétaux chlorophylliens ont besoin de matière (eau, sels minéraux, dioxyde de carbone) et d'énergie solaire.

b. Deux conditions au moins doivent être réunies :

– accumulation d'une importante quantité de matière organique (ce qui suppose la proximité d'une zone riche en vie) ;

– enfouissement rapide de la biomasse par des sédiments (elle échappe ainsi à une dégradation totale rapide).

Ces conditions se rencontrent notamment dans des zones lacustres ou littorales soumises à une subsidence.

4 Vrai ou faux ?

a. Vrai.

b. Vrai.

c. Faux. L'énergie utilisée par les producteurs secondaires est l'énergie chimique contenue dans la biomasse élaborée par les producteurs primaires.

d. Faux. Les charbons sont plus ou moins riches en carbone provenant de la carbonisation de matière organique d'origine biologique.

5 Des pièges à hydrocarbures en sous-sol

Voir schéma, p. 121.

Chapitre 2, page 142

1 Définissez les mots ou expressions

Réservoirs de carbone : Désigne les grands « compartiments planétaires » où se trouve présent l'élément carbone sous des formes variées : dioxyde de carbone, carbonates, carbone, hydrocarbures.

Roche carbonatée : Roche riche en carbonates. C'est le cas des calcaires, constitués surtout de carbonate de calcium.

Roche carbonée : Roche riche en carbone, que cet élément soit à peu près pur (cas de certains charbons) ou sous forme d'hydrocarbures (pétrole, gaz naturel).

Flux de carbone : Transfert d'élément carbone, le plus souvent sous forme de dioxyde de carbone, d'un réservoir à un autre.

Énergie non renouvelable : Énergie dont l'exploitation entraîne l'épuisement de la réserve énergétique car sa vitesse de formation est infiniment plus lente que sa vitesse d'utilisation.

Énergie renouvelable : Énergie exploitable pour les besoins de l'humanité sans entraîner un épuisement des réserves.

Vents : Mouvements d'une masse atmosphérique causés par des différences de pression (liées à des différences de température) ; ces déplacements sont influencés par la rotation de la Terre.

2 Questions à choix multiples

Les bonnes réponses sont **1**-**a** ; **2**-**b** et **c** ; **3**-**a** et **b**.

3 Vrai ou faux ?

a. Faux. Le fonctionnement des cellules de convection atmosphériques suppose des ascensions d'air chaud et des descentes d'air refroidi.

b. Faux. Ce sont des vents d'ouest.

c. Vrai.

d. Faux. L'élévation actuelle paraît beaucoup plus ample et plus rapide que les élévations enregistrées par le passé.

e. Faux, c'est un gisement énergétique important mais pas une ressource.

f. Vrai.

4 Questions à réponse courte

a. L'enjeu est de satisfaire une demande énergétique sans cesse croissante alors que la ressource la plus massivement utilisée s'épuise inéluctablement (car elle n'est pas renouvelée).

b. Outre l'épuisement des stocks de roches carbonées, l'impact principal est une élévation rapide du taux de dioxyde de carbone atmosphérique.

c. Les vents sont causés par des différences de pression atmosphériques, elles-même liées à des différences de température.

d. Les courants marins superficiels sont essentiellement causés par les vents.

e. Les réservoirs planétaires de carbone sont :
– la lithosphère (roches carbonatées, roches carbonées) ;
– l'hydrosphère (dioxyde de carbone, ions hydrogénocarbonates et carbonates) ;
– la biosphère (biomasse) ;
– l'atmosphère (dioxyde de carbone).

f. C'est l'énergie solaire qui représente le moteur du cycle de l'eau. Elle permet l'évaporation et donc le passage de vapeur d'eau dans l'atmosphère ; les précipitations puis l'écoulement de l'eau par gravité assurent son retour dans les différents réservoirs d'eau liquide (et solide).

5 Retrouvez le mot qui correspond à la définition.

a. Zone de haute pression.
b. Gulf Stream.
c. Diffusion.
d. Photosynthèse.
e. Combustibles fossiles.

Chapitre 3, page 158

1 Définissez les mots ou expressions

Ressources en eau : ensemble de l'eau utilisable pour les activités agricoles, domestiques, industrielles, etc.

Sols cultivables : sols présentant des caractéristiques favorables à l'agriculture (fertilité, pente, température...).

Agrocarburant : carburant fabriqué par transformation de matières premières d'origine agricole.

Prélèvement de biomasse : utilisation d'une part de la biomasse végétale pour satisfaire les besoins de l'humanité.

2 Questions à choix multiples

Les bonnes réponses sont **1-a** et **b** ; **2-b** et **c** ; **3-a** et **b**.

3 Vrai ou faux ?

a. Vrai.
b. Faux. L'agriculture est possible à condition d'irriguer les cultures.
c. Vrai.
d. Faux. La culture des végétaux destinés à la fabrication des agrocarburants présente de nombreux inconvénients.
e. Faux. Plus des deux tiers des sols de notre planète sont totalement impropres à l'agriculture.
f. Vrai.

4 Expliquez pourquoi :

a. La population mondiale devrait s'accroître de plus de 30 % entre 2010 et 2050. La nécessaire augmentation de production alimentaire passe par une intensification des pratiques agricoles et par une augmentation des surfaces cultivées.

b. La culture des plantes destinées à la fabrication des agrocarburants (de première génération) entre en concurrence avec l'agriculture vivrière pour les ressources en sol et en eau. Elle favorise la déforestation et la réduction de la biodiversité. Elle utilise des produits agricoles comestibles, ce qui aggrave l'insécurité alimentaire.

c. Plus des deux tiers des sols de notre planète présentent trop de contraintes pour être cultivables : ils sont par exemple trop pentus, trop froids, trop salés, trop minces, ou contiennent des éléments chimiques toxiques pour les plantes...

d. L'eau douce est globalement disponible en quantité suffisante pour satisfaire les besoins agricoles de l'humanité, mais elle est très inégalement répartie : certains pays manquent d'eau douce, ce qui limite gravement leur potentiel agricole.

Chapitre 4, page 174

1 Définissez les mots ou expressions

Roche mère : roche à partir de laquelle se forme un sol.

Horizon : couche présentant, à l'intérieur d'un sol, des caractéristiques homogènes (couleur, teneur en sables, argiles, matières organiques).

Humus : Composante organique du sol résultant de la décomposition incomplète des restes de végétaux (feuilles, racines...) et d'animaux (cadavres, déjections...).

Érosion : Déplacement sur de grandes distances des particules situées à la surface du sol, sous l'effet du vent ou de la pluie.

Désertification : accentuation de l'aridité d'une région jusqu'à sa transformation en désert.

Gestion durable : Approche cherchant à concilier les dimensions économiques, sociales et environnementales, dans le but d'assurer la pérennité à long terme d'un ensemble de ressources.

2 Questions à choix multiples

Les bonnes réponses sont **1-a** et **c** ; **2-b** et **c** ; **3-a** et **c** ; **4-b** et **c**.

3 Questions à réponses courtes

a. L'humus résulte de la décomposition incomplète des restes de végétaux (feuilles, racines...) et d'animaux (cadavres, déjections...) par les êtres vivants du sol (vers de terre, insectes, acariens, bactéries...).

b. La formation d'un sol est influencée par la nature de la roche mère (porosité, fissuration, nature des minéraux...), par les facteurs climatiques (gel, chaleur, humidité...), et par les êtres vivants (abondance et nature des végétaux et des microorganismes).

c. Les causes principales de la dégradation des sols sont la baisse des taux de matières organiques et de nutriments, de l'activité biologique, de la biodiversité, la compaction, les pollutions, l'érosion, la destruction par les constructions urbaines, industrielles, touristiques, routières...

d. Les vers de terre remplissent de nombreuses fonctions qui améliorent la fertilité du sol : ils participent à la décomposition des matières organiques, à leur enfouissement et leur mélange avec la fraction minérale des divers horizons du sol. Leurs galeries permettent la circulation de l'air, de l'eau et des autres êtres vivants du sol.

4 Vrai ou faux ?

a. Vrai.
b. Faux. Les molécules d'eau s'accrochent à l'humus car il est constitué de molécules chargées.
c. Faux. Ils sont la cause principale de cette décomposition.
d. Vrai.
e. Vrai.
f. Faux. Les pratiques agricoles intensives ont tendance à dégrader la ressource sol.
g. Faux. La plupart des êtres vivants du sol sont nécessaires aux cultures et doivent donc être protégés pour améliorer les rendements.

Partie 3

Corps humain
et santé

Chapitre 1, page 196

1 Définissez les mots ou expressions

Respiration : Au niveau de l'organisme, échanges gazeux (absorption d'O_2 et rejet de CO_2). Au niveau cellulaire, dégradation de glucose grâce à O_2, ce qui produit l'énergie utilisée par la cellule.

Dépense énergétique : Nombre de kJ dépensés par un organisme pour assurer l'ensemble des activités. Chez l'adulte, elle est de l'ordre de 10 000 kJ par jour.

Métabolisme de base : Dépense énergétique minimale d'un organisme au repos, à jeun, à une température ne nécessitant pas de lutte contre le réchauffement ou le refroidissement (ce sont des dépenses « incompressibles »).

$\dot{V}O_2$ max : Quantité maximale de dioxygène qu'un organisme est capable de prélever dans le milieu et d'utiliser. S'exprime souvent en mL par min et par kg.

Obésité : État caractérisé par un excès de la masse graisseuse qui se traduit par un surpoids important.

2 Questions à choix multiples

Les bonnes réponses sont **1-c** ; **2-a** et **b** ; **3-a** et **c**.

3 Vrai ou faux ?
a. Vrai.
b. Faux. Elle est différente d'un individu à l'autre, même à activité égale.
c. Vrai.
d. Faux. C'est le débit maximal de dioxygène utilisable pour couvrir les dépenses liées à un effort physique.
e. Vrai.
f. Faux. Ce sont essentiellement des glucides qui sont alors consommés (voir doc. 3 page 191).

4 Questions à réponse courte
a. Une activité physique d'intensité modérée et répétée constitue la meilleure stratégie pour lutter contre l'obésité, à condition d'être accompagnée d'une hygiène de vie appropriée.
b. Les muscles augmentent leur consommation de dioxygène et de glucose (grâce à une adaptation de la perfusion sanguine) ; c'est la respiration (oxydation du glucose) qui produit l'énergie utilisée pour le fonctionnement du muscle et libère de la chaleur.

5 Exploiter un graphique
– **Exercice durant moins de 2 heures :** c'est surtout la consommation des glucides (> 60 % des nutriments utilisés) qui apporte l'énergie nécessaire.
– **Exercice durant plus de 2 heures :** la part de la consommation des glucides diminue (≈ 40 % des nutriments utilisés) et celle des lipides devient prépondérante (≈ 60 %).

Chapitre 2, page 214

1 Définissez les mots ou expressions
Fréquence respiratoire : Nombre de cycles respiratoires (inspiration / expiration) par minute.
Débit ventilatoire : Volume d'air inspiré ou expiré par les poumons par unité de temps (exprimé en $L·s^{-1}$).
Volume d'air courant : Volume d'air inspiré puis expiré lors d'un mouvement respiratoire normal (chez l'Homme, valeur de l'ordre de 0,5 L).
Débit cardiaque : Volume de sang éjecté par l'un ou l'autre des ventricules par unité de temps (exprimé en $L·min^{-1}$).
Volume d'éjection systolique : Volume de sang éjecté par l'un ou l'autre des ventricules à chaque battement cardiaque.

2 Questions à choix multiples
Les bonnes réponses sont **1-a** ; **2-b** ; **3-c**.

3 Questions à réponse courte
a. C'est une augmentation simultanée de la fréquence cardiaque (FC) et de la puissance des contractions (donc du volume d'éjection systolique = VES) qui assurent l'augmentation du débit cardiaque (DC). Rappel : DC = VES x FC.
b. La totalité du sang qui a irrigué l'ensemble de l'organisme passe ensuite dans les poumons ; il y est alors ré-oxygéné et débarrassé de son excès de dioxyde de carbone avant de repartir dans la circulation générale.

4 Vrai ou faux ?
a. Faux. C'est le volume d'air inspiré ou le volume d'air expiré lors d'une activité respiratoire normale : sa valeur est de l'ordre de 0,5 L.

b. Faux. C'est exactement l'inverse : c'est la dilatation de la cage thoracique qui crée une aspiration de l'air extérieur.
c. Vrai.
d. Vrai.
e. Faux. C'est lors de la systole ventriculaire qu'elles jouent effectivement ce rôle.
f. Vrai.

5 Observer une photographie
Le liquide introduit dans une veine cave traverse l'oreillette droite puis le ventricule droit et ressort par l'artère pulmonaire.
Si l'on introduit la seringue dans l'artère pulmonaire, le liquide rencontrera la valvule artérielle qui se fermera et s'opposera à sa pénétration dans la cavité ventriculaire. Si l'on force ce passage en introduisant la seringue dans le ventricule droit lui-même, c'est alors la valvule auriculo-ventriculaire qui se fermera et s'opposera au passage du liquide dans l'oreillette droite. Dans les deux cas, le liquide ne ressortira pas par la veine cave.

Chapitre 3, page 228

1 Définissez les mots ou expressions
Pression artérielle : Pression du sang dans les artères, souvent exprimée en cm de mercure (cmHg).
Pression systolique : Pression artérielle maximale, enregistrée au moment de la systole ventriculaire.
Pression diastolique : Pression artérielle minimale, enregistrée au moment de la diastole cardiaque.
Fréquence cardiaque : Nombre de battements cardiaques (ou de pulsations) par minute.
Barorécepteurs : Dans la paroi de certains vaisseaux sanguins, capteurs sensibles à l'étirement de cette paroi (lié à la tension artérielle). Ils informent le système nerveux autonome et participent donc à la régulation de cette tension.
Boucle réflexe nerveuse : Circuit nerveux impliqué dans une réponse automatique à une stimulation et faisant intervenir successivement : récepteur – voie nerveuse afférente – centre nerveux – voie nerveuse efférente – effecteur.

2 Questions à choix multiples
Les bonnes réponses sont **1-a** et **b** ; **2-c** et **c** ; **3-b** et **c**.

3 Questions à réponse courte
a. Lorsqu'on abaisse progressivement la pression dans le brassard, le stéthoscope permet de repérer avec précision les bruits permettant de déterminer la pression systolique (le sang commence à circuler par intermittences sous le brassard : premiers bruits) et la pression diastolique (le sang circule librement : fin des bruits).
b. Le muscle cardiaque est effectivement capable de se contracter rythmiquement, en l'absence de connexions nerveuses (à condition d'être correctement perfusé par du sang ou par un liquide oxygéné et à bonne température).

4 Vrai ou faux ?
a. Vrai.

b. Vrai.
c. Faux. Le cœur est doué d'automatisme et bat en l'absence de commande nerveuse.
d. Faux. Si les nerfs sympathiques accélèrent effectivement le rythme cardiaque, les nerfs parasympathiques, au contraire, le freinent.
e. Faux. Cette action peut être stimulatrice ou inhibitrice.
f. Vrai.

5 Complétez les éléments d'une boucle de régulation nerveuse

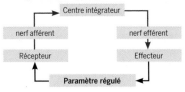

Chapitre 4, page 244

1 Définissez les mots ou expressions
Accident musculo-articulaire : Lésion affectant un muscle ou/et les structures ligamentaires, tendineuses ou osseuses d'une articulation.
Tendons : Structures fibreuses très résistantes assurant l'« ancrage » d'un muscle sur une surface osseuse. Ils transmettent donc à l'os l'effort musculaire et participent à la stabilité de l'articulation.
Ligaments : Bandes fibreuses résistantes reliant des os au niveau d'une articulation. Ces structures limitent la mobilité relative des pièces osseuses articulées.
Dopage : Pratique qui consiste à absorber des substances ou à pratiquer des actes médicaux (transfusions, injections…) en vue d'améliorer ses performances physiques ou psychiques.
Fibres musculaires : Cellules contractiles formant la masse d'un muscle. Dans le cas des muscles squelettiques, ou du muscle cardiaque, elles présentent au microscope un aspect strié caractéristique.

2 Questions à choix multiples
Les bonnes réponses sont **1-c** ; **2-b** ; **3-c**.

3 Questions à réponse courte
a. Préparer l'organisme à l'effort à venir et prévenir d'éventuels accidents musculo-articulaires.
b. Un ligament est une structure fibreuse résistante reliant des os au niveau d'une articulation. Un tendon est également une structure fibreuse, mais elle assure l'« ancrage » d'un muscle sur une surface osseuse.

4 Vrai ou faux ?
a. Vrai.
b. Faux. Il peut s'agir aussi d'un écrasement du muscle ou de déchirures affectant les cellules contractiles elles-mêmes.
c. Faux. Le mouvement est la conséquence, le résultat de la force exercée sur les tendons et, par leur intermédiaire, sur les os.
d. Vrai.

5 Placer des légendes
Voir schémas, p. 236 et 237.

A

ADN (Acide DésoxyriboNucléique) : macromolécule organique qui constitue l'information génétique.

Agriculture : Ensemble des pratiques qui permettent de produire des végétaux utiles pour l'humanité.

Agrocarburant : Carburant fabriqué par transformation de matières premières d'origine agricole.

Air courant (Volume d') : Volume d'air inspiré puis expiré lors d'un mouvement respiratoire normal (chez l'Homme, valeur de l'ordre de 0,5 L).

Alimentation : Approvisionnement en nourriture.

Allèle : Séquence d'ADN déterminant un caractère héréditaire, correspondant à l'une des différentes versions possibles d'un gène.

Altération : Transformations chimiques subies par une roche sous l'effet de facteurs climatiques et biologiques.

Analyse chimique : Méthode utilisant différents tests, expériences ou réactions chimiques pour déterminer la composition d'un produit.

Ancêtre commun : Groupe ancien qui possédait tous les caractères définissant un ensemble d'êtres vivants actuels ; ces derniers sont les descendants de ce groupe ancêtre.

Année de lumière : Unité de distance correspondant à la distance parcourue par la lumière en une année, soit environ $9{,}46 \cdot 10^{12}$ km.

Apparition d'espèces : Des espèces nouvelles se forment à partir d'espèces préexistantes ; c'est un des aspects de l'évolution biologique.

Aridité : Caractéristique d'un milieu dans lequel le manque d'eau limite le développement des plantes.

Articulation : Jonction entre deux os qui permet, ou non, des mouvements relatifs plus ou moins amples.

Astéroïde : Corps rocheux de taille relativement petite (quelques dizaines de m à plusieurs km), en orbite autour d'une étoile.

Atmosphère : Enveloppe gazeuse située en périphérie d'une planète.

Autoradiographie : Technique permettant par exemple de localiser de grosses molécules ou des composés (éventuellement dans une cellule) grâce à une trace laissée sur un support photographique par un produit radioactif.

Axes de polarité : Dans le plan d'organisation d'un organisme, directions selon lesquelles les structures sont réparties de façon non symétrique : par exemple, l'axe dorso-ventral ou l'axe antéro-postérieur.

B

Bar (unité) : Unité de mesure de la pression équivalant 10^5 pascals, soit approximativement la pression atmosphérique au sol sur Terre.

Barorécepteurs : Dans la paroi de certains vaisseaux sanguins, capteurs sensibles à l'étirement de cette paroi (lié à la tension artérielle). Ils informent le système nerveux autonome et participent donc à la régulation de cette tension.

Biodiversité : Diversité remarquable du monde vivant, que ce soit au niveau de la planète, des écosystèmes, des espèces ou même au sein d'une espèce.

Bioéthanol : Alcool obtenu à partir de la fermentation de végétaux cultivés.

Bioluminescence : Production de lumière par un organisme vivant.

Biomasse : Ensemble des matières organiques qui représentent une forme de stockage plus ou moins direct d'énergie solaire. La biomasse peut être utilisée comme source d'énergie renouvelable.

Boucle réflexe : Circuit nerveux impliqué dans une réponse automatique à une stimulation et faisant intervenir successivement : récepteur–voie nerveuse afférente – centre nerveux – voie nerveuse efférente – effecteur.

Bulbe rachidien : Partie postérieure du tronc cérébral qui se prolonge par la moelle épinière.

C

Carburants fossiles : Voir combustibles fossiles.

Cardiofréquencemètre : Système électronique destiné à enregistrer la fréquence cardiaque grâce à un capteur de pulsations (une ceinture thoracique avec électrodes par exemple) et un boîtier (une « montre » par exemple) traitant les informations.

Cellule de convection : Mode de transfert de chaleur au sein d'un fluide : typiquement, montée de fluide chaud (moins dense) associée à une descente de fluide froid (plus dense).

Cellule : Unité structurale et fonctionnelle d'un être vivant, délimitée par une membrane.

Centre intégrateur : Centre nerveux faisant la synthèse des informations qui lui parviennent à un instant donné et élaborant une réponse sous forme de commandes nerveuses (ou hormonales).

Centre nerveux : Zone du système nerveux où sont concentrés les neurones qui traitent les informations nerveuses en provenance ou à destination du reste de l'organisme.

Chaleur : En physique, c'est un transfert d'énergie. Par exemple, entre deux corps en contact et de températures différentes, le corps chaud cède de l'énergie sous forme de chaleur au corps froid.

Chlorophylle : Molécule organique de couleur verte, capable de convertir l'énergie lumineuse en énergie chimique. Elle joue un rôle fondamental dans la photosynthèse.

Chlorophyllien : Se dit d'un organisme ou d'une cellule qui contient de la chlorophylle.

Chloroplaste : Organite cellulaire de couleur verte, contenant de la chlorophylle, et dans lequel se déroule la photosynthèse.

Circulation générale : Trajet suivi par le sang issu du ventricule gauche. Grâce à l'aorte et ses nombreuses ramifications, ce sang irrigue l'ensemble des organes avant de faire retour au cœur droit par les veines caves.

Circulation pulmonaire : Trajet suivi par le sang issu du ventricule droit. Conduit aux poumons par l'artère pulmonaire, ce sang s'enrichit en dioxygène et s'appauvrit en dioxyde de carbone avant de faire retour au cœur gauche par les veines pulmonaires.

Classification périodique des éléments : Tableau qui présente tous les éléments chimiques connus, ordonnés par numéro atomique croissant et classés suivant leur configuration électronique (donc leurs propriétés chimiques).

Colonne vertébrale : Axe squelettique formé par la succession des vertèbres articulées entre elles.

Combustibles fossiles : Substances carbonées brûlées pour produire de la chaleur (éventuellement convertie en électricité). Elles proviennent de la transformation de matière organique produite à une époque géologique parfois très ancienne.

Comète : Corps céleste constitué de glace et de poussières, traversant le système solaire sur une orbite très allongée.

Compaction (du sol) : Tassement du sol entraînant une diminution de sa porosité.

Consommation de dioxygène : Prélèvement de dioxygène dans le milieu par un organisme ; O_2 est consommé par la respiration des cellules.

Conversion énergétique : C'est la transformation d'une forme d'énergie en une autre, au prix d'une dégradation en chaleur d'une part de l'énergie initiale.

Courant marin : Déplacement d'eau de mer, essentiellement engendré par les vents dans le cas des courants de surface (les courants profonds sont liés à des différences de densité et de température de l'eau).

Cultures vivrières : Cultures destinées à l'alimentation humaine.

Cycle biogéochimique ou géochimique : À l'échelle de la Terre, processus de transport et de transformation cyclique d'un élément chimique (ou d'un composé) faisant intervenir biosphère, atmosphère, hydrosphère et lithosphère.

Cycle de l'eau : Ensemble des flux entre les réservoirs planétaires d'eau (liquide, solide ou gazeuse). C'est l'énergie solaire qui anime ce cycle.

Cycle du carbone : Ensemble des échanges de carbone entre hydrosphère, lithosphère, biosphère et atmosphère.

D

Débit cardiaque : Volume de sang éjecté par l'un ou l'autre des ventricules par unité de temps (exprimé en $L \cdot min^{-1}$).

Débit ventilatoire : Volume d'air inspiré OU expiré par les poumons par unité de temps (exprimé en $L \cdot min^{-1}$).

Dégradation (des sols) : Perte partielle ou totale de la fertilité d'un sol, du fait de pratiques modifiant ses propriétés physiques, chimiques ou biologiques.

Dépense énergétique : Nombre de kJ dépensés par un organisme pour assurer l'ensemble des activités. Chez l'adulte, elle est de l'ordre de 10 000 kJ par jour.

Dérive génétique : Modification aléatoire au cours du temps de la fréquence des allèles qui caractérise le patrimoine génétique d'une population.

Diaphragme : Nappe musculaire en forme de coupole qui forme le plancher du thorax. Sa contraction, en abaissant le sommet de la coupole, crée un appel d'air dans les poumons, d'où l'inspiration.

Diastole : Période de relâchement du cœur qui permet le remplissage des cavités cardiaques.

Diffraction des rayons X : Technique qui permet de connaître l'organisation de la matière, basée sur la déviation de la trajectoire de rayons X traversant une molécule à l'état cristallin.

Disparition d'espèces : L'histoire du monde vivant est caractérisée, entre autres, par le fait que les espèces vivantes ne sont présentes sur Terre que pendant une période (géologique) plus ou moins longue puis s'éteignent.

Dopage : Pratique qui consiste à absorber des substances ou à pratiquer des actes médicaux (transfusions, injections…) en vue d'améliorer ses performances physiques ou psychiques.

Drosophile : Petite mouche de 2 à 4 mm de long, encore appelée mouche du vinaigre, très utilisée par les généticiens.

Écosystème : Ensemble formé par une communauté d'êtres vivants et par leur environnement avec toutes ses composantes : géologie, sol, hydrologie, climat, etc.

Effet de serre : Augmentation de la température due à l'absorption par certains gaz du rayonnement thermique émis par une planète.

Encéphale : Chez les vertébrés, ensemble des centres nerveux situés à l'avant, dans la région de la tête.

Endémique : Se dit d'une espèce que l'on ne trouve que dans un milieu très localisé (une île précise par exemple).

Énergie éolienne : Énergie mécanique du vent qui, en entraînant des pales, peut actionner un mécanisme (pompe par exemple) ou être convertie en énergie électrique (du nom d'Éole, dieu grec des vents).

Énergie hydroélectrique : Énergie électrique obtenue par conversion de l'énergie d'un courant d'eau (chute d'eau au niveau d'un barrage, marée…) grâce à un turbo-alternateur.

Énergie non renouvelable : Énergie dont l'exploitation entraîne l'épuisement de la réserve énergétique car sa vitesse de formation est infiniment plus lente que sa vitesse d'utilisation.

Énergie renouvelable : Énergie exploitable pour les besoins de l'humanité sans entraîner un épuisement des réserves.

Entre-nœud : Portion de tige située entre deux niveaux de feuilles.

Enzyme : Molécule biologique (presque toujours une protéine) qui a la propriété d'accélérer la vitesse d'une réaction biochimique.

Érosion : Déplacement sur de grandes distances des particules situées à la surface du sol, sous l'effet du vent ou de la pluie.

Espèce : Ensemble d'individus (animaux ou végétaux) suffisamment proches génétiquement pour pouvoir se reproduire entre eux.

Étoile : Boule de gaz au cœur de laquelle se déroulent des réactions thermonucléaires libérant une quantité énorme d'énergie.

Eucaryote : Organisme qui possède des cellules comportant divers organites délimités par une membrane, notamment un noyau.

Évolution : Transformation permanente du monde vivant : à chaque période géologique, apparition d'espèces nouvelles et disparition de certaines des espèces existantes.

ExAO (Expérimentation Assistée par Ordinateur) : Système de capteurs reliés à un ordinateur qui permet, grâce à des logiciels appropriés, de visualiser en temps réel l'évolution de différents paramètres.

Exoplanète : Planète située en dehors du système solaire, orbitant autour d'une autre étoile que le Soleil.

Extrapolation : Déduction ou généralisation à partir de données connues.

Fertilisé : Enrichi en éléments nutritifs (azote, phosphore, potassium…) grâce à un apport de matières organiques ou minérales.

Fertilité : Capacité d'un sol à favoriser le bon développement des cultures.

Force d'attraction : Force exercée par deux objets l'un sur l'autre, dépendant de la masse de ces objets et de la distance qui les sépare.

Fréquence cardiaque (ou rythme cardiaque) : nombre de battements cardiaques (ou de pulsations) par minute.

Fréquence respiratoire : Nombre de cycles respiratoires (inspiration / expiration) par minute.

Galaxie : Vaste ensemble pouvant rassembler des centaines de milliards d'étoiles.

Gène : Fragment d'ADN qui porte une information codée et pouvant gouverner un aspect de l'activité d'une cellule.

Gestion durable : Approche cherchant à concilier les dimensions économiques, sociales et environnementales, dans le but d'assurer la pérennité à long terme d'un ensemble de ressources.

Gisements : Lieux où se concentrent un ou des éléments variés : minerais métalliques, hydrocarbures, fossiles…

Glucides : Catégorie de molécules organiques constituées de carbone, d'hydrogène et d'oxygène, dont la formule chimique est du type $C_n(H_2O)_n$ (d'où le nom ancien d'hydrates de carbone).

Glycogène : Glucide constitué par un enchaînement de nombreuses molécules de glucose ; c'est la molécule de réserve énergétique chez les animaux et les champignons.

Gravitation : Force par laquelle les corps s'attirent sous l'effet de leur masse.

Gulf Stream : Courant océanique chaud qui naît entre la Floride et les Bahamas et remonte vers l'Atlantique Nord où il s'irradie sur toute la façade de l'Europe occidentale.

Horizon (d'un sol) : Couche présentant, à l'intérieur d'un sol, des caractéristiques homogènes : couleur, teneur en sables, argiles, matières organiques…

Hormone : Molécule biologique produite par une cellule spécialisée, transportée par le sang et modifiant le fonctionnement d'autres cellules de l'organisme.

Humus : Composante organique du sol, résultant de la décomposition incomplète des restes de végétaux (feuilles, racines…) et d'animaux (cadavres, déjections…).

Hydrocarbures : Composés organiques formés d'atomes de carbone C et d'hydrogène H (formule brute : $C_n H_m$).

Hydrolyse : Réaction chimique au cours de laquelle une molécule est coupée en deux par action de l'eau.

IMC (Indice de Masse Corporelle) : Indice caractérisant la corpulence d'une personne et se calculant en divisant le poids (en kg) par le carré de la taille (en m²).

Influence humaine (sur l'environnement) : Du fait de son « explosion démographique » associée à un développement technologique remarquable, l'espèce humaine modifie de plus en plus son environnement.

kcal (kilocalorie) : 1 kcal = 10^3 cal. Rappel : 1 cal = 4,18 J.

kJ (kilojoule) : 1 kJ = 10^3 joules (J). Rappel : 1 J (unité de travail) = 1 newton (force) × 1 mètre.

kN (kilonewton) : 1 kN = 10^3 newtons (N). Rappel : 1 N (unité de poids) = 1 kg (masse) × g (9,81 m·s^{-2}).

L

Ligament : Bande fibreuse résistante reliant des os au niveau d'une articulation. Cette structure limite la mobilité relative des pièces osseuses articulées.

Limon : Particules minérales dont la taille est comprise entre 2 et 50 µm.

Lipides : Catégorie de molécules organiques constituées surtout de carbone et d'hydrogène et d'un peu d'oxygène.

Litière : Ensemble des débris végétaux en décomposition qui recouvrent le sol.

M

Matières organiques : Molécules constitutives des êtres vivants et présentes dans les aliments. Ce sont principalement les glucides, les lipides et les protides.

Métabolisme de base : Dépense énergétique minimale d'un organisme au repos, à jeun, à une température ne nécessitant pas de lutte contre le réchauffement ou le refroidissement (ce sont des dépenses « incompressibles »).

Métabolisme : Ensemble des réactions chimiques qui s'accomplissent dans les cellules vivantes, assurant des transformations de matière et des transferts d'énergie.

Mil : Céréale cultivée en zone tropicale sèche ; elle constitue l'aliment de base des populations du Sahel.

Mitochondrie : Organite dans lequel se déroule la respiration cellulaire.

Modéliser : Représenter une structure ou un phénomène afin de pouvoir l'étudier.

Mole (symbole : mol) : Quantité de matière mesurée de la façon suivante : 1 mole de carbone (ou d'oxygène, de soufre...) contient $6{,}022 \cdot 10^{23}$ atomes de carbone (ou d'oxygène, de soufre, etc.). Ce nombre multiplicateur est la constante d'Avogadro.

Molécule : Assemblage de plusieurs atomes associés par des liaisons covalentes.

Molécules du vivant : Molécules organiques abondantes chez les êtres vivants. Ce sont principalement les glucides, les lipides, les protides et les acides nucléiques (ADN notamment).

Mouvement respiratoire : Déformation des parois de la cage thoracique déclenchant, suivant le cas, l'inspiration ou l'expiration.

Mouvement : Déplacement d'un individu dans son milieu ou d'un élément du squelette par rapport à un autre.

MPa (mégapascal) : 1 MPa $= 10^6$ pascals (Pa). Rappel : 1 Pa (unité de pression) $= 1$ N (poids) par m². 1 MPa $= 1$ N par mm² (1 N·mm⁻²) car 1 m² $= 10^6$ mm².

Muscle strié : Muscle formé de fibres musculaires présentant au microscope un aspect strié caractéristique. C'est le cas des muscles squelettiques, du muscle cardiaque.

Mutant : Organisme ou cellule dont l'information génétique initiale est modifiée.

Mutation : Modification aléatoire de la séquence des nucléotides de l'ADN.

N

Nerfs X (ou nerfs pneumogastriques) : X^e paire de nerfs crâniens qui innerve un grand nombre de viscères (poumons, estomac, mais aussi le tube digestif, le larynx, le cœur...). Son rôle de freinage cardiaque est important.

Nucléotide : Sous-unité constitutive de la molécule d'ADN. Quatre types de nucléotides (A, T, C, G) entrent dans la composition de l'ADN.

Nutriment : Élément nutritif ; composé organique ou minéral indispensable à l'organisme.

O

Obèse : Individu présentant un surpoids important, c'est-à-dire un indice de masse corporelle (IMC) supérieur à 30.

Obésité : État caractérisé par un excès de la masse graisseuse qui se traduit par un surpoids important.

OGM : Organisme Génétiquement Modifié, désignant un être vivant auquel on a transféré un gène provenant d'un autre organisme.

Organe : Partie d'un être vivant qui accomplit une fonction précise.

Organisme : Être vivant organisé, c'est-à-dire formé d'un ensemble d'organes.

Organite : Dans le cytoplasme d'une cellule, élément délimité par une membrane et accomplissant une fonction métabolique donnée.

Ozone : Gaz de formule O_3, présent naturellement dans la stratosphère où il fait écran à certains rayons ultraviolets.

##

Perméabilité (d'un sol) : Capacité d'un sol à se laisser traverser par l'eau de pluie ou l'eau d'irrigation.

pH (potentiel hydrogène) : grandeur (variant de 0 à 14) qui mesure l'acidité ou la basicité d'une solution. Le milieu est acide si pH<7, neutre si pH = 7, basique si pH>7.

Photosynthèse : Synthèse de molécules organiques par les plantes chlorophylliennes à partir de dioxyde de carbone, d'eau et de sels minéraux en exploitant l'énergie lumineuse solaire (*photo* = lumière).

Phytoplancton : Ensemble des algues, souvent unicellulaires, qui constituent la partie végétale du plancton.

Plancton : Ensemble des animaux (zooplancton) et végétaux (phytoplancton) de très petite taille en suspension dans l'eau de mer ou l'eau douce.

Planète gazeuse : Planète de grande dimension principalement constituée d'une épaisse couche de gaz.

Planète naine : Corps céleste orbitant autour d'une étoile, de dimension intermédiaire entre celle d'un astéroïde et celle d'une planète.

Planète rocheuse : Planète principalement constituée de roches solides.

Planète : Corps céleste en orbite autour d'une étoile et qui possède une masse suffisante pour que la gravité lui maintienne une forme presque sphérique.

Pluviométrie : Mesure des précipitations (pluie, neige...) au cours du temps, dans un lieu donné.

PMA (Puissance Maximale Aérobie) : Puissance correspondant à un effort à 100 % de la $\dot{V}O_2$ max. Elle est mesurée en watts.

Polarité : Notion exprimant l'idée d'une différence, d'une dissymétrie, d'une orientation.

Population : Ensemble d'individus appartenant à une même espèce et occupant un territoire donné.

Porosité (d'un sol) : Ensemble des espaces libres entre les grains du sol, dans lesquels circulent l'air, l'eau, les microorganismes.

Prélèvement de biomasse : Utilisation d'une part de la biomasse végétale pour satisfaire les besoins de l'humanité.

Pression artérielle : Pression du sang dans les artères, souvent exprimée en cm de mercure (cm Hg) ;

elle varie rythmiquement entre un maximum (pression systolique) et un minimum (pression diastolique).

Pression : Force par unité de surface, s'exerçant perpendiculairement et en direction de cette surface. L'unité de pression est le pascal (N·m²) ; on utilise aussi le bar (10^5 pascals).

Procaryote : Organisme unicellulaire ne comportant pas d'organites délimités par une membrane et notamment pas de noyau. Les procaryotes sont les bactéries.

Productivité primaire brute : C'est l'énergie totale assimilée par les plantes (producteurs primaires) par photosynthèse, c'est-à-dire la matière organique produite en convertissant l'énergie lumineuse en énergie chimique.

Productivité primaire nette : Les végétaux utilisent une partie de la matière organique produite par photosynthèse pour la libération d'énergie par la respiration cellulaire. Le reste, accumulé dans la biomasse végétale, constitue la production primaire nette.

Productivité primaire : Quantité totale de matière organique fixée par photosynthèse ; ceci est réalisé par les producteurs primaires.

Productivité secondaire : Masse de matière vivante produite par les consommateurs (herbivores, carnivores) et les décomposeurs en un temps donné. Cette production épuise progressivement l'énergie chimique stockée initialement par les producteurs primaires.

Protéine : Protide constitué par un enchaînement de nombreux acides aminés.

Protides : Catégorie de molécules organiques constituées de carbone, d'hydrogène, d'oxygène et d'azote. Selon leur complexité, on distingue les acides aminés, les peptides et les protéines.

Puissance : Pour le physicien, c'est la quantité d'énergie fournie par unité de temps. Unité : le watt (W) qui correspond à une énergie de 1 joule (J) fournie en une seconde.

##

Quotient respiratoire : Rapport entre le volume de CO_2 produit et le volume d'O_2 consommé par unité de temps. Il révèle la nature des nutriments oxydés dans l'organisme (QR = 1 pour une oxydation des glucides ; QR < 1 pour une oxydation des lipides et des protides).

Rayons ultraviolets : Gamme d'ondes émises par le Soleil, non visibles, susceptibles d'occasionner des brûlures ou des mutations.

Réchauffement climatique : Augmentation de la température moyenne des océans et de l'atmosphère observée à l'échelle mondiale depuis quelques décennies.

Régulation : Mécanisme physiologique permettant de maintenir une variable (pression artérielle, taux de sucre dans le sang...) autour d'une valeur définie dite « valeur de consigne ».

Réseau trophique : Dans un écosystème, ensemble des chaînes alimentaires reliant les êtres vivants (producteurs, consommateurs, décomposeurs).

Réserves d'hydrocarbures : volumes de pétrole et de gaz récupérables à partir des gisements connus et en tenant compte des contraintes économiques et techniques.

Réserves organiques : En biologie, ensemble des substances organiques stockées, généralement sous forme de grosses molécules (amidon, glycogène, lipides…).

Réservoir (d'hydrocarbures) : Qualifie une formation géologique plus ou moins poreuse dans laquelle ont migré et se sont accumulés des hydrocarbures (pétrole, gaz).

Réservoir planétaire : Désigne les grands compartiments planétaires où se trouve tel élément ou composé (carbone, soufre, eau…)

Respiration cellulaire : Ensemble de réactions enzymatiques oxydant une molécule organique en présence de dioxygène ; ce processus fournit l'énergie nécessaire au fonctionnement cellulaire.

Respiration : Au niveau de l'organisme, échanges gazeux (absorption d'O_2 et rejet de CO_2). Au niveau cellulaire, dégradation de glucose grâce à O_2, ce qui produit l'énergie utilisée par la cellule.

Ressources en eau : Ensemble de l'eau utilisable pour les activités agricoles, domestiques, industrielles… dans un environnement donné et à un instant donné.

Roche mère (d'un hydrocarbure) : Roche à l'intérieur de laquelle se forme un hydrocarbure suite à l'enfouissement et au réchauffement d'une grande quantité de matière organique.

Roche mère (d'un sol) : Roche à partir de laquelle se forme un sol.

Sables bitumineux : Bitume (pétrole brut semi-solide) mélangé à 9/10 de sable, d'argile et d'eau. L'exploitation de cette source de pétrole « non conventionnel » pose de graves problèmes environnementaux.

Salinité : Quantité d'ions solubles (chlorures, sulfates, nitrates…) contenue dans un volume.

Satellite : Corps céleste en orbite autour d'un autre plus massif.

Sélection naturelle : De façon sommaire, désigne le fait que les traits qui favorisent la survie et la reproduction voient leur fréquence s'accroître d'une génération à l'autre.

Séquençage : Détermination de la séquence d'une macromolécule.

Séquence : Ordre dans lequel se succèdent des sous-unités d'une macromolécule (nucléotides pour l'ADN par exemple).

Sinus carotidien : Au niveau de l'angle de la mâchoire inférieure, région de la carotide où sont concentrés des barorécepteurs contrôlant la pression artérielle.

Sismique-réflexion : Technique consistant à émettre des vibrations qui pénètrent dans le sous-sol. Les échos renvoyés par les limites entre couches renseignent sur la structure géologique en profondeur.

Sol : Fine couche naturelle (quelques centimètres à quelques mètres d'épaisseur) résultant de la transformation des roches sous l'action de facteurs climatiques et biologiques.

Sonde (astronomie) : Engin non habité envoyé par l'Homme dans l'espace pour étudier certains astres ou le milieu interplanétaire.

Sous-unité : Dans une macromolécule, sous-ensemble d'atomes formant une brique élémentaire constitutive de la molécule.

Sphincter : Muscle circulaire qui contrôle l'ouverture d'un orifice ou le calibre d'un conduit (ex. : sphincter vésical contrôlant la sortie de l'urine hors de la vessie).

Stabilité (du sol) : Capacité d'un sol à résister aux dégradations.

Stéthoscope : Instrument médical permettant l'auscultation, c'est-à-dire l'écoute des sons émis à l'intérieur du corps (bruits du cœur et notamment souffle cardiaque, etc.).

Structure : Manière dont les éléments d'un ensemble sont agencés entre eux.

Sublimation : Passage de l'état solide à l'état gazeux.

Surfaces artificialisées : Zones pour lesquelles le sol naturel a été détruit et ne remplit plus de fonction biologique.

Sylviculture : Activité de plantation, d'entretien et d'exploitation d'arbres forestiers.

Symétrie : Caractérise deux structures (organes par exemple) qui sont l'image l'une de l'autre par rapport à un plan (ou un axe, voire un point).

Système nerveux autonome : Partie du système nerveux responsable du contrôle des fonctions automatiques (digestion, circulation, respiration…). Le système nerveux somatique assure, lui, le contrôle volontaire des mouvements et les perceptions conscientes (vision, audition…).

Système parasympathique : Une des parties du système nerveux autonome ; antagoniste du système sympathique, son action vise à mettre l'organisme au repos, en récupération après un effort.

Système solaire : Ensemble constitué d'une étoile, le Soleil, et de tous les objets gravitant autour de lui.

Système sympathique : Partie du système nerveux autonome impliquée dans la mise en état d'alerte de l'organisme : accélération cardiaque, décharge d'adrénaline…

Systole : Contraction des parois des cavités cardiaques, ce qui assure la propulsion du sang.

T

Tendon : Structure fibreuse très résistante assurant l'« ancrage » d'un muscle sur une surface osseuse. Il transmet donc à l'os l'effort musculaire et participe à la stabilité de l'articulation.

Teneur : Quantité d'une substance rapportée à la masse ou au volume du mélange dans lequel elle se trouve. Peut être exprimée en pourcentage.

Tensiomètre : Appareil de mesure de la pression artérielle (ou tension) ; il est formé d'un brassard gonflable et d'un manomètre.

Tension : État de ce qui est tendu (le son d'une corde de violon est d'autant plus aigu que sa tension est importante).

Thérapeutique : Qualifie les moyens et méthodes qui visent à traiter une maladie.

Transgénèse : Technique qui consiste à introduire et faire fonctionner dans un organisme un gène provenant d'un autre être vivant, d'une autre espèce ou de la même espèce.

Travail : Pour le physicien, c'est l'énergie fournie par une force lorsque son point d'application se déplace (unité : le joule).

Ultrastructure : Structure de très petite taille (de l'ordre du micromètre) qui ne peut être observée qu'au microscope électronique.

Unicellulaire : Être vivant constitué d'une seule cellule.

Valvule artérielle : Ensemble de trois valves (ou clapets) implantées au départ de chacune des artères (aorte et pulmonaire) et empêchant le reflux du sang vers les ventricules lors de la diastole.

Valvule auriculo-ventriculaire : Dans chaque moitié du cœur, système de valves (deux à droite, trois à gauche) orientant le sens de passage du sang de l'oreillette vers le ventricule correspondant.

Valvule cardiaque : Terme équivalent à celui de valvule auriculo-ventriculaire.

Variation : Modification d'une caractéristique d'un individu. Une variation d'origine génétique a pour cause le phénomène de mutation de l'ADN.

Vent : Mouvement d'une masse atmosphérique causé par une différence de pression (liée à une différence de température) ; ce déplacement est influencé par la rotation de la Terre.

Vertébrés : Groupe zoologique comprenant l'ensemble des animaux qui possèdent des vertèbres (et uniquement eux).

V̇O₂ max : Quantité maximale de dioxygène qu'un organisme est capable de prélever dans le milieu et d'utiliser. S'exprime souvent en mL par min et par kg.

Volatil : Se dit d'un liquide qui s'évapore facilement.

Volume d'éjection systolique (VES) : Volume de sang éjecté par l'un ou l'autre des ventricules à chaque battement cardiaque. Il suffit de multiplier ce volume par la fréquence cardiaque (nombre de battements par min) pour connaître le débit cardiaque.

Z

Zone d'habitabilité : Région de l'espace où les conditions sont susceptibles d'être compatibles avec la vie.

Zooplancton : Ensemble des animaux de petite taille, souvent microscopiques, qui constituent la partie animale du plancton.

Index

*Un index n'est pas une liste de mots à connaître ; c'est un outil de travail
pour se repérer dans le livre à partir d'un mot ou d'une expression.*

Crédits photographiques

Couverture : g, Ph. © Pedro Ugarte / AFP ; d, Ph. © H. Rigel / BIOSPHOTO ; b, Ph. © Konrad Wothe / MINDEN Pictures
p. 6, ht g : voir p. 38 ; mil : voir p. 3 et p. 13 bg : Ph. © Kulik / SPL / COSMOS / T
p. 7 : voir p. 54
p. 8, ht g : Ph. © Cyril Ruoso / BIOSPHOTO / T
p. 8, m g : Ph. © Alan Majchrowicz / Peter Arnold / BIOSPHOTO
p. 8, m : Ph. © Planetary Visions LTD / SPL / COSMOS
p. 8, ht d : Ph. © Georgie Holland / AGE FOTOS-TOCK
p. 9, bas : Ph. © SPL / COSMOS / T
p. 9, ht : et p. 106, bg (2docs), **p. 107,** bd, p. 132, bd, p.164, bg, p. 180, ht, **p. 227,** ht, 8 Ph. © FABRE Claude /T
p. 10, ht : Ph. © Nasa / JPL / SSI / NOVAPIX
p. 10, m : Ph. © Nasa / ESA / SRI / NOVAPIX
p. 11 : Ph. © NASA
p. 12, ht : BIS / Ph.NASA-JPL Coll. Archives Sejer
p. 12, bas : Ph. © Nasa / JPL / NOVAPIX
p. 13, ht g : Ph. © Nasa Earth Observatory / SPL / COSMOS
p. 13, ht d : Ph. © John Sanford / SPL / COSMOS
p. 13, bas g : Ph. © NASA / SPL / COSMOS
p. 13, bas d : Ph. © J. Lodriguss / NOVAPIX
p. 14, ht g : Ph. © Yva Momatiuk / John Eastcott / Minden / J.H. Editorial
p. 14, ht : Ph. © Detlev Van Ravensswaay / SPL / COSMOS
p. 14, ht d : Ph. © Nasa / JPL / NOVAPIX
p. 14, bas g : Ph. © PHOTO12.COM / ALAMY
p. 14, bas d : Ph. © Nasa / JPL / NOVAPIX
p. 16, ht : Ph. © Nasa / NOVAPIX
p. 17, m : Ph. © Eye of Science / SPL / COSMOS
p. 17, m d : Ph. © DeepSeaPhotography.com
p. 18 : Ph. © Karl Johaentges / GETTY IMAGES
p. 19, ht et p. 21, ht m p. 32, p. 33, p. 35 (5 docs), p. 36, ht m, p. 37 (3 docs), **p. 38,** b, **p. 39** (7 docs), **p. 41,** ht g, **p. 49,** g, **p. 59,** g, **p. 70** (2 docs), **p. 71** (2 docs), **p. 75,** h (3 docs), **p. 76** (2 docs), **p. 77** (3 docs), **p. 82, p. 88,** b, **p. 93** (3 docs), **p. 92** (2 docs), **p. 110,** ht et bas (3 docs), **p. 112,** bas (4 docs), **p. 127** (2 docs), **p. 133, p. 135,** mg, **p. 143, p. 150,** bas (3 docs), **p. 164,** md, **p. 165, p. 189,** b, **p. 204,** B (2 docs), **p. 214, p. 215** (2 docs), **p. 234,** ht (2 docs), **p. 236** (4 docs), **p. 250,**
b, **p. 251,** g et b (2 docs), **p. 74** Ph. © GRAND – MILHAVET Hélène
p. 20, ht g : Ph. © NASA / JPL - Caltech / University of Arizona / Texas AM University
p. 20, ht d : Ph. © ESA/DLR/FU Berlin (G. Neukum)
p. 20, bas g : Ph. © NASA / JPL
p. 20, bas d : Ph. © NASA / University of Arizona
p. 21, bas : Ph. © ESO / NOVAPIX
p. 24, ht g : Ph. © Times Life Pictures / GETTY IMAGES
p. 24, m g : Ph. © NASA / SPL / COSMOS
p. 24, m d : Ph. © Avec l'aimable autorisation de Monsieur André Brack
p. 24, m : Ph. © Lunar and Planetary Institute
p. 25, ht : Ph. © Time Life Pictures / GETTY IMAGES
p. 25, m d, bas d, bas g : 3 Ph. © Nasa / NOVAPIX
p. 26, bas g : Ph. © Michael J. Daly / SPL / COSMOS
p. 26, m : Ph. © Derek Lovley / SPL / BIOS-PHOTO
p. 26, m d : Ph. © Dr Terry Beveridge / CORBIS
p. 26, m g : Ph. © Wolfgang Baumeister / SPL / COSMOS
p. 27, ht : Ph. © ESA / Nasa / UCL / NOVAPIX
p. 27, bas m : Ph. © NASA Johns Hopkins University Applied Physics Laboratory / Carnegie Institution of Washington / DR
p. 27, bas p : Ph. © Wally Pacholka / NOVAPIX
p. 28, ht g : Ph. © NASA / NOVAPIX
p. 28, ht d : Ph. © NASA / JPL / NOVAPIX
p. 29 : Ph. © Google Earth / Google Mars / DR
p. 30, ht g : Ph. © National Optical Astronomy Observatories / SPL / COSMOS
p. 30, ht d : BIS / Ph. Leonard de Selva © Archives Larbor
p. 30, bas : Ph. © Dr Torsten Wittmann / COSMOS
p. 31 : Ph. © Éd Reschke / Peter Arnold / BIOSPHOTO
p. 32 et **p. 33, p. 34** (3 docs), **p. 36, p. 37, p. 48** (6 docs), **p. 49** (4 docs), **p. 54** (2 docs), **p. 55** (2 docs), **p. 56, p. 66, p. 248** (5 docs), **p. 249** (5 docs), **p. 33** Ph. © PILLOT Paul
p. 36, bas g : Ph. © Marshall Sklar / SPL / COSMOS
p. 36, m g et p. 70 (2 docs), **p. 88,** hd, **p. 92** (2 docs), **p. 95,** p. 150, **p. 164,** hd, **p. 183, p. 185,** p. 186 (2 docs), **p. 189, p. 196, p. 200** (et reprise p. 179), **p. 202, p. 216,** g, **p. 219, p. 238,** b (2 docs), **p. 245** (3 docs dont 1 doc repris en p. 3), **p. 250,** ht (2 docs),

p. 251, *d* et *m* (2 docs), **p. 28** Ph. © FABRE Claude
p. 38, *ht g* : Ph. © Dr John Cunningham / Visuals Unlimited / GETTY IMAGES
p. 38, *ht d* : Ph. © Phototake / Kunkel / BSIP
p. 40, *ht g* : Ph. © Dennis Kunkel / ISM
p. 40, *ht d* : Ph. © Dr David Furness, Keele University / SPL / COSMOS
p. 40, *bas g* : Ph. © CT – UCBL – ISM
p. 40, *bas d* : Ph. © Dr David Furness, Keele University / SPL /
p. 41, *ht d* : Ph. © SPL / PHANIE
p. 44, *ht* : Ph. © J. Hoog / EMBL / SPL / COSMOS
p. 44, *bas* : Ph. © Dr David Furness / Keele University / SPL / COSMOS
p. 45, *ht* : Ph. © Nicolas Bertrand / INRA
p. 45, *m* : Ph. © Carreras Florence / INRA
p. 45, *bas* : Ph. © Bettmann / CORBIS / T
p. 46, *m* : Ph. © Dr Gopal Murti / VISUALS UNLIMITED
p. 46, *bas* : Ph. © Thomas Deerinck, NCMIR / SPL / COSMOS
p. 48, *bas* : Ph. © Dr Dennis Kunkel / VISUALS UNLIMITED
p. 50, *ht g* : Ph. © Patrick Allard / REA / T
p. 50, *ht d* : 4 Ph. © David Scharf /COSMOS
p. 51 : Ph. © Martin Oeggerli / SPL / COSMOS
p. 52, *ht g* : Ph. © David Wrobel / Visuals Unlimited / GETTY IMAGES
p. 52, *ht m* : Ph. © Tom Kleindinst
p. 52, *bas g* : Ph. © Makoto Iwafuji / Eurelios / LOOK AT SCIENCES
p. 52, *bas m* : Ph. © Eye of Science / COSMOS
p. 52, *bas d* : Ph. © IRD / L. Laplaze
p. 53, *ht* : 2 Ph. © Christian WATIER
p. 53, *bas* : Ph. © Inga Spence / VISUALS UNLIMITED
p. 54, *bas* : Ph. © Courtesy Ava Helen and Linus Pauling Papers, Oregon State University Librairies
p. 57, *g* : Ph. © A.B. Dowsett / SPL / COSMOS
p. 58, *ht g* : Ph. © DR J. Burgess / SPL / BIOSPHOTO
p. 58, *ht d* : Ph. © DR
p. 58, *bas g* : Ph. © Horizon / SUNSET
p. 58, *bas d* : Ph. © Photoshot Creative / SUNSET
p. 59, *d* : Ph. © Phototake / BSIP
p. 62, *ht* : Ph. © Laurent / BSIP
p. 62, *bas* : Ph. © Lessin Leonard / Peter Arnold / BIOSPHOTO
p. 63, *bas g* : Ph. © Eduardo Kak, Genesis, 1999. Trangenic work with artist-created bacteria, ultraviolet light, internet, video, edition of 2, dimensions variable. Collection Instituto Valenciano de Arte Moderno (IVAM), Valancia, Spain.
p. 63, *ht* : Ph. © P. Psaïla / DoubleVue.fr
p. 63, *m* : Ph. © Patrice Latron / INSERM
p. 63, *bas d* : Ph. © Eduardo Kac, GFP Bunny, 2000, transgenic artwork. Alba, the fluorescent rabbit.
p. 64 : Ph. © Volker Steger / SPL / COSMOS
p. 65, *ht* : Ph. © DR
p. 65, *m d* : Ph. © Volker Steger / SPL / COSMOS
p. 65, *m* : Ph. © NIBSC / SPL /, COSMOS
p. 65, *bas d* : Ph. © CNRI / SPL / COSMOS
p. 66, *bas* : Ph. © CNRI / SPL / COSMOS
p. 67 : Ph. © Hervé Conge / ISM
p. 68, *ht* : Ph. © 2010 Année Internationale de la Diversité Biologique
p. 68, *m* : Ph. © P. Psaïla / DoubleVue.fr
p. 69 : Ph. © Burnett - Palmer / AGE FOTOSTOCK
p. 71, *bas* : 3 Ph. © PHOTO12.COM / ALAMY
p. 72, *ht* : Ph. © EKO-LOGIK
p. 72, *bas g* : Ph. © DK Limited / CORBIS
p. 72, *bas d* : Ph. © SCIMAT / BSIP
p. 73, *ht* : Ph. © Jan Hinsch / SPL / COSMOS
p. 73, *m* : Ph. © Jean Lecomte / BIOSPHOTO
p. 74, *m g* : Ph. © George Bernard / NHPA / SUNSET
p. 74, *m d* : Ph. © Les Stocker / OSF / BIOSPHOTO
p. 74, *bas* : Ph. © Roger Wilmshurst / Minden /JL Editorial
p. 75, *bas g* : Ph. © DK Limited / CORBIS
p. 75, *bas g* : Ph. © DR
p. 80, *ht* : Ph. © David Tatin / BIOSPHOTO
p. 80, *m* : Ph. © Scott Camazine / SPL / COSMOS
p. 81, *ht* : Ph. © Service audiovisuel / MNHN
p. 81, *m* : Ph. © Dominique Delfino / BIOSPHOTO
p. 81, *bas* : Ph. © Denis BAUDE
p. 83, *ht* : Ph. © Martin Land / SPL / COSMOS
p. 83, *m* : Ph. © P. Goetgheluck / DoubleVue.fr
p. 84, *ht* : Ph. © Christophe BRUNET
p. 84, *m* : Ph. © Martin PL. / BSIP
p. 84, *bas* : Ph. © Emmanuel Boitier / BIOSPHOTO
p. 86, *ht* : Ph. © François Gilson / BIOSPHOTO
p. 86, *m d* : Ph. © North Wind Pictures / LEEMAGE
p. 87 : Ph. © Raul D. Martin / National Geographic Stock
p. 88, *ht d* : Ph. © Patrick Dumas / LOOK AT SCIENCES
p. 89 : Ph. (dent de Triconodon) © PaleoAquitania
p. 89 : 7 Ph. (dent de Triconodon, dent de Stégosaure, dent de Lepidotes, dent de Requin Parvodus, 2 dents de Bernissartia, dent d'Archéoptéryx) © PaleoAquitania ; 2 Ph. (dessins de Triconodon et Archéoptéryx) © Christian JEGOU ; Ph. (dent de Velociraptor) © Patrick Dumas / LOOK AT SCIENCES ; Ph. (dessin de Velociraptor) © Roger Harris / SPL / COSMOS ; Ph. (dessin de Stégosaure) © Christian Darkin / SPL / COSMOS ; Ph. (fossile de Lepidotes) © Peter Menzel / COSMOS
p. 90, *g* : Ph. © AKG
p. 90, *d* : Ph. © Service Audiovisuel / MNHN
p. 91 : Ph. © Roger Eritja / BIOSPHOTO
p. 92, *ht g* : Ph. © André Künzelmann /Helmholtz Centre for Environmental Research -UFZ
p. 92, *ht d* : Ph. © Michel Gunther / BIOSPHOTO
p. 94, *ht* : Ph. © Sylvain Cordier / BIOSPHOTO
p. 94, *m* : Ph. © Michel Gunther / BIOSPHOTO
p. 96, *ht* : Ph. © Roger Harris / SPL / COSMOS
p. 96, *m* : Ph. © Sheila Terry / SPL / COSMOS
p. 98, *ht* : Ph. © Tom Mchugh / BSIP
p. 98, *m* : Ph. © Thomas Wiewandt / VISUALS UNLIMITED
p. 98, *bas m* : Ph. © Brandon Cole / VISUALS UNLIMITED
p. 98, *bas* : Ph. © Norbert Wu / BIOSPHOTO
p. 99, *ht* : Ph. © Andrea Jones / BIOSPHOTO
p. 99, *bas* : Ph. © Wally McNamee / CORBIS
p. 99, *m* : Ph. © Christophe BRUNET
p. 101 : Ph. © PHOTO12.COM / ALAMY
p. 102, *ht g* : Ph. © Peter Chadwick / SPL / BIOSPHOTO
p. 102, *ht d* : Ph. © Stan Osolinski / OSF / BIOSPHOTO
p. 104, *ht g* : voir p.108
p. 104, *m* : et reprise p.3, Ph. © Charles Crust / coll. Danita Delimont / BSIP
p. 104, *bas g* : Ph. © Photlook / FOTOLIA
p. 105 : voir p. 166
p. 106, *ht g* : Ph. © Juice Images / CORBIS
p. 106, *bas d* : Ph. © Hervé Conge / ISM
p. 106 : bbd, Ph. © X-D.R.
p. 107, *ht d* : Ph. © J.L. Klein et M.L. Hubert / BIOSPHOTO
p. 107, *bas g* : Ph. © Jean Michel Labat / BIOSPHOTO / T
p. 108, *ht d* : et reprise p.104, Ph. © Sylvain Cordier / BIOSPHOTO
p. 108, *m d* : Ph. © Greenshoots Communication / PHOTO12.COM / ALAMY
p. 109 : Ph. © Jeffrey Van Daele / AGE FOTOSTOCK
p. 111, *ht* : Ph. © J.A. Bassham / Lawrence Berkeley Lab, University of California / T
p. 111, *bas* : Ph. © Claudius Thiriet / BIOSPHOTO
p. 113 : Ph. © Sinclair Stammers / SPL / COSMOS
p. 114 : Ph. © Watson Gregg / Nasa GSFC
p. 114, *bas* : Ph. © NASA's Earth Observatory
p. 115 : Ph. © Yann Arthus-Bertrand / ALTITUDE
p. 116, *ht d* : GUTJAHR Gilles
p. 116, *g* : Ph. © image GoogleEarth
p. 116, *bas d* : 3 Ph. © GALTIER Jean
p. 117, *ht d* : Ph. © Ludek Pesek / SPL / COSMOS
p. 119, *ht* : schémas extraits de PESA News, Oct / Nov 2006 Issue Number 84 © D-R.
p. 119, *bas* : 2 Ph. © David Nunuk / SPL / COSMOS
p. 122 : Ph. © Lowell Georgia / CORBIS
p. 123, *ht d* : Ph. © Bill Backman / PHOTO12.COM / ALAMY
p. 123, *m* : Ph. © David Howells / CORBIS
p. 123, *bas* : Ph. Coll. IM /KHARBINE-TAPABOR
p. 126 : Ph. © Brullé Marc
p. 128, *ht g* : Ph. © Félix Clouzot / GETTY IMAGES France
p. 128, *bas g* : Ph. © Simon Price / PHOTO12.COM / ALAMY
p. 129 : Ph. © Clynt Garnham Energy / PHOTO12.COM / ALAMY
p. 130, *bas g* : Ph. © S. Drapeau / IPEV / INSTITUT POLAIRE FRANCAIS PAUL EMILE VICTOR
p. 131, *ht d* : PHOTO12.COM / ALAMY
p. 132, *ht* : Ph. © carte d'après Instrument ScaRab sur satellite Meteor 3-7 © LMD / CNRS Palaiseau / T
p. 134, *ht g* : © 2010 EUMETSAT, tous droits réservés
p. 134, *bas d* : Ph. © Mediacolor's / PHOTO12.COM / ALAMY
p. 135, *ht* : Ph. © SSEC / D-R.
p. 135, *m d* : Ph. © Ronald Vogel, SAIC for NASA GSFC
p. 136, *bas* : Ph. © Sea Wifs Project / NASA / Goddard Space Flight Center / D-R.
p. 137, *ht* : Ph. © NASA / GSFC / DMSP / CIEL ET ESPACE
p. 140, *ht d* : Ph. © Xinhua Press / CORBIS
p. 140, *m g* : Ph. © Dermot Tatlow / Panos-REA
p. 140, *bas g* : et dte, Ph. © USGS/Nasa
p. 141, *ht d* : Ph. © Claudius Thiriet / BIOSPHOTO
p. 142, *bas* : © Flux Net obtenu avec l'instrument ScaRab du LMD-(D.R)
p. 144, *ht d* : Ph. © JOBY ENERGY Inc.
p. 146, *ht g* : Ph. © Lehtikuva / Avikainen / SIPA PRESS
p. 146, *ht d* : Ph. © Denis Bringard / BIOSPHOTO
p. 147 : Ph. © AgStock Images / CORBIS
p. 148 : Ph. © Maximilian Stock Ltd / SPL / COSMOS
p. 149, *ht* : Ph. © NASA
p. 149, *bas d* : Ph. © J.L. Klein & M.L. Hubert / BIOSPHOTO
p. 151, *ht d* : Ph. © Christian Watier
p. 151, *m* et *bas* : 5 Documents extraits de Martine Guérif et Dominique King (coordinateurs), « Agriculture de précision », coll. Update Sciences & technologies, éditions Quae,2007. a) photos et carte extraites du chapitre: « Cartographie des sols et agriculture de précision » (B. Nicoullaud, N. Beaudoin, J. Roque, A. Couturier, J. Maucorps, D. King) et © Inra, Orléans, 26/04/2002 pour la carte ; b) chapitre « Apport des méthodes de geophysique à la connaissance de la variabilité spatiale et du fonctionnement hydrique des sols » (D. Michot, D. King, B. Nicoullaud, A. Dorigny, H. Bourennane, I. Cousin, P. Courtemanche, A. Couturier, C. Pasquier, Y. Benderitter, M. Dabas, A. Tabbagh) ; c) chapitre « Cartographie du rendement du blé et des caractéristiques qualitatives des grains » (J.M. Machet, A. Couturier, N. Beaudoin)
p. 153, *ht d* : Ph. © WATIER Christian
p. 153, *bas d* : Ph. © JUSSERAND Yves
p. 155, *g* : Ph. © Frans Lanting/ CORBIS
p. 155, *d* : Ph. © OSF/ Mike Hill/ BSIP
p. 158, *bas* : Ph. © PlanetObserver / Photothèque Science / SPL / COSMOS
p. 160, *ht g* : Ph. © Sylvain Cordier/ BIOSPHOTO
p. 160, *m d* : Ph. © David Scharf/ BSIP
p. 161 : Ph. © Phototime / Sinopictures / SIPA PRESS
p. 162, *ht g* : Ph. © Google Earth/ D-R.
p. 162, *m d* : Ph. © Mélon Fred
p. 162, *m g* : Ph. © Bertrand Rieger/ HEMIS
p. 162, *bas g* : Ph. © X-D-R.
p. 163, *ht g* : Ph. © RAUNET Michel
p. 163, *bas d* : Ph. © Sylvain Grandadam / GETTY IMAGES France
p. 164, *m* : Ph. © Denis Baize / NRA/ T
p. 164, *bas d* : Ph. © H. Brill / T
p. 166, *ht g* : Ph. © WATIER Christian
p. 166, *ht d* et reprise **p. 105**, Ph. © Thomas Müller / PHOTO12.COM / ALAMY / T
p. 166, *bas g* : Ph. © Ton Koene / AGE FOTOSTOCK
p. 167 : Ph. © BOL/BEGSTEIGER / BSIP
p. 168, *ht g* : Ph. © George Steinmetz / COSMOS
p. 168, *bas g* : Ph. © Alamy / HEMIS
p. 169, *ht* : 4 Ph. © Patrick Andrieux / INRA
p. 169, *m d* : Ph. © WATIER Christian
p. 172, *ht d* : Ph. © Nasa
p. 172, *m d* : Ph. © Yann Arthus-Bertrand / ALTITUDE
p. 172, *bas g* : Ph. © Jan Sochor / PHOTO12.COM / ALAMY
p. 172, *bas d* : Ph. © Ariana Cubillos/ AP / SIPA PRESS
p. 173, *ht d* : Ph. © WATIER Christian
p. 173, *m d* : Ph. © Jean Weber / INRA
p. 173, *bas d* : Ph. © Andrei Gurianov, STF / RIA NOVOSTI AGENCE
p. 174 : Ph. © Barbar Walton / CORBIS
p. 175, *ht d* : 2 Ph. © RUELLAN Alain
p. 175, *bas* : Ph. © X-D.R
p. 176 : © D. R.
p. 177, *bas g* : Ph. © COINEAU YVES / T
p. 177, *bas d* : Pseudoscorpion, Ph. © FLPA / SUNSET / T
p. 177, *bas d* : Acariens, Ph. © Marc Fouchard / INRA / T
p. 177, *bas d* : Collembole, Ph. © Nigel Cattlin / Photo Researchers / BSIP / T
p. 178 et **p. 179** et reprise p. 3, Ph. © IconSport
p. 178, *ht g* : voir p. 218
p. 178, *bg* : voir p. 238
p. 179 : voir p. 200
p. 180, *bas g* : Ph. © Innerspace Imaging / SPL / COSMOS / T
p. 180, *bas m* : Ph. © Lester V. Bergman / CORBIS / T
p. 181, *bas* : Ph. © Biophoto Associates / BSIP / T
p. 182 : Ph. © Agence Vandystadt / Rodolphe Michelet
p. 188 : CIOT / BSIP
p. 190 : Ph. © Xavier Cailhol / ICON SPORT
p. 191, *ht* : Ph. © Lablatinière / L'Équipe / PRESSE-SPORTS
p. 191, *bas* : Ph. © PHOTO12.COM / ALAMY
p. 194, *ht* : Ph. © CORBIS
p. 194, *m* : BIS / Ph. © ADAGP, Paris, 2010 © Archives Nathan
p. 194, *bas* : Ph. © Céline Le Breton / www.celinelebreton.com
p. 195, *ht* : Ph. © Nicolas Turcat / REA
p. 195, *m* : Ph. © Richard Lewisohn / GETTY IMAGES
p. 195, *bas* : Ph. © DK Limited / CORBIS
p. 198 : Ph. © Patrice Latron / LOOK AT SCIENCES
p. 199 : Ph. © Lahalle / L'Equipe / PRESSE-SPORTS
p. 201 : Ph. © Pr Michel Brauner / ISM / T
p. 203 : 4 Ph. © Extrait de irmcardiaque.com avec permission
p. 204, *m* : Ph. © JM .Labat - Y. Lanceau / BIOSPHOTO / T
p. 205, *ht* : Ph. © PALAIS DE LA DECOUVERTE / T
p. 205, *m* : 2 Ph. © Extrait de irmcardiaque.com avec permission
p. 206 : Ph. © David Phillips / VISUALS UNLIMITED / T
p. 207 : Ph. © Ralph Hutchings / VISUALS UNLIMITED
p. 208 : Ph. © Burger / PHANIE
p. 209 : Ph. © Image Source / AGE FOTOSTOCK
p. 212, *ht g* : Ph. © Steve Gschmeissner / SPL / COSMOS
p. 212, *ht d* : Ph. © Dr Richard Kessel et Dr. Gene Shih / GETTY IMAGES
p. 212, *m* : Ph. © Eye Of Science / SPL / COSMOS
p. 212, *bas* : Ph. © Steve Gschmeissner / SPL / COSMOS
p. 213, *ht* : Ph. © David Rogers / Getty Images / AFP
p. 213, *m* : Ph. © Richard Damoret / REA
p. 213, *bas* : BIS / Ph.Scala © Archives Larbor
p. 214, *bas* : Ph. © James Cavallini / BSIP
p. 216, *ht d* : Ph. © Gustoimages / SPL / COSMOS
p. 217 : 732670_Mike Agliolo / BSIP
p. 218, *ht* : Ph. © Bettmann / CORBIS
p. 218, *bas* : Ph. © SGO / BSIP
p. 220 : Ph. © John Watney / BSIP
p. 223 : Ph. © Roger Harris / COSMOS
p. 223, *m* : Ph. © Roger Harris / SPL / COSMOS
p. 226, *ht* : Ph. © Dougal Waters / GETTY IMAGES
p. 226, *m* : Ph. © Pool Hoernlein / Vario Creative / PHOTONONSTOP
p. 226, *bas* : Ph. © Dr Tim Evans / SPL / COSMOS
p. 227, *bas* : Ph. © SPL / AKG
p. 227, *m* : Ph. © Gabrielle Voinot / CHU Nice / LOOK AT SCIENCES
p. 230 : Ph. © Sheila Terry / SPL / COSMOS
p. 232, *ht g* : Ph. © Imago / PANORAMIC
p. 232, *ht d* : Ph. © Visuals Unlimited / GETTY IMAGES
p. 232, *m d* : Ph. © Franck Faugere / DPPI
p. 233 : Ph. © Streeter Lecka / AFP
p. 234, *bas* : Ph. © Anatole / ISM
p. 235, *ht g* : Ph. © Alterphotos / PANORAMIC
p. 235, *ht d* : Ph. © Nicolas Mollo / ICON SPORT
p. 235, *bas* : Ph. © Scott Camazine / BSIP
p. 238, *ht* : Ph. © Mike Harrington / GETTY IMAGES
p. 239, *ht* : Ph. © Sportsfile / ICON SPORT
p. 239, *bas* : Ph. © Fablet / L'Equipe / PRESSE-SPORTS
p. 242, *ht* : Ph. © Labat - Rouquette / BIOSPHOTO
p. 242, *m* : Ph. © Mark Ralston / AFP
p. 243, *ht* : Ph. © Patrick Allard / REA
p. 243, *m* : Ph. © Lanier / REA
p. 243, *bas d* : Ph. © Gusto Productions / SPL / COSMOS
p. 243, *bas g* : Ph. © Robert Francis / CORBIS
p. 246, *ht* : © site InfoTerre du BRGM / Droits Réservés
p. 247, *m* et *bas* : 2 Ph. © Droits Réservés
p. 247, *ht* : © site InfoTerre du BRGM / Droits réservés
p. 247, *bas* : © Droits Réservés
p. 251, *bas g* : Ph. © Cisca Castelijins / BIOSPHOTO

N° de projet : 10227611
Imprimé en Italie par Bona
Dépôt légal : juin 2016

South Africa

a World in one Country

Travel Guide

*The promise of
a new and exciting discovery ...*